22. 02. 05

Un Arabe face à Auschwitz

Jean Mouttapa

Un Arabe
face à Auschwitz

La mémoire partagée

Albin Michel

© Éditions Albin Michel S.A., 2004
22, rue Huyghens, 75014 Paris
www.albin-michel.fr
ISBN 2-226-14195-2

À Marie, Héloïse et Gabriel,
pour qu'ils transmettent cette mémoire,
et se fassent les gardiens de tous leurs frères.

YHWH dit à Caïn :
Où est ton frère Abel ?
Il répondit :
Je ne sais pas. Suis-je le gardien de mon frère ?

Genèse, 4, 9

AVERTISSEMENT

Je ne suis pas un journaliste : un professionnel de la presse aurait pu écrire une enquête beaucoup plus exhaustive sur l'événement lui-même, ses quelque cinq cents acteurs, leurs milieux d'origine, et la sociologie de ce mouvement inédit qu'a impulsé Émile Shoufani. Je n'ai eu pour ambition que de livrer mon propre point de vue, forcément limité, sur cette expérience singulière. Et si je me suis souvent inspiré de témoignages ou d'articles, je n'en ai pas toujours cité les sources, qui se brouillaient parfois dans mes notes prises sur le vif.

Je ne suis pas un historien : la Shoah, son histoire et sa mémoire touchent à des questions fondamentales déjà traitées par des spécialistes bien plus compétents que moi. Au-delà des quelques points que ma réflexion n'a fait qu'effleurer, je ne peux que renvoyer le lecteur aux références de ma courte bibliographie.

Enfin, je ne suis pas... Émile Shoufani : il ne saurait être tenu pour responsable de mes propos et de mes analyses, surtout lorsque je les ai exprimés à la première personne.

I

La Shoah n'est pas finie

Si je n'ai pas soin de moi, qui donc en aura soin ?
Si je n'ai soin que de moi, que suis-je ?
Et si ce n'est pas maintenant, quand donc ?

Hillel, *Traité des Pères*, 1, 14

8 décembre 2000 à Jérusalem. Émile Shoufani, prêtre arabe de Nazareth, a réuni dans un grand hôtel de la Ville sainte une soixantaine de professeurs. Ils sont venus de l'école arabe qu'il dirige à Nazareth et de l'école juive de Jérusalem avec laquelle il organise des échanges depuis quinze ans.

Dehors, c'est le désert. Plus un pèlerin, plus un touriste dans les rues, et les rares passants ne s'attardent pas, pressés qu'ils sont par l'angoisse qui empoisonne l'air, qui colle à la peau. On sort le moins possible, on laisse allumé toute la journée le poste de radio ou le téléviseur. Comme en temps de guerre.

C'est le désert aussi dans les cœurs. Dans leur hôtel, ils n'ont a priori plus rien à se dire, ces militants du dialogue qui se connaissent et se côtoient pourtant depuis des années. Rien à se dire, si ce n'est la colère, l'incompréhension, et une inextinguible tristesse. Rien à perdre non plus, puisque l'essentiel semble déjà avoir été perdu. Aussi ont-ils malgré tout répondu à l'appel du curé de Nazareth, lorsqu'il leur a demandé un dernier geste, celui de s'enfermer ensemble pendant deux jours pour tenter de répondre à cette question impossible : « Que nous est-il arrivé ? » Mais ils n'ont sur les lèvres aucune explication satisfaisante, aucune parole réconfortante, et ne se retrouvent qu'autour de ce constat accablant : tout est en train de s'écrouler.

Il y a seulement sept ans, avec la poignée de main historique entre Rabin et Arafat, avec le retour triomphal du président palestinien à Gaza, avec la multiplication des groupes de contacts entre Juifs et Arabes à l'intérieur comme à l'extérieur des frontières d'Israël, l'espérance était subitement devenue une valeur en hausse au Proche-Orient. Pour la première fois depuis plusieurs générations, chacun s'était mis à croire que ses enfants pourraient vivre un jour dans une région en paix.

La cote de l'espoir, cependant, s'était remise très rapidement à baisser, surtout depuis l'assassinat d'Yitzhak Rabin en 1995 et la poursuite des attentats. On avait continué de parler de processus de paix, mais tout se passait comme si de part et d'autre on avait décidé de le livrer au bon vouloir des irréductibles : les colonisations juives en Cisjordanie continuaient de plus belle, et les islamistes palestiniens ne cessaient d'accroître impunément leur puissance. L'horizon de la paix s'éloignait de plus en plus, s'évanouissant dans une abstraction à laquelle presque plus personne ne croyait vraiment.

Mais l'espérance n'était encore que moribonde. En cet automne 2000, elle est morte pour de bon, dans le feu et le sang. Autour de son cadavre, les deux camps s'accusent mutuellement de son assassinat : pour les uns, c'est la provocation de Sharon sur l'esplanade des Mosquées qui a tout déclenché ; pour les autres, c'est Arafat lui-même qui avait préparé l'explosion d'une deuxième Intifada. Des images se succèdent, d'une violence extrême, qui font le tour de toutes les télévisions du monde : la mort tragique du petit Mohammed El-Dourra, l'attaque et la démolition du tombeau de Joseph, le lynchage de deux militaires israéliens à Ramallah...

Pour Émile Shoufani et pour ses compatriotes arabes israéliens, cette seconde Intifada est une double catastrophe : il y a bien sûr le malheur qui s'abat à nouveau sur leurs frères palestiniens des Territoires, ces enfants qui meurent, ces mères éplorées, ce peuple – leur peuple – que l'on enfonce dans la misère, coupé du monde. Mais il y a aussi, pour la première fois depuis presque vingt ans, ce coup de tonnerre qui semblait devenu à jamais impossible : la police a fait feu sur eux. Eux, ces Palestiniens de l'intérieur qui sont devenus des citoyens israéliens, qui réclament avec vigueur l'égalité des droits, qui revendiquent et manifestent, mais qui demeurent loyaux vis-à-vis de l'État juif. Tout le combat du curé de Nazareth consiste précisément à favoriser, à travers son école modèle, l'émergence d'une élite intellectuelle et sociale arabe en Israël. Sa réussite de pédagogue, comme celle de nombreuses autres personnalités parmi le million d'Arabes du pays, pouvait devenir une référence pour l'intégration progressive de cette population à l'intérieur de la société israélienne. Une référence qui aurait pu contribuer à l'élaboration d'un « vivre ensemble » inédit entre Juifs et Arabes...

Et voilà qu'en ces jours de folie d'octobre 2000, on s'est mis à leur tirer dessus comme s'il s'agissait d'ennemis enragés et d'horribles envahisseurs ! Voilà que l'État a fait soudain semblant de croire au réveil d'une « cinquième colonne » à l'intérieur de ses frontières, pour écraser dans le sang une contestation qui, même si elle n'était pas exempte de débordements, n'avait rien de foncièrement dangereux pour lui, ne remettait pas en cause la légitimité d'Israël, mais seulement sa politique dans les Territoires. La police n'était pas préparée à faire face à une telle situation à l'intérieur des frontières, elle n'avait pas le matériel adapté, toutes les excuses sont invoquées, mais... si elle avait eu affaire à des Juifs, aurait-elle tiré et tué ainsi ? Les treize morts arabes israéliens de ces dernières semaines ont brisé net un mouvement d'échanges qui commençait à poindre, une confiance qui commençait à naître. Résultat : les jeunes Arabes sont survoltés, leurs aînés écœurés, et les Juifs se mettent à avoir peur de leurs concitoyens. La quasi-totalité des contacts judéo-arabes sont suspendus dans le pays, et le père Émile, avec le petit groupe de dialogue qu'il a convoqué dans cet hôtel de Jérusalem, fait figure d'utopiste un peu ridicule, de naïf qui n'a rien compris à la situation.

Oui, tout est bien en train de s'écrouler...

De tout ce qui se dira au cours de ce séminaire monté dans des conditions surréalistes, Émile retiendra une seule phrase. Un moment qui fera basculer sa vie dans un combat qu'il n'avait pas imaginé.

Les discussions sont houleuses, les mêmes arguments sont ressassés par les uns et les autres, on piétine. Malgré leur isolement volontaire, les protagonistes sont encore traumatisés après cet enchaînement incroyable des événements qui viennent d'avoir lieu, aussi spectaculaires que sanglants. « Que nous est-il arrivé ? » se demandent-ils. Et ils ne savent que répondre. Encore moins avancer, comme le leur demande le prêtre arabe qui les a réunis, vers une définition concrète de la société et de l'État qu'ils désirent construire. Ont-ils seulement la force d'exprimer aujourd'hui un désir, ont-ils la possibilité de se tendre vers l'avenir alors qu'ils sont tétanisés par le présent, engloutis de jour en jour par un déluge d'informations alarmantes ? Ils se connaissent, pourtant, ils travaillent ensemble depuis longtemps pour que « leurs » jeunes apprennent à vivre ensemble dans un même État démocratique...

Un État démocratique, vraiment ? Ou bien un État juif ? Est-il possible qu'il soit les deux, et comment cette double nature pourrait-elle se manifester concrètement, que signifie-t-elle ? Telles sont les interrogations qu'Émile Shoufani renvoie à ses interlocuteurs juifs. Il n'a pas l'intention d'en rester à la surface des choses. « Qu'Israël ait une vocation spécifique par rapport au destin du peuple juif, à l'accueil des Juifs menacés dans le monde, etc., cela ne me gêne en aucune manière », a-t-il toujours affirmé.

Mais toute la question, à ses yeux, est de savoir comment cette singularité peut s'accorder avec les principes d'égalité des droits, de laïcité, de neutralité de l'État, bref, avec tout ce qui fait l'idéal démocratique. Et cette question, il ne cesse de la poser, car elle conditionne l'avenir d'un État qui se voudrait à la fois pluriel et juif. Elle met en évidence la contradiction interne de ces Juifs qui assistent au séminaire, et qui pourtant sont presque tous des « progressistes », des militants de la paix qui sont descendus dans la rue après Sabra et Chatila, après l'assassinat de Rabin. Des partisans de la gauche qui ont souvent agi pour l'égalité des droits de leurs concitoyens arabes. Ils ont toujours vécu avec cette tension, ils l'ont tenue à distance aussi honnêtement que possible, en privilégiant leurs convictions démocratiques. Mais aujourd'hui, c'en est trop pour eux, la contradiction est devenue écartèlement impossible à supporter.

Un homme va exprimer cet écartèlement intérieur, un homme de confiance qui a toujours répondu aux appels du curé de Nazareth, qui a toujours été en première ligne dans leurs projets d'échanges entre élèves : Dan est professeur à l'école Ly'ada dirigée par Hanna Levitee, il connaît le père Émile depuis quinze ans, il est l'archétype de l'Israélien ouvert au dialogue, étranger à tout racisme, impliqué dans une éducation tout entière orientée vers l'acceptation de l'autre. Mais après ces semaines d'enfer, avec au cœur cette angoisse destructrice que génèrent les attentats-suicides, il avoue ce que beaucoup de ses collègues éprouvent sans oser le dire : « Aujourd'hui, je sens que je suis un Juif *avant* d'être un démocrate, c'est la solidarité avec les miens qui importe avant tout, avant même mes convictions vis-à-vis de la paix et des principes démocratiques. » Il a honte de prononcer ces mots, il déclare à tous qu'il considère une telle faiblesse comme indigne de lui. Mais c'est comme ça, il fallait que cela sorte, au risque de blesser ses amis arabes.

Effectivement, ils sont blessés. Émile reste sans voix, le silence s'est fait dans l'assemblée, une rupture terrible se révèle dans ce groupe pourtant habitué aux débats difficiles. Que dire après cette constatation, qui visiblement amène son auteur au bord des larmes ? Que dire, sinon oser une sollicitation, simplement pour essayer de comprendre : « Mais dans ces conditions, qu'est-ce qu'être juif ? Dans cette phrase, que veut dire "Juif" pour toi ? » Dan se trouve alors bien incapable de préciser le sens du mot, puisque, précisément, la judéité impliquait jusqu'à présent pour lui tout un monde de valeurs éthiques. Comment pourrait-il aujourd'hui la penser en dehors de cet idéal ? La question ne fait que mettre en lumière la déchirure intérieure qu'il a révélée devant tous. Mais sa vraie réponse advient finalement, qui résonnera comme une obsession pendant des semaines pour Émile Shoufani : *« Je me sens juif lorsque j'ai peur. »*

Ainsi donc, les Israéliens juifs sont redevenus des « Juifs avant tout », et les Israéliens arabes sont redevenus des « Palestiniens habitant Israël ». Plus de trente ans de travail ont été réduits à néant en quelques semaines. Arrivés au milieu des fragiles passerelles construites à grand-peine par les pionniers du dialogue, voilà que les uns prennent conscience de l'abîme qu'ils surplombent, que les autres sont pris de vertige et ne peuvent plus faire un pas. Chacun soupçonne soudain l'autre de vouloir rompre les cordes de la passerelle, et tous font marche arrière. Émile Shoufani ne peut en rester là.

« Je me sens juif lorsque j'ai peur »... Qu'est-ce à dire ?

En tant qu'Arabe dans une société voulue, bâtie et dominée par des Juifs, en tant que Palestinien dont les frères ont été vaincus, « déplacés », occupés par la puissante armée de l'État juif, s'il y a bien deux mots qu'il n'aurait pas songé à mettre en relation, ce sont ces deux mots-là : le Juif et la peur. Oh bien sûr, depuis quinze ans, il n'a cessé d'appeler les Juifs comme les Arabes, jeunes et moins jeunes impliqués dans les échanges scolaires qu'il organise, à surmonter leur peur de l'autre. Il a pu constater que la première fois qu'une élève juive de Jérusalem devait dormir dans une famille arabe de Nazareth, elle était comme paralysée par l'angoisse. Qu'il en était de même pour le jeune Arabe hébergé dans une famille de Jérusalem. Que la première nuit, les uns et les autres devaient surmonter leurs préjugés, leur anxiété et parfois même leur peur physique pour accepter de se retrouver seul(e)s et sans défense dans un milieu perçu comme hostile. Mais, le plus souvent, cette peur-là s'évanouissait en quelques rencontres, voire en quelques heures. Il suffisait, par exemple, que la jeune Juive s'aperçoive que le petit garçon de la famille arabe faisait fondre dans son bol de thé une quantité incroyable de sucre – exactement comme son propre petit frère ! – pour que l'atmosphère se détende : non, elle n'était pas égarée parmi des terroristes, elle était accueillie dans un foyer comme tant d'autres, préoccupé par les soucis matériels, les notes des enfants à l'école, le temps qu'il ferait demain, et désireux surtout de vivre en paix.

Dissoudre ces craintes irraisonnées entre familles juives et arabes, tel a été le combat d'Émile Shoufani depuis quinze ans. Cela n'a pas été sans mal, mais avec le temps, il a acquis de l'expérience. Maintenant, il sait y faire, il a du « métier » dans le domaine. Il sait comment s'y prendre pour convaincre les parents réticents, pour faire dialoguer les professeurs, pour rassurer les jeunes si besoin est.

Mais la peur dont lui a parlé Dan est d'une autre nature, ce n'est plus la méfiance banale vis-à-vis de l'autre sur lequel on projette ses fantasmes, ce n'est même pas le tremblement physique de celui qui craint un attentat : c'est l'angoisse obscure de l'homme qui sent sa vie, son être même, niés radicalement. Sans que le mot ait été prononcé, Émile a senti planer au-dessus de cet homme déchiré le spectre de la Shoah. Il a l'intuition que dans le ton de cette voix, à travers ces mots difficilement compréhensibles perçait la résurgence d'une autre peur : la grand-peur juive, celle qui s'enracine dans deux millénaires de persécutions, et surtout dans le vertige d'un peuple qui a failli être réduit à néant. Ce jour-là, le curé de Nazareth décide de « faire quelque chose » pour aller au-devant de cette souffrance.

Le peuple d'Émile Shoufani a souffert, lui aussi, et personne ne peut lui faire le reproche d'être un tiède sur ce sujet, ou d'oublier le malheur des siens. Si certains s'aventurent parfois – ils sont rarissimes chez les Arabes israéliens – à émettre des soupçons sur sa « trop » grande proximité avec les Juifs, c'est qu'ils ne connaissent pas, en général, son histoire familiale.

Né en 1947, un an avant ce que les Palestiniens appellent la *Nakba* (la « catastrophe »), Émile est représentatif de ce petit peuple de Galilée meurtri et décimé par la guerre de 1948. À l'époque, les habitants de son village Eilaboun, près de Nazareth, furent refoulés à marche forcée vers le Liban, et son oncle Abdallah, alors âgé de dix-sept ans, fusillé par les soldats israéliens avec d'autres villageois, tandis que son grand-père était assassiné froidement sur le bord du chemin. Tous deux étaient civils non armés, et le jeune Émile aurait eu toutes les raisons du monde d'entrer en détestation d'Israël.

Telle fut, d'ailleurs, l'attitude dont ne se départit jamais son autre oncle, Attallah, qui emprunta la voie la plus dure, celle des Arabes d'Israël liés au mouvement palestinien FPLP de Georges Habache. Attallah était présent dans l'église où s'était réfugiée la population d'Eilaboun, il avait vu son frère désigné au hasard avec treize autres jeunes, il avait entendu le claquement des mitraillettes à cinquante mètres de là, quelques minutes plus tard. Cette blessure indélébile en fit un irréductible ennemi d'Israël. Les Shoufani se souviennent bien de cet homme à la voix d'or, qui allait souvent chanter dans les fêtes et les meetings à Gaza et en Cisjordanie, et qui était aussi très demandé dans les mariages galiléens. Après avoir chauffé l'assemblée avec des chants traditionnels repris en chœur par tous les convives, il enchaînait toujours avec des hymnes nationalistes et antisionistes. Ces soirées festives, en général, se terminaient dramatiquement : intervention musclée de la sécurité israélienne, arrestation tumultueuse de l'oncle, cris, pleurs, puis longues négociations entre la famille et la police pour le faire libérer. Attallah ne cessa son militantisme qu'au moment de la première Intifada : usé et désespéré, il resta des mois durant prostré devant son poste de télévision à regarder les informations... jusqu'à en mourir moins de deux ans plus tard.

En 1948, sa mère, Fadwa – la grand-mère d'Émile –, était revenue clandestinement au village avec ses cinq enfants, après s'être cachée à la frontière du Liban. Jamais elle ne voulut reconnaître le corps de son mari, jamais elle n'alla pleurer sur le tombeau de son fils Abdallah, à cent mètres de la maison familiale... où elle demanda cependant à Émile, au moment de mourir, de l'enterrer. Meurtrie au plus profond d'elle-même mais radicale dans sa détermination, elle avait décidé de ne s'occuper que des vivants, répondant instinctivement à l'impératif biblique : « Tu choisiras la vie. » Cette femme d'exception enseigna au futur curé de Nazareth l'esprit de pardon et de compassion – une leçon qu'il s'est juré de faire fructifier. Ce qui ne l'empêcha pas, revenu au pays et devenu prêtre après de longues études en France, de s'engager résolument dans le combat culturel et social pour la promotion de la communauté arabe. Combat ô combien nécessaire dans un pays où cette minorité a dû arracher un à un ses droits à force d'actions juridiques et de protestations. Depuis les années quatre-vingt, avant même de prendre la direction de l'école Al-Mutran, il a consacré beaucoup de temps aux jeunes, à qui il a toujours transmis la fierté de leur origine. Dès le début, au risque d'être parfois inquiété par le Shin Beth, il ne craignait pas, dans les animations qu'il organisait, de leur faire jouer par exemple la pièce *La Maison antique* de l'auteur égyptien Mahmoud Edgab : on y voit un « occupant » obliger un habitant arabe à lui vendre sa maison ; l'Arabe obtempère, mais exige que sur le contrat soit exclu de la vente... un clou. Un simple clou, mais qui finira par rendre l'acquéreur-spoliateur à moitié fou : plusieurs fois par jour, en effet, le petit Arabe exproprié argue de son contrat pour venir contempler et astiquer « son » clou !

Cette parabole disait bien le sens du combat d'Émile : revendication de la dignité fondée sur le droit, action non violente mais ferme et même obstinée pour la justice. Et le dialogue qu'il instaurera par la suite avec le monde juif ne le fera pas reculer d'un pouce dans sa position revendicatrice. Sur le plan politique non plus, il ne mâche pas ses mots pour critiquer la violence et l'absence totale de perspective du gouvernement Sharon, ni même les atermoiements de Barak et des gouvernements de gauche[1]. S'il ose dire tout haut ce que beaucoup d'Arabes israéliens sont gênés d'avouer – à savoir que sa solidarité avec les Palestiniens des Territoires

---

1. *Comme un veilleur attend la paix,* entretiens d'Émile Shoufani avec Hubert Prolongeau, Albin Michel, 2002.

ne l'empêche pas de se sentir pleinement citoyen d'Israël –, il lutte chaque jour pour l'égalité des droits d'une minorité arabe encore largement défavorisée, voire méprisée. Et surtout pour l'égalité concrète des chances, en dirigeant l'école arabe la plus performante du pays, et en militant pour la création d'une université à Nazareth.

Voilà donc l'homme qui s'est mis à l'écoute de la peur juive, qui la relie, au-delà du non-dit, à la Shoah, et qui décide d'explorer ce continent quasiment vierge de tout regard de la part des peuples arabes : cet homme est un patriote avant tout. Mais un patriote épris d'universel – deux aspects pour lui d'un même combat.

Depuis toujours, Émile Shoufani a insisté auprès de ses frères arabes pour qu'ils s'informent sur la réalité du génocide. Depuis toujours, en tant que directeur de l'école arabe Al-Mutran à Nazareth, il a fait appliquer avec la plus grande rigueur les trente heures de cours sur l'histoire de la Shoah qui sont obligatoires dans tous les établissement israéliens. Il ne s'est d'ailleurs pas contenté de répondre aux directives officielles, il a tenu à emmener lui-même ses élèves au mémorial de Yad Vashem, une journée par an, pour qu'ils comprennent vraiment l'ampleur de l'événement. « Vous n'arriverez jamais à dialoguer avec les Juifs si vous ignorez cet élément majeur de leur histoire, leur disait-il. Vous devez absolument connaître l'énorme traumatisme de leur passé récent, sinon vous ne ferez pas d'eux des interlocuteurs : vous n'aurez d'eux qu'une image tronquée, et eux ne vous entendront pas, vous resterez des étrangers à leurs yeux. » Émile n'est donc pas de ces Arabes qui, sans tomber dans le négationnisme, refusent de considérer sérieusement cette question en arguant de la « récupération nationaliste de la Shoah par les sionistes ». Cette réaction est devenue presque habituelle dans le monde arabe, y compris chez certains Arabes israéliens : « Les Juifs ont souffert, on le sait ! Inutile de nous rebattre les oreilles avec ce passé, on en connaît assez, et même trop, car ils instrumentalisent ce passé pour mieux nous dominer... » Combien de fois Émile ne s'est-il pas insurgé contre ce discours de rejet, combien de fois n'a-t-il pas tenté d'expliquer la nécessité de s'informer sur l'histoire de l'autre pour s'en faire un partenaire ?

Mais du jour où, dans l'hôtel de Jérusalem, il a entendu ces paroles, *« Je me sens juif lorsque j'ai peur »* – ces paroles venues de cet homme-là, Dan, si évidemment et si profondément acquis au combat pour une paix juste –, ce n'est plus d'histoire qu'il s'agit aux yeux d'Émile. Ce n'est plus d'information, de connaissance, de compréhension intellectuelle d'un passé. Tout cela lui semble insuffisant, voire dérisoire. D'ailleurs, il n'est plus question pour lui de passé : en réalité, il a l'intuition que *la Shoah n'est pas finie*, qu'elle est toujours effective, minante, destructrice, présente au plus profond de l'existence juive.

Étrange impression, pour cet homme qui a passé son temps depuis des décennies à rapprocher Juifs et Arabes : « Tout d'un coup, se souvient-il aujourd'hui, je me suis rendu compte que nos efforts pourtant sincères, douloureux, et épuisants depuis tant d'années, étaient passés à côté de l'essentiel ! Nous tentions laborieusement de nous comprendre, comme d'autres groupes nous avions à notre actif des milliers d'heures de discussions, et voilà que nos liens tissés avec tant de difficultés se révélaient d'une incroyable fragilité, parce que ni les uns ni les autres n'avaient osé aborder *le* sujet tabou parmi les tabous. Ce n'est même pas que nous n'avions pas osé : nous n'y avions tout simplement pas pensé, parce que nous croyions que la chose était entendue. Dans notre groupe, il n'y avait jamais eu la moindre insinuation négationniste d'un côté, la moindre manipulation de la mémoire de l'autre côté, alors nous pensions que nous étions quittes ! Vouloir se pencher sur la question aurait semblé inutile, donc incongru... et, qui sait, peut-être suspect. C'est ainsi qu'en quinze ans de rencontres entre élèves arabes de Nazareth et juifs de Jérusalem, *jamais* la question n'avait été soulevée ! Pas plus d'ailleurs que dans les rencontres croisées entre professeurs.

« Dans les semaines qui suivirent, lorsque j'ai pris conscience de cet énorme trou noir – j'allais dire de cet échec, qui était aussi *mon* échec –, j'ai eu l'impression que le sol se dérobait sous mes pieds. Le socle de nos bonnes volontés, sur lequel nous tentions de construire l'avenir de nos jeunes, se révélait fêlé dans sa profondeur. Et cette fêlure, à l'évidence, n'était pas sans lien avec le désastre de ce dialogue judéo-arabe qui s'effondrait de toutes parts dans le pays. J'ai alors décidé qu'il fallait reprendre de zéro cette question, d'un côté comme de l'autre. Nous avions employé des méthodes péda-gogiques éprouvées pour transmettre la mémoire de la Shoah, la plupart d'entre nous avaient une connaissance assez cor-recte, et pour certains très poussée du sujet. Ce n'était donc pas les mots, les informations qui posaient problème. C'était l'attitude intérieure et la relation de chacun à l'autre qui nous empêchaient d'en parler, ou plutôt qui nous en détournaient. Tout le monde croyait savoir, les institutions, les enseignants avaient fait leur devoir, et pourtant la chose nous demeurait extérieure. Et il ne faut surtout pas croire que seuls les Arabes sont concernés par cette distance psychologique, par cette défense inconsciente vis-à-vis du caractère effroyable, sidérant de l'événement Shoah. Très souvent, je m'en suis aperçu par la suite, le silence est la règle aussi dans les familles juives, y compris dans celles qui ont été décimées ! C'est ainsi qu'en fin de compte, personne, dans ces centaines de rencontres judéo-arabes, n'en avait jamais parlé en osant dire *je*. Comme si cette douleur était trop abyssale, et surtout trop *présente* pour faire l'objet d'un véritable partage. C'est pourquoi j'ai décidé qu'il fallait mettre le doigt "là où ça fait mal", comme on dit. »

Attitude de thérapeute : les remèdes à l'inimitié se sont révélés inefficaces, pendant quelques années ils ont pu produire des effets spectaculaires – et les rencontres organisées par Émile le furent plus d'une fois –, mais ils ne faisaient que masquer les symptômes du mal. C'est donc que le diagnostic lui-même était erroné. Il fallait chercher ailleurs l'origine de la maladie. « L'origine de la haine, c'est la haine de l'origine », a écrit le psychanalyste français Daniel Sibony, à propos de l'antijudaïsme chrétien. Émile Shoufani se confronte à une autre problématique dans un tout autre contexte, mais la nouvelle voie qu'il imagine en ces premiers mois de la seconde Intifada relève de la même logique : il faut aller au fond, parler de soi-même, des zones les plus douloureuses de sa propre identité, explorer ensemble la mémoire, si l'on veut renouer un lien qui ne soit pas factice.

II

Histoire d'une naissance

YHWH dit à Abram : « Va vers toi...
Deviens bénédiction...
Par toi sont bénies
toutes les nations de la terre. »

Genèse, 12, 1-3

Au cours du printemps 2001, après plusieurs mois de rupture quasi totale, des groupes de dialogue tentent de se reconstituer dans le pays. Des groupuscules plutôt : une vingtaine de personnes ici, quatre ou cinq là, qui tentent de reconstruire des relations amicales. Malgré l'incompréhension qui s'est installée entre eux, ils refusent d'accepter la logique délirante de la haine. Ces rares obstinés ont pratiquement perdu tout espoir, mais, au moins, ils veulent savoir pourquoi... Les associations ont cessé leurs activités, les lieux habituels de rencontres ne fonctionnent plus, ce qui conduit certains de ces groupes à demander asile à Émile Shoufani. En toute discrétion, sans s'engager forcément à leurs côtés mais par pure hospitalité, il leur ouvre les salles de réunion de son école. Parfois, à leur demande, il assiste à leurs discussions, notamment quand des Juifs viennent seuls, sans leurs interlocuteurs arabes habituels.

Mais dans le même temps, les réflexions d'Émile sur le « trou noir » de la Shoah dans le dialogue judéo-arabe continuent de l'habiter. Un soir, il sent que le moment est venu d'en parler. Devant une minuscule assemblée de moins d'une dizaine de Juifs, il intervient dans le débat et livre le fond de sa pensée... Sidération parmi les participants, qui n'étaient pas venus pour entendre de telles paroles : ils n'avaient pas imaginé qu'un jour un Arabe leur parlerait de *cela*. Et surtout, qu'il leur en parlerait sur ce ton-là. Mais Émile doit bientôt s'arrêter : une femme s'est écroulée, en larmes. Elle n'est pourtant pas de ces « âmes sensibles » qui perdent facilement leurs moyens, elle a été formée à garder son sang-froid en toutes circonstances, puisqu'elle est inspectrice de l'Éducation nationale, responsable de tout le corps des conseillers pédagogiques. D'une façon encore plus évidente que ce qu'il pensait, Émile comprend qu'il a bien touché « là où ça fait mal »...

Cette réaction aurait pu l'arrêter dans sa démarche, ou du moins le conduire à garder pour lui ses réflexions sur un sujet aussi pénible. Elle ne fait que renforcer sa détermination à aller de l'avant.

Pourtant, dans les mois qui suivent, il est totalement absorbé par les urgences qui s'imposent à lui dans ce monde israélien en plein marasme — ce monde qui était certes en crise depuis longtemps, mais qui maintenant se défait socialement, politiquement, moralement, sous l'effet conjugué des attentats-suicides et de la violence de l'armée dans les Territoires. De semaine en semaine, Émile doit parer au plus pressé. Passer presque quotidiennement dans les classes de l'école pour apaiser les esprits, expliquer, faire parler les élèves survoltés à chaque incursion de Tsahal à Gaza ou en Cisjordanie. Trouver des palliatifs au manque cruel de moyens, dans cette ville de Nazareth ruinée par l'absence totale de touristes. Gérer sa paroisse melkite et les relations avec les musulmans... Mais intérieurement, au milieu de cette turbulence incessante et des malheurs quotidiens, il n'en continue pas moins de poursuivre sa méditation.

Il est maintenant persuadé qu'il faut créer un événement, un geste collectif. Une action qui libérera la parole et mettra en lumière le « trou noir » qui s'est révélé à lui, pour provoquer le choc d'une rencontre à un autre niveau entre Juifs et Arabes.

Et petit à petit, un nom s'impose à lui.

Le nom le plus terrible, le plus difficile à prononcer tant il remue d'ombres et de douleur : Auschwitz.

Il faut aller à Auschwitz, et il faut y aller *ensemble*.

Ou, plus précisément, il faut que les Arabes proposent aux Juifs de les accompagner à Auschwitz, non pas pour leur donner une leçon d'histoire, mais pour leur parler d'eux-mêmes, pour se dire à eux dans leur vérité présente.

Durant l'été 1967, jeune séminariste palestinien poursuivant ses études de théologie à Paris, Émile Shoufani avait visité Dachau au cours d'un voyage en Allemagne. Juste avant, il avait lu le livre *Treblinka* de Jean-François Steiner, qui révéla à beaucoup la réalité concrète de l'extermination, en ces années soixante où l'on parlait moins en France du génocide que de la Résistance et de la « haine héréditaire » franco-allemande. De sa visite au camp de Dachau, il n'a retenu qu'une insupportable suffocation. Physiquement, il avait été submergé par une sensation atroce d'étouffement, qui l'avait obligé à sortir de ce lieu insoutenable. Expérience qui avait alors transformé en profondeur sa vision du monde juif : patriote palestinien convaincu, encore marqué à cette époque par l'élan d'enthousiasme pour le « renouveau arabe » initié par Nasser, figure tutélaire de son adolescence, il ne pourrait plus, cependant, après cette visite, regarder les Juifs sans avoir présent au cœur le grand choc de la Shoah. Jusqu'alors, il savait bien sûr que les Juifs avaient « beaucoup souffert » sous le nazisme, mais après tout, son peuple aussi souffrait... « J'avais quinze ans, se souvient-il, quand eut lieu en Israël le procès Eichmann, qui eut un retentissement dans le monde entier. Mais chez nous, on ne parlait pas de la Shoah, nous n'avions pas la télévision et ce qui se passait dans le monde juif ne nous touchait guère – nous étions encore sous le régime d'occupation militaire. Pour nous la Shoah était seulement une conséquence de la seconde guerre mondiale : on nous disait qu'il y avait eu soixante millions de morts dans cette guerre, dont vingt millions de Russes et deux millions à la bataille de Stalingrad. Les six millions de Juifs n'étaient qu'un chiffre historique de plus qui venait s'inscrire dans cette comptabilité macabre. » Il est vrai que l'historiographie de la Shoah, à l'époque, et même en Israël, était plus centrée sur son ampleur chiffrée que sur la profondeur du traumatisme. Les réflexions sur la chosification de l'être humain, sur l'industrie de la mort, sur la rupture abyssale que représente la Shoah dans l'histoire de l'humanité étaient encore peu nombreuses et n'avaient pas vraiment touché les opinions publiques, y compris occidentales. Et il n'en était évidemment pas question dans le monde arabe...

Le jour où il avait lu *Treblinka*, le séminariste Shoufani avait compris l'expérience humaine concrète qui se cachait sous ce chiffre abstrait de six millions de morts.

Le jour où il avait visité Dachau, il l'avait ressentie dans sa chair.

D'où sa conviction qu'il faut, pour prendre la pleine mesure humaine de l'événement, se rendre « sur place ». Mais le nom qui lui vient alors à l'esprit n'est pas celui de Dachau, camp de concentration. Il veut aller visiter un camp d'extermination comme le fut Treblinka. Auschwitz, devenu le symbole universel de la Shoah, est un camp mixte qui permettra de préciser cette distinction essentielle. Oui, c'est à Auschwitz qu'il faut aller.

Des centaines de voyages à Auschwitz ont lieu tous les ans à partir d'Israël, mais celui-ci sera – et c'est le plus important à ses yeux – d'*initiative arabe*. Conçu, préparé dans ses principes et organisé par des Arabes : cela ne s'est jamais vu ! Si des Arabes israéliens ont participé à des visites collectives dans le passé, c'était souvent grâce à la coopération du Parti communiste israélien, et toujours sous l'égide des Juifs, qui ont pour ce faire plusieurs agences spécialisées dans le pays. L'idée d'Émile est totalement inattendue, il le sait, et elle a toutes les chances d'être mal reçue par les uns comme par les autres en ces temps de violence exacerbée. Il décide pourtant de l'évoquer dans une autre de ces réunions qui se tiennent alors dans son école.

Ce soir-là non plus, ils ne sont même pas une dizaine, des Juifs uniquement. Et surtout des Juives, car les femmes sont majoritaires dans ces petites assemblées qui tentent de réfléchir aux moyens de sauver le dialogue. Au bout d'une heure, le prêtre prend la parole. Il parle de sa découverte d'une nouvelle peur dans le peuple juif. D'une peur qui n'a pas eu d'équivalent lors de la guerre des Six-Jours, lors de la guerre du Kippour ou lors de la première Intifada : la peur de la disparition, la peur de celui qui pense qu'on en veut non seulement à sa vie, mais à son être même, en tant que Juif. Une peur qui, en réalité, n'est pas neuve, mais remonte à la nuit des temps, et surtout à un temps particulier : celui de la Shoah.

Et lui, Émile Shoufani, arabe et palestinien, a décidé de réagir.

Et sa réponse prendra la forme d'un voyage collectif à Auschwitz.

Et il veut que ses frères arabes en prennent eux-mêmes l'initiative et l'organisent de bout en bout, car les Arabes ne sont pas les héritiers d'Amalek et de Hitler.

Et ce seront eux, les Arabes, qui inviteront les Juifs à se joindre à eux, à leur parler de leur souffrance, à les accompagner dans cette démarche de mémoire et de recueillement...

Voilà, il s'est lancé.

Il s'est risqué sans même en avoir parlé à aucun de ses « frères arabes », mais il se dit que si l'écho est positif ce soir, il s'engagera pour mobiliser les siens. Et il est persuadé, ou plutôt il veut croire de toutes ses forces qu'ils se montreront à la hauteur de l'enjeu. Il ne peut jurer de rien, mais il en fait le pari... avec, au fond de lui, une petite voix dubitative qui lui demande s'il n'est pas devenu un peu fou.

La réaction, en tout cas, chez ces quelques Juifs qu'il connaît à peine, est pour l'heure assez silencieuse. C'est qu'il manquait, à son discours prononcé d'un seul trait, un petit mot. Un mot encore plus fou, un mot que la première question, formulée presque à voix basse par une femme, lui permettra d'ajouter : « Et nous, que devrions-nous faire en retour ? lui demande-t-elle. Qu'attendriez-vous de nous ? »

Émile n'y a pas réfléchi !

Dans les longs monologues au cours desquels il a tourné et retourné dans tous les sens cette idée aussi insolite, la question ne lui est pas venue à l'esprit. Aussi se lance-t-il encore une fois, avec l'énergie de celui qui doit à tout prix avancer sans savoir où il pose le pied, et il répond :

« Rien.

— Comment ça, rien ?

— Rien ! »

Ils ne comprennent pas. La chose était déjà plus qu'audacieuse, elle devient pour eux impensable.

« Rien ! » répète Émile.

Et maintenant qu'il a jeté ce mot dans l'assemblée, il va bien falloir qu'il s'explique : « Rien, cela veut dire : c'est gratuit ! Ce sera purement notre initiative, je ne suis pas en train de vous proposer un marché à négocier. Je n'exige rien en échange, le geste n'aura de sens que si nous, les Arabes, ne vous demandons rien d'autre que de nous accompagner, de nous parler de vous, de vous raconter. Et nous, nous écouterons. C'est tout. »

Cette fois, la réaction est immédiate... et tout aussi silencieuse : tous ses interlocuteurs se mettent à pleurer. Ils pleurent sans rien dire, sans pouvoir se retenir. « J'ai d'abord été surpris de cette réaction, dira plus tard Émile. Ça a duré un bon quart d'heure, personne ne parlait. Et puis, en les regardant, eux, juifs, pleurer comme ça devant moi, arabe, j'ai compris qu'il se passait là quelque chose d'unique, que ces larmes n'étaient pas des larmoiements, ne venaient pas d'un accès de sensiblerie, mais d'une libération. Cette émotion n'était pas du sentimentalisme, elle ressemblait plutôt à celle qui advient lors d'une naissance. »

Parmi la petite assistance de cette réunion, une femme se découvre une vocation : elle décide ce jour-là de porter le projet d'Émile auprès des Juifs d'Israël. Or, des personnalités juives importantes capables de se lancer dans l'aventure ou de la soutenir, elle en connaît plus qu'il n'en faut dans tout le pays. Pour les Israéliens, Ruth Bar Shalev est d'abord la fille aînée d'un homme connu de tous et apprécié pour son humanisme, Mordechai Gur, qui fut chef d'état-major de l'armée, et dont la presse a loué unanimement la mémoire lorsque, miné par la maladie, il a mis fin à ses jours en 1995. Plusieurs articles étaient alors parus pour réclamer qu'il fût fait exception à la règle de la tradition, selon laquelle l'auteur d'un suicide ne peut être enterré dans un cimetière juif. Et des Arabes étaient même venus à son enterrement... Mais, quelques mois plus tard, lorsqu'une plaque commémorative fut apposée au coin d'une rue arabe de Jérusalem en l'honneur du « libérateur » de la Ville sainte – car c'était le général « Motta » Gur qui avait pris possession de la vieille ville en 1967 –, elle fut nuitamment enduite de plâtre. Nettoyée, elle fut recouverte quelques jours après, puis à nouveau décapée, puis encore recouverte... cinq fois de suite. À partir de ce moment, Ruth commença à se poser des questions sur la motivation et les souffrances de ces Arabes qu'elle ne haïssait aucunement – son père avait toujours été au-delà de toute haine – mais dont elle ne connaissait rien.

Ruth n'est pas seulement la « fille de Motta Gur », ou l'arrière-petite-fille de l'ancien grand rabbin de Varsovie – comme elle l'apprit très tardivement, ses parents n'étant pas religieux. Formée aux États-Unis, bardée de diplômes, elle s'est fait connaître pour sa pratique tout à fait singulière du conseil en management. Qu'elle travaille avec les services publics de l'État, avec la municipalité de Tel-Aviv, avec les femmes officiers supérieurs de l'armée ou avec de grosses sociétés privées, elle cherche toujours à faire évoluer ses interlocuteurs vers une vision plus humaine de leurs responsabilités. Elle a déjà provoqué de petites révolutions culturelles dans des organisations publiques ou privées, en soumettant leur direction et leur personnel à une sorte de maïeutique, de questionnement tenace sur leurs valeurs, leurs motivations profondes, leurs desseins professionnels et personnels. Elle a aussi participé à la fondation d'un journal associatif, *Eretz Aheret* (« Un autre pays »), à des groupes de réflexion sur les relations entre laïcs et religieux ou entre Juifs et Arabes en Israël, à des mouvements de femmes... Bref, rien de ce qui bouge dans le pays, y compris sur le plan politique, ne lui est inconnu.

Ruth ne connaît Émile que depuis quelques semaines. Mais déjà elle le comprend comme si elle l'avait fréquenté depuis des années. Leur rencontre s'est faite par l'intermédiaire d'une Arabe, Hyam Tannous, responsable des conseillers pédagogiques pour toutes les écoles du nord d'Israël. Hyam fréquentait un séminaire pour cadres administratifs, animé par Ruth. Or, depuis deux ou trois ans, elle avait eu accès aux livres du curé de Nazareth par son amie d'enfance Soad, une autre Arabe chrétienne qui travaille avec Émile depuis de nombreuses années. Hyam avait lu ces ouvrages avec passion – et en français –, elle était tout de suite devenue une fidèle du curé de Nazareth – qu'elle nomme, comme tous les Arabes de la région, *Abouna* (« le père », ou « notre père »). « Il avait écrit tout ce que je pensais depuis longtemps, raconte-t-elle. Je lisais et je n'en croyais pas mes yeux, j'étais bouleversée et j'en parlais à tout le monde. Et lorsque je suivais les cours de Ruth, chaque fois qu'elle disait quelque chose, je l'interrompais en m'exclamant : "Mais c'est dans le livre d'Abouna !" Il fallait absolument que je les présente. Le jour où je les ai fait se rencontrer, elle n'avait théoriquement qu'une heure à lui consacrer. Mais on avait rendez-vous à 11 heures, et leur discussion s'est terminée à 18 heures... Ils parlaient entre eux comme si je n'étais pas là, comme s'ils se retrouvaient en amis après de longues années, ils refaisaient ensemble le monde et j'avais l'impression d'assister à un moment historique. Sur le chemin du retour, dans la voiture, Ruth se taisait. En arrivant à Haïfa, elle a mis sa main sur mon épaule et m'a dit : "Je crois que j'ai rencontré un *nabi* ["prophète" en hébreu]. Je te promets qu'avant un an tout le pays va connaître cet homme." J'avoue que sur le moment, je n'ai pas très bien compris... »

Cette chaîne de rencontres a priori fortuites a maintenant trouvé son aboutissement : avec son carnet d'adresses florissant, avec sa volonté inébranlable et son sens de l'organisation, Ruth Bar Shalev, la fille du général, va se jeter corps et âme dans ce combat pour la paix que désormais elle a fait sien.

Le jour où Émile a annoncé pour la première fois son projet à ce petit groupe d'amis juifs, il a parlé d'« initiative arabe ». Mais quelle légitimité avait-il pour s'exprimer ainsi ? Avait-il le droit de lancer ce « Nous, les Arabes... » dont il ne savait pas encore à partir de quels « je » il le construirait – ni même s'il parviendrait à le construire ?

Pour les Arabes du pays, le curé de Nazareth est un homme de confiance, et cet élément va être un facteur essentiel dans l'écoute qu'il réussira à obtenir d'eux. « Abouna, il est des nôtres, affirment-ils en chœur, c'est un patriote. Même si parfois on n'est pas d'accord avec lui, on le respecte. » Mais un chrétien peut-il disposer d'une réelle légitimité sur un sujet aussi sensible, minoritaire qu'il est parmi une population aux neuf dixièmes musulmane ou druze ? Pour beaucoup d'autres, la religion aurait représenté un obstacle. Pas pour Abouna, qui depuis presque trente ans a prouvé maintes fois sa capacité à faire dialoguer les différentes communautés. Déjà, jeune prêtre dans les villages de Galilée où les inimitiés entre orthodoxes, protestants, druzes et musulmans étaient souvent enracinées depuis des générations, il s'était vite imposé comme le médiateur apte à maintenir la paix lorsque les esprits s'échauffaient. Encore récemment, lors de la crise de la mosquée de Nazareth (que des musulmans menés par des islamistes voulaient construire face à la basilique de l'Annonciation), il s'est dépensé sans compter pour aboutir à un compromis. Il faut dire qu'outre sa personnalité chaleureuse qui lui permet d'obtenir le respect de tous les chefs de communautés, sa situation de minoritaire parmi les minoritaires le place au carrefour du monde arabe israélien : prêtre melkite, il fait partie d'une Église grecque-catholique reliée à Rome mais dont la liturgie demeure byzantine, comme celle des orthodoxes, et entièrement en arabe, à l'instar du culte musulman. Dans ses prières, Dieu se dit « Allah », et tous les ans, à Noël, il mène une procession en l'honneur de Jésus et de Marie avec à ses côtés les chefs religieux musulmans, lesquels sont fiers d'habiter la ville du prophète « Isa, fils de Meryam ». Émile est vraiment le curé de tous, et dans un monde palestinien à majorité musulmane, il refuse de réagir par le repli sur soi et la méfiance comme le font beaucoup de chrétiens orientaux : il clame au contraire bien haut sa fierté d'appartenir à l'univers culturel de l'islam.

Qu'en est-il, enfin, des communistes – ou des ex-communistes, puisque beaucoup ont quitté le Parti depuis la chute du Mur ? La question a une pertinence particulière pour le projet que lance Émile, car le Parti communiste israélien a été historiquement le seul lieu où Juifs et Arabes se sont retrouvés à travailler régulièrement ensemble. En outre, son idéologie valait ce que l'on sait, mais elle avait le mérite – comme on le verra plus loin – d'introduire dans toute une partie de l'opinion arabe le refus clair de l'antisémitisme et la mémoire de la Shoah. Les milieux arabes proches du communisme apparaissaient donc comme les alliés naturels d'Émile dans son projet... mais sa prêtrise, elle, pouvait faire penser à une alliance contre-nature.

Cet obstacle-là, lui aussi, disparaît lorsqu'on connaît l'histoire du curé de Nazareth : il y a vingt ans, déjà, certains l'accusaient de crypto-communisme, tant il se retrouvait souvent aux côtés de militants pour des actions concrètes ! Il a d'ailleurs toujours réfuté cette suspicion : « Je n'ai jamais mis ma foi sous le boisseau. En aucune circonstance, et quels que soient mes interlocuteurs, je ne cache ni mon engagement chrétien ni ma prêtrise. Mais je n'ai jamais conçu non plus mon rôle de prêtre comme limité au domaine strict de la religion, de la pastorale, de la liturgie. Je suis très attaché à ma paroisse de Nazareth, à mon Église melkite, et la prière me nourrit spirituellement, sans elle je ne pourrais vivre. Seulement, j'ai aussi d'autres responsabilités, car je crois que le prêtre doit être le lieu du lien. Du lien entre les chrétiens, mais aussi du lien entre les hommes et les femmes de la société où il vit. C'est pourquoi je peux avoir un dialogue avec des communistes qui raisonnent selon une logique qui n'est pas la mienne. Ce qui ne veut pas dire que je me résous à des concessions sur l'essentiel, sous prétexte de trouver je ne sais quel "plus petit commun dénominateur" humaniste, qui souvent sonne creux, et qui vide de leur sens les mots les plus forts. D'ailleurs, même si on ne parle ensemble que de questions humaines, je ne peux passer sous silence ma vision de l'homme comme porteur de l'image de Dieu. Mais je n'ai pas à leur imposer cette vision, mon rôle est de chercher à rejoindre leur personne authentique, laquelle, au fond, n'est jamais purement matérialiste. »

C'est ainsi que le premier ami arabe auquel Émile confie son idée d'un voyage à Auschwitz est précisément un communiste historique, Salem Joubran. Poète avant tout, il a traduit Aragon, Brecht, et d'autres hautes figures littéraires qui ont marqué toute une génération palestinienne. Certains l'appellent le « Mahmoud Darwich des Arabes israéliens », il est en tout cas de la même génération et ami du grand poète palestinien. Il a derrière lui trente-cinq ans d'activité au sein du Parti communiste israélien, dont il a été le secrétaire général et dont il a longtemps dirigé l'« organe central », selon l'expression consacrée. Émile et lui se connaissent depuis plus de vingt ans : lorsque la tension était trop forte entre le curé de Nazareth et la mairie, alors communiste, Salem téléphonait innocemment pour passer boire un café à l'école, et les deux hommes arrivaient toujours à trouver un compromis. Au fil des ans, les discussions devinrent de moins en moins souvent houleuses, car une vraie amitié se construisait. Aujourd'hui, Salem a rendu sa carte du Parti et s'occupe d'un autre journal, *Al-Ahli*. Mais il affirme encore, malgré son abandon du militantisme, ne « pas avoir trahi l'idéal communiste ». Le seul domaine où il ait vraiment changé de position, ce sont les religions. Il reconnaît avoir été jadis un « laïc extrémiste », alors que depuis quelques années il a lu le Coran (quatre fois, précise-t-il), la Bible hébraïque (qu'il peut lire dans la langue originale, privilège des Arabes israéliens) et, plus récemment, le Nouveau Testament. « Ce n'est pas cela qui me conduira au Paradis, dit-il avec le sourire, mais il y a des millions de croyants de par le monde, ces écrits ont traversé les siècles, je serais imbécile de les négliger. » La foi d'Émile n'a donc jamais été un obstacle à leur longue amitié.

Et lorsque celui-ci lui parle de son idée, il y adhère immédiatement. Salem a déjà participé à neuf voyages dans les camps nazis, soit avec le Parti communiste, soit avec des groupes d'enseignants. Depuis une dizaine d'années, il s'est même fait une spécialité d'enseigner la Shoah aux Arabes israéliens. Il n'est donc pas ignorant du sujet, mais là, l'ampleur du projet est sans précédent, il est prêt à se faire l'adjoint d'Émile pour toute la partie arabe de l'opération. Il lui faudra cependant quelque temps pour décider de prendre en charge cette lourde responsabilité en plus de son journal. Mais une fois engagé, il ne fléchira pas. C'est donc autour de cet étrange binôme d'un curé secondé par un communiste que les premiers Arabes informés par Émile se réunissent un jour en petit comité : Hyam Tannous, qui lui avait fait rencontrer Ruth ; un homme d'affaires, Ahmad 'Afifi ; un écrivain, Nazir Mjally ; un médecin urgentiste, 'Abdel 'Aziz Darawsheh ; le directeur administratif de l'école, Joseph Hilou ; un grand avocat musulman, Ahmad Masaalha...

Tout de suite, les discussions sont vives, le ton monte plus d'une fois jusqu'aux limites de ce que peut permettre l'amitié – et chez les Arabes israéliens, ces limites sont plus hautes que chez d'autres... Hyam adhère d'emblée à la vision d'Émile, mais les hommes, en dehors de Salem, sont arrêtés par deux objections majeures. En premier lieu : « Pourquoi maintenant ? », alors qu'il y a quelques semaines à peine on pouvait entendre de Nazareth le bruit du canon tonnant sur Jénine, et que chacun d'eux en reste traumatisé et révolté. Et surtout : « Pourquoi gratuitement ? Pourquoi se pencher sur leurs souffrances passées, dont nous ne sommes pas responsables, quand ils refusent de reconnaître les nôtres et celles de nos frères ? Ces souffrances-là sont elles aussi terribles, elles ont lieu maintenant, et c'est justement eux qui en sont la cause ! » Joseph, le seul pourtant qui côtoie quotidiennement Émile dans son école, est l'un des plus virulents. Tous, cependant, ont compris le caractère historique de ce projet et l'approuvent sur le fond. Ils veulent bien en être, mais ils auraient voulu faire fléchir Émile sur ces deux points : « D'accord pour ce voyage, Abouna, tout ce que tu voudras pour donner à ce geste une ampleur inégalée, nous sommes partants... mais plus tard, et en négociant avec les Juifs une contrepartie, un geste réciproque. »

Leur Abouna reste intraitable. Il a bien vu l'effet de ce « Rien ! » qu'il a lancé il y a quelques semaines, il est persuadé que c'est ce caractère unilatéral et gratuit de l'action qui en fait un levier sans précédent dans la situation actuelle. Les autres hésitent, ils pensent aux montagnes d'obstacles qu'il leur faudra soulever, ils craignent pour leur réputation de patriotes, ils ne veulent pas passer pour les « pigeons » des Juifs... Finalement, aucune décision ne sortira de cette première réunion.

Il en faudra beaucoup d'autres, et ce n'est qu'au bout de deux mois qu'Ahmad Masaalha, l'avocat qui sait mieux que d'autres se faire écouter, lance un « *Khalas !* » décisif.

Khalas ! c'est-à-dire : « C'est fini ! », on arrête de tergiverser.

Khalas ! c'est-à-dire : tout commence.

III

« *Nous, Arabes d'Israël...* »

> *En Palestine, nous n'avons pas vécu avec les Arabes, mais à côté d'eux. Si elle ne se développe pas vers un* être-avec, *la cohabitation de deux peuples sur une même terre devient fatalement une opposition. Aucun chemin ne permet de revenir à la pure et simple cohabitation. Il est par contre toujours possible de percer en direction de l'*être-avec, *bien que de nombreux obstacles se soient accumulés sur cette voie.*

Martin Buber, 1929

Qui sont-ils, ces Arabes d'Israël qui choisissent ainsi de suivre Émile dans une aventure si risquée ? Des humanistes bon teint, des « modérés », avec ce que ce terme peut comprendre parfois de trop sage et de trop réservé ? Des Arabes qui veulent rester discrets et exemplaires, désireux de se fondre un peu mieux, par le moyen de ce voyage, dans une société à dominante juive ?

La réponse tient dans les paroles du premier allié d'Émile, Salem Joubran. Cet homme révolté n'a pas changé un iota à sa critique des discriminations que subissent les Arabes israéliens. Il se présente d'ailleurs comme « Palestinien citoyen d'Israël », non pas pour nier la légitimité de l'État, mais pour affirmer sa différence. « Ici, explique-t-il, ce n'est pas comme en France : vous êtes une nation unitaire, un Juif ou un Arabe sont autant français que Jacques Chirac, et respectés comme tels [ce en quoi, s'agissant au moins de l'Arabe, Salem enjolive une situation qu'il ne connaît pas !]. Moi, le jour où sera créé un État palestinien, je resterai à Nazareth, car je suis né ici, en Galilée. Mais je ne veux ni me changer en Juif ni accepter les inégalités dont souffrent les Arabes. Inégalités économiques, sociales, mais surtout culturelles. Un enfant juif qui va à l'école apprend naturellement l'histoire de son peuple. Nos enfants à nous doivent apprendre en dehors de l'école leur histoire, tout ce qui fait leur identité. Vous trouvez ça normal ? » Salem a fait partie pendant quatre ans du Conseil de surveillance de la télévision publique et, en tant que seul Arabe dans cette institution, il ne s'est pas privé d'exprimer ces revendications : « Le jour où, en vérifiant le budget avec un économiste arabe de Nazareth, j'ai constaté qu'il y avait vingt millions attribués à la création de fictions en hébreu, et pas un shekel pour la langue arabe, je suis sorti de mes gonds. Je leur ai dit : "Vous croyez que nous sommes des analphabètes seulement bons à vous préparer le *houmous* ? Nous avons d'excellents acteurs, figurez-vous ! Et que les Juifs adorent, d'ailleurs !" Je ne demandais pas vingt millions, je me serais contenté de cinq... Voyez-vous, les Juifs ont tendance à considérer que nous n'avons pas le droit à la culture, et cela, ce mépris dit ou non dit, nous affecte énormément. »

Cette condescendance négatrice de l'être arabe traverse, selon lui, tout le monde politique, de droite comme de gauche, et les gouvernements travaillistes du passé n'ont pas fait mieux que ceux du Likoud. Un seul homme, aux yeux de Salem, avait pris conscience, tardivement mais sincèrement, des effets dévastateurs de cet état de fait : Yitzhak Rabin. « Lorsqu'il a été élu pour la seconde fois, raconte-t-il, il a invité chez lui, à Ramat-Aviv, vingt-cinq intellectuels, dont je faisais partie. Il me voit rester silencieux, en train d'écouter tout le monde, et m'interpelle : "Alors, Joubran, tu te tais et tu attends la fin pour mettre en pièces tout ce qui a été dit ? Dis-moi ce que tu as sur le cœur." Je lui ai alors demandé : "Comment vois-tu concrètement notre statut ?" Il m'a répondu textuellement : "Je suis étonné que les Arabes israéliens ne soient pas tous devenus des Black Panthers avec des couteaux entre les dents... Si je consacrais tout mon mandat à lutter contre cette discrimination, les quatre ans n'y suffiraient pas." » Rabin, malheureusement, n'a presque pas disposé de son nouveau mandat, quelques mois plus tard il était assassiné. Mais son attitude continue d'inspirer le respect à Salem : « Il était juif, c'était un soldat, c'était un sioniste. Mais avant tout, il était un être humain. »

C'est de cette époque, celle de l'après-Oslo, que date l'engagement de Salem pour la mémoire de la Shoah. « De par ma formation politique, explique-t-il, j'ai toujours su et défendu que l'antisémitisme était radicalement néfaste et contraire au nationalisme arabe. Et à partir d'Oslo, j'ai pensé que si les relations judéo-arabes devaient un jour se normaliser, il fallait absolument que les Arabes soient formés sur cette question essentielle qu'est la Shoah. » Il s'est mis alors à donner des cours sur le sujet pour des Arabes israéliens, dans le cadre de l'institut Givat Haviva. Puis il a créé un séminaire pour enseignants juifs et arabes au musée Lohamei Haghetaot (« Les combattants des ghettos », du nom d'un kibboutz créé par des survivants du ghetto de Varsovie). Il en a conçu le programme en 1995 avec Raya Kalisman, professeur d'histoire qui avait décidé de fonder le centre Humanisme et Démocratie pour combler le besoin de dialogue entre citoyens israéliens arabes et juifs, à partir des enseignements de l'histoire de la Shoah. « Nous voulions d'entrée créer un cours mixte, dit Salem, parce qu'il n'y a jamais une seule façon de dire la vérité. »

Pourquoi enseigner l'histoire de la Shoah ? lui demande-t-on souvent. « C'est simple. Les nazis ont décidé d'exterminer les Juifs comme si c'étaient des moustiques, par millions. Cela semblait tout à fait impensable, mais cela a été, et cela peut recommencer ailleurs, en Afrique ou dans le monde arabe. C'est pourquoi nous insistons sur l'idéologie et les techniques de propagande nazies, qui ont permis cela. Il faut les connaître, pour ne jamais oublier que, quelle que soit la façon dont on se définit, la première identité de chacun, c'est d'être un être humain. Chaque arbre fruitier est différent, mais tous les fruits sont sucrés. Pour moi, il y a équivalence entre la joie d'un couple juif qui a un enfant et celle d'un couple arabe. Et une mère juive souffre autant de perdre le fruit de sa chair qu'une mère arabe. Aussi, même si au début de nos sessions les gens réagissent différemment en fonction de leurs origines, je constate qu'au bout de quelques cours, cette distance s'estompe : tous se reconnaissent dans la solidarité humaine, tout simplement, face à cette inhumanité. Ce qui n'empêche pas qu'à la fin de la session, ils viennent souvent me voir pour me dire que cet enseignement les a rendus "plus juifs" ou "plus arabes". Je me dis alors que j'ai réussi : reconnaissance de notre unité fondamentale, qui nous fait approfondir nos différences, et les transformer en richesse. »

On pourrait toutefois se demander pourquoi, en Israël, alors qu'un programme de trente heures d'enseignement sur la Shoah est depuis longtemps obligatoire dans les écoles arabes comme dans les écoles juives, il était nécessaire de créer une formation spéciale. Salem Joubran a dû affronter depuis le début ce genre d'objection : « Le programme national avait été conçu et rédigé par des Juifs, par des Juifs ashkénazes qui ne connaissaient rien à la mentalité arabe. Il fallait l'adapter, de façon à ce que les Arabes puissent vraiment pénétrer l'événement de la Shoah, qu'il cesse d'être pour eux théorique, qu'ils puissent s'identifier aux victimes et se retrouver en tant qu'Arabes face à cette inhumanité. C'est pourquoi nous avons ajouté à cet enseignement un peu d'histoire du monde arabe, en insistant sur notre humanisme propre. Nous leur parlons du premier calife qui, avant de partir à la guerre, disait à ses soldats : "Ne tuez ni les femmes, ni les civils, ni les animaux, ni les arbres." Je veux que les Arabes sachent que l'humanisme ne nous est pas arrivé par un bateau venu d'Europe ! Sinon, s'ils gardent leurs complexes, cela ne sert à rien de leur prodiguer un enseignement sur la Shoah, ils y assisteront par peur de déplaire ou de se mettre dans l'illégalité, mais ils n'en penseront pas moins, et ils auront toujours l'impression qu'aller plus loin, ce serait se mettre en porte à faux vis-à-vis de leurs racines. Il faut absolument qu'ils sachent que leurs racines sont belles, et que l'humanisme n'est pas une théorie occidentale ! »

Ce qui n'empêche pas qu'au jour le jour il doive lutter contre des préjugés et des oppositions à l'intérieur de sa propre communauté. Ses amis se moquent parfois de lui en le qualifiant de « promoteur d'optimisme ». Il en a en effet à revendre, mais il considère que Juifs et Arabes n'ont tout simplement pas le choix. « Nos deux peuples, au lieu de s'entendre, remplissent leurs cimetières. Cette semaine, le pays a fêté le Yom Haatsmaout. Je n'ai vu aucune joie dans les yeux. J'ai appelé un de mes amis qui vit en kibboutz dans le Néguev. Il m'a dit qu'il n'avait pas fait la fête, qu'il avait peur d'apprendre encore à la radio qu'un attentat avait fait cinquante morts... Nous nous détruisons nous-mêmes, et vivons vraiment l'histoire allégorique que raconte l'écrivain juif Binyamin Tamouz dans son roman *Le Verger* : un père laisse en mourant à ses deux fils un verger qu'ils se disputent au lieu de se le partager. À la fin, les deux fils périssent dans ce combat à mort, et personne ne profite du verger. »

Vouloir enseigner l'humanisme et la solidarité dans ce contexte n'est déjà pas facile, ni très gai. Pourquoi donc choisir, comme thème de rapprochement, ce sujet terrifiant qu'est la Shoah ? Là encore, Salem répond en évoquant la sagesse populaire arabe : « Chez nous, on dit qu'on se rapproche plus de l'autre en s'identifiant à son malheur qu'en s'associant à son bonheur. C'est ce principe qui inspire le phénomène de la semaine de deuil, où toute la communauté vient visiter la famille du défunt et s'occuper d'elle. Il nous faut faire la paix des cœurs et, pour cela, il faut que les Arabes comprennent le traumatisme vécu par les Juifs, sinon il n'y aura jamais de réelle communication, et toutes les négociations politiques échoueront les unes après les autres. Moi, j'ai une formation politique, j'ai milité pendant trente ans pour le rapprochement entre Juifs et Arabes. Et je dois bien reconnaître qu'Abouna [car même les communistes appellent Émile ainsi], qui est un homme de Dieu et qui s'écarte dès qu'on commence à parler politique, sait se faire entendre des Juifs mieux qu'aucun homme politique. C'est incroyable, ils le suivraient jusqu'en Inde s'il le leur demandait ! C'est qu'il a su parler à leur cœur, voilà la leçon. Il a voulu maintenant s'attaquer au cœur du cœur, en touchant à cette question de la Shoah. Je veux en être, je veux qu'on arrête de croire que nous sommes tous des antisémites ou des sympathisants d'Al-Qaida, je veux que le monde entier sache qui sont vraiment les Arabes ! »

Nazir Mjally, écrivain et journaliste, vient lui aussi des milieux communistes. Il a succédé à Salem Joubran comme secrétaire général du Parti et, aujourd'hui encore, s'en considère un peu comme l'héritier. Tout naturellement, il a compté avec lui parmi les premiers soutiens d'Émile. À cinquante-deux ans, il s'est fait depuis longtemps un nom dans le monde médiatique : après avoir dirigé durant sept ans, comme Salem, le quotidien du Parti *Al-Ittihâd*, il intervient aujourd'hui régulièrement dans les émissions en arabe de la télévision israélienne et sur quatre chaînes du monde arabe. Il est même en train de travailler à un projet de télévision indépendante pour les Arabes israéliens et a monté dans les Territoires occupés une entreprise de presse, qui emploie à Ramallah vingt et un salariés.

De l'islam dans lequel il a été élevé, il n'a gardé, dit-il, que « les meilleurs éléments éthiques et culturels ». Mais de son histoire familiale, il a surtout gardé une blessure ouverte. Tous ses parents du côté paternel sont réfugiés en Jordanie, tous ses parents du côté maternel sont en Syrie. Habitants de Beisan (Beth Shean en hébreu) près du Jourdain, ils avaient eu le malheur de traverser le fleuve pour fuir les Israéliens en 1948, et ils n'ont jamais pu revenir. Son père, lui, qui était rentré clandestinement, s'est retrouvé réfugié sans papiers dans son propre pays, comme plus de deux cent mille Palestiniens. Il a tout perdu et n'a pu se réinstaller qu'après avoir été hébergé dans des monastères et autres centres chrétiens. Nazir a connu le temps de l'occupation dure, le temps des tracasseries administratives, le temps du mépris, voire des exactions, des militaires israéliens. « De par l'histoire de ma famille, dit-il, je suis le type même du Palestinien qui a été opprimé et brimé. Mais je peux haïr des actes, jamais des hommes. »

Militant dans l'âme, Nazir reconnaît l'échec total de la politique au Proche-Orient. « Nos revendications sont justes, mais nos combats n'ont fait qu'attiser la haine, le résultat est là. Il nous faut trouver d'autres voies, et Abouna explore un chemin totalement inédit. J'avais déjà visité Buchenwald en 1975, et les camps de Pologne dans les années quatre-vingt, mais aller ensemble à Auschwitz, et dans cet esprit, donnera peut-être quelque chose. » En tant que personnalité connue et reconnue, il sait à quel bombardement de critiques il s'expose. « Mais de toutes façons, nous n'avons pas le choix, explique-t-il. Nous vivons en enfer, et je veux respirer un air plus pur. Nous sommes tous prisonniers de modes de pensée obsolètes, il faut en sortir. Je cherche à me nettoyer moi-même et à nettoyer mon peuple de toute cette haine qui nous asphyxie. C'est pour nous-mêmes, en tant que patriote arabe, que j'agis ainsi. Nous en avons un besoin vital, nous ne pouvons plus vivre dans cette atmosphère fétide. Nous ne pouvons qu'être gagnants en adoptant cette nouvelle attitude : se mettre à l'écoute de la souffrance des Juifs ne peut en aucune manière dévaloriser la nôtre ni celle de nos frères des Territoires. Au contraire, il faut qu'on sache que ce que nous ferons là *vient* de notre souffrance à nous, car c'est bien notre expérience, et elle seule, qui nous permet de comprendre ces choses-là. Et si les Juifs nous offrent en retour une véritable reconnaissance de nos droits et de notre dignité, tant mieux. Sinon, nous aurons au moins contribué à changer nos vieilles mentalités, et nous aurons gagné en dignité à nos propres yeux, en montrant au monde notre humanité. »

C'est sur ce pari que Nazir s'est lancé dans une forme de militantisme totalement nouvelle pour lui, et qui l'amènera à se faire l'émissaire d'Émile auprès de ses nombreuses relations dans le monde arabe.

Autre personnage déjà rencontré dans la genèse du projet : Hyam Tannous. La cinquantaine rayonnante, cette femme de cœur côtoie elle aussi le monde juif depuis longtemps. Arabe melkite comme Émile, elle est née à Haïfa où elle vit toujours avec son mari et ses deux fils, tous trois avocats. Dans cette ville où se mêlent les deux populations, elle a naturellement eu des amis juifs dès la petite enfance. À commencer par ses voisins, qui offraient à sa famille, tous les vendredis soir, une assiette de *khamin*[1] – assiette qu'elle était chargée d'aller leur rendre le samedi matin, remplie de *hou-*

---

1. Plat préparé avant l'heure du shabbat le vendredi et maintenu chaud à feu doux pour respecter l'interdiction d'allumer du feu durant le shabbat. Il est nommé *choulent* (chaud-lent) chez les séfarades.

mous. Puis sa jeunesse fut marquée par une prise de conscience politique, et ses relations avec les Juifs se sont distendues : elle adhérait si intensément au nationalisme arabe de Nasser qu'au décès du raïs égyptien, elle se rappelle avoir porté le deuil pendant quarante jours. Jamais, cependant, son rejet de la politique israélienne ne s'est transformé en haine contre les Juifs : s'inclinant devant leurs souffrances, elle a toujours respecté, même durant cette époque militante, la minute de silence nationale au moment où retentissent toutes les sirènes du pays pour le Jour du souvenir (Yom HaShoah). Plus tard, elle est allée visiter Dachau avec son mari, ses enfants et une autre famille arabe.

C'est surtout dans son travail que Hyam a commencé un rapprochement avec l'univers juif : elle est *senior supervisor* pour la moitié des trois cents conseillers pédagogiques arabes du pays, et elle a bien dû, pour les faire travailler harmonieusement avec leurs deux mille six cents collègues juifs, tenter de comprendre la différence des mentalités. Elle a ainsi monté un groupe de médiation interculturelle dans l'Éducation nationale, ce qui l'a conduite à s'interroger sur les notions d'empathie, de non-jugement, d'acceptation sereine de l'altérité. Mais dans le même temps, cette démarche la culpabilisait, entrait en conflit avec son patriotisme, et il a fallu qu'elle rencontre Émile par son amie Soad pour se sentir, dit-elle, légitimée dans ses efforts de compréhension des Juifs. « Si un patriote comme Abouna authentifiait cette attitude, ajoute-t-elle, alors je n'avais plus à me demander sans cesse si je trahissais les miens en agissant ainsi. »

Après lui avoir fait rencontrer Ruth, elle a immédiatement approuvé l'idée d'Émile et s'est mise à la défendre partout où elle le pouvait. Les réactions de son entourage ont été contrastées. Certains collègues juifs se montraient très circonspects, d'autres enthousiastes. Comme ce haut fonctionnaire du ministère qui savait qu'à l'âge de six ans ses parents envoyaient Hyam faire le « goy du shabbat » chez les voisins (pour leur permettre de respecter l'interdiction d'allumer l'électricité ce jour-là, elle se rendait chez eux, « et le rabbi me prenait la main pour appuyer mon petit doigt sur le commutateur », précise-t-elle). « Enfant, vous avez allumé la lumière pour une famille, lui dit cet homme, qui est son supérieur hiérarchique. Aujourd'hui, vous allumez la lumière pour tout Israël. »

Son époux et ses deux fils, cependant, n'acceptent pas ce qu'ils prennent pour un acte insensé. Insensé notamment par son caractère unilatéral. « Alors, comme ça, les Juifs vont recevoir sans que vous leur demandiez rien ! Vous êtes tous des fous ! » lui lance son mari, après avoir tenté vainement de la dissuader. Mais Hyam ne désarme pas. Elle partira, elle ne fera pas comme une de ses amies qui s'est laissé interdire de partir par son mari. « Je veux donner aux Juifs la certitude qu'ils peuvent vivre ici en sécurité, affirme-t-elle, et que je les protégerai moi-même s'il le faut. J'entends bien qu'en retour ils me rendent mon honneur bafoué en tant qu'Arabe israélienne. Mais je suis d'accord avec Abouna pour faire le premier pas, car ces deux principes de la sécurité et de la justice, que les uns et les autres revendiquent, vont tous nous tuer si on continue comme ça ! Nous n'arrivons pas à les maîtriser, ils sont comme des déferlantes qui nous submergent et nous noient. Or l'homme ne peut pas maîtriser le ciel et la terre – ça, c'est du domaine de Dieu ; mais il peut se maîtriser lui-même – ça, c'est *son* affaire. Au bout de cette histoire, nous finirons tous au cimetière, et nous devons laisser un héritage. Je veux que, si mes petits-enfants plus tard me demandent ce que je leur laisse, je puisse honnêtement leur répondre : "J'ai essayé. Et ce que je n'ai pas réussi, vous le réussirez." »

Parmi les autres melkites embarqués dans l'aventure, Soad Haddad est une des plus anciennes fidèles d'Émile. Elle suit son parcours depuis presque trente ans, du temps où il animait des groupes de prière à Haïfa. « Dès cette époque, se souvient-elle, il commençait à réfléchir à la vocation singulière des Arabes israéliens. Et pour nous, melkites, cela signifiait entre autres donner une nouvelle dimension spirituelle à notre liturgie arabe – beaucoup d'entre nous, en effet, avaient été catéchisés par des missionnaires de tradition latine, et nous devions reprendre possession de notre héritage propre. En même temps, il s'agissait aussi d'adapter cette liturgie orientale à notre volonté d'ouverture, en répondant au grand souffle du concile Vatican II qui avait fait bouger toute l'Église catholique, à laquelle nous sommes liés. Je me rappelle, par exemple, notre bouleversement lorsque nous avons compris en profondeur à quel point les Psaumes, que nous récitions depuis toujours en arabe, nous liaient à la spiritualité juive. Ou bien ces changements qu'a introduits père Émile dans le texte, pour en finir avec les éléments antijudaïques de notre liturgie byzantine. Son action d'aujourd'hui s'enracine dans ces années-là. »

Laïque et célibataire, ayant consacré sa vie à l'Église, Soad est une de celles qui connaît le mieux, comme elle le dit, « Émile le prêtre ». Elle n'a pas assisté aux premières réunions, mais son engagement lui a paru évident le jour où, de retour d'un voyage au Canada, Émile lui a expliqué l'affaire. Elle a tout de suite compris et s'est mise encore une fois à son service. Ou plutôt au service d'une action dont elle sentait qu'elle aussi en sortirait transformée. Elle s'est alors rappelé les paroles de son père, palestinien d'origine libanaise, qui était resté sur place quand tous les membres de la famille étaient partis en 1948 : « "Je suis d'accord pour partager le pain avec les Juifs", disait-il. Il venait juste de terminer la construction de sa maison, et il disait aussi qu'il voulait garder un toit pour son foyer. Ma mère, mon frère et ma sœur ont donc pu rentrer (une loi stipulait que les familles pouvaient revenir s'il était prouvé que le père était toujours resté sur place), et je suis née après. Mais ça ne l'a pas empêché de se voir rapidement dépossédé de sa maison, qu'il n'a pu retrouver que dix ans plus tard... et en la payant ! » En décidant d'aider activement à la préparation du voyage, Soad pensait aussi aux rescapés de la Shoah que, petite, elle a côtoyés dans le quartier Wadie Nesnas de Haïfa. « Dans mes souvenirs d'enfance, le mot "réfugiés" ne renvoie pas à mes oncles, tantes et cousins que je ne connaissais pas, mais à tous ces gens qui habitaient des *maabarot*, des sortes de baraquements provisoires. Nous étions proches d'une famille de Juifs de Roumanie, dont les parents avaient un numéro sur le bras. À l'époque, je ne comprenais pas pourquoi. Maintenant, je veux essayer de comprendre. »

Daoud Bshouti est, lui aussi, un très ancien compagnon de route d'Émile, puisqu'il l'a rencontré avec Soad dans les mêmes groupes de prière. Il est, lui aussi, engagé dans l'Église, et a même pensé à devenir prêtre. Mais lorsqu'il lui a demandé conseil au retour de ses études à l'étranger, Abouna lui a répondu que les vocations sacerdotales ne manquaient pas chez les melkites, et qu'un brillant docteur en mathématiques avait un autre rôle à tenir dans la société arabe. Il a donc choisi l'enseignement et la recherche, et a été le premier Arabe depuis la fondation d'Israël, à entrer au Technion, le plus prestigieux institut de technologie du pays. Cet institut, où il est aujourd'hui vice-doyen du département de mathématiques, compte un millier d'étudiants arabes, mais seulement six professeurs permanents issus de cette minorité. « Forcément, explique Daoud, lorsqu'une place se libère, nous ne sommes pas seulement en concurrence avec les Juifs du pays, mais aussi avec tous les professeurs juifs de la diaspora qui rêvent de venir faire carrière au Technion... Ça fait beaucoup de monde ! Et puis il faut compter avec l'origine de cette institution, qui était destinée à former tous les cerveaux scientifiques du pays... les cerveaux juifs, bien sûr, qui voulaient se mettre au service de la Défense. Cela dit, il faut reconnaître qu'une fois entré dans la place, je n'ai pas subi de discrimination. »

Daoud est engagé depuis longtemps dans le dialogue inter-communautaire. Avec les musulmans, la rencontre est naturelle, si naturelle qu'on peut à peine parler de dialogue, puisque la solidarité arabe crée le sentiment d'une identité commune : « Lorsque je parle avec un collègue ou un étudiant arabe, je ne sais même pas au premier abord s'il est chrétien ou musulman, il faut qu'on se côtoie plus longtemps pour le savoir. La langue et la culture nous unissent plus que la confession ne nous rend différents. » Avec les Juifs, et notamment les Juifs religieux, ce mathématicien profondément croyant essaie d'« établir une relation où l'humanité serait placée au centre, l'origine et la religion devenant périphériques ». Dans ce pays, une telle vision correspond à une vraie révolution copernicienne ! Daoud aime à user de métaphores tirées des modèles scientifiques, surtout quand il donne des conférences en milieu juif sur « les maths, la foi et l'humanité ». La science est par excellence le domaine où l'homme peut faire l'expérience du changement, explique-t-il, elle l'oblige à ouvrir son esprit à ce qu'il considérait comme impensable, et qui n'était qu'impensé : « L'électron est-il une onde ou un objet doté d'une masse ? Selon les normes de notre imaginaire, il faut choisir, car les deux solutions sont incompatibles. Eh bien non, la science nous invite à admettre qu'elles correspondent toutes deux à des manifestations de la même réalité ! Je voudrais transmettre la leçon éthique de ce genre de paradoxe : lorsque nos visions semblent radicalement antinomiques, nous devons chercher ensemble la dimension qui les ferait se rencontrer sans se confondre. Car le réel commun, en l'occurrence, c'est la condition humaine. »

Daoud a fait, il y a quatre ans, ce qu'il appelle l'« expérience primaire » de la visite des camps de la mort, en allant à Maïdanek. En décidant de suivre Émile à Auschwitz, il veut aller plus loin, « faire la connaissance de la souffrance de l'autre. Car, dit-il, l'oreille arabe est maintenant prête à entendre ces choses-là ». Beaucoup de ses amis se sont montrés surpris et même intrigués par sa démarche, mais il affirme que leurs réactions, très diverses, ne dépendent pas de leurs origines juives ou arabes, seulement de leurs personnalités. Parmi les Arabes, certains lui ont dit : « C'est la seule solution », des étudiants communistes se sont montrés très émus, d'autres l'ont critiqué au nom de la politique ou de la religion. « Car il existe des religieux qui n'ont pas la foi », dit-il. Un Juif orthodoxe séfarade (originaire du Maroc) lui a fait part de son admiration, en lui expliquant que lui-même n'aurait jamais le courage d'aller à Auschwitz, mais qu'il allait maintenant se pencher sur l'histoire et la souffrance du peuple palestinien. Quant à son meilleur ami juif, fils d'une rescapée des camps nazis, il lui a fait comprendre qu'il l'approuvait, mais ne veut strictement pas en parler. « La moitié des Juifs interdisent qu'on évoque la Shoah devant eux, c'est un phénomène très courant, explique Daoud. Et c'est très douloureux, pour eux comme pour nous. » Mais, en l'occurrence, il a respecté le mutisme de son ami, et cette entente silencieuse n'a fait que renforcer la profondeur de leur relation.

Sa femme, elle, ne l'approuve pas, sans que cela fasse problème entre eux. De leurs enfants jumeaux de douze ans, la fille ne s'est pas détournée de ses centres d'intérêt de préadolescente, et le fils s'est montré à la fois passionné et partagé : « Pour lui, Sharon est *shâr* : c'est le mal incarné. Il en veut beaucoup aux Juifs d'approuver sa politique, et se veut partisan des Arabes... ce qui n'empêche pas que son idéal d'homme, son héros d'adolescent, c'est le Juif Yitzhak Rabin ! » L'enfant souffre d'un grave problème cardiaque qui lui laisse peu de chances, selon les médecins, d'atteindre la trentaine. Lorsque la mort rôde autour de son propre enfant, on ne va pas impunément à Auschwitz. Daoud a résolu de répondre au feu nourri de questions de son fils.

Il y a aussi Aziz, le plus jeune frère d'Émile, médecin spécialiste de chirurgie plastique, qui dirige le service médical de l'Hôpital français de Jérusalem et travaille également à Afoula, en Galilée. Aziz est le seul Shoufani à participer au voyage. Non pas que la famille d'Émile se soit tenue à l'écart, loin de là : tous, frères et sœurs, cousins et cousines, neveux et nièces, beaux-frères et belles-sœurs, jusqu'aux lointains parents qui dans ce contexte oriental sont considérés comme des proches, ont approuvé et soutenu celui qu'ils tiennent en haute estime, presque en vénération. « Rien qu'avec les plus concernés dans la famille et parmi les amis proches, on aurait pu remplir un car de cinquante personnes ! » affirme en souriant un autre frère d'Émile, Élie, qui le seconde dans cette aventure comme il le fait pour presque toutes ses activités. La *hamoulla* (clan familial, tribu) des Shoufani est l'une des plus respectées de Galilée, et son influence n'est pas négligeable sur l'opinion (*hamoulla* vient d'ailleurs de *himil*, « peser »). Dans cette société arabe, le clan familial peut devenir très nombreux avec ses membres directs (la mère d'Émile, par exemple, a trente-deux petits-enfants, dont six mariés, et elle ne comptera bientôt plus ses arrière-petits-enfants), ses alliés et autres obligés. C'est ainsi que des villages comptent parfois seulement quatre ou cinq grands clans pour plusieurs milliers d'habitants. La vie sociale et même l'opinion publique sont structurées par cette réalité de la *hamoulla*, et le phénomène, que l'on pourrait croire en régression avec la modernisation du monde arabe en Israël, s'est au contraire renforcé depuis la crise provoquée par la seconde Intifada.

Mais Émile n'a pas voulu jouer avec ces alliances de type clanique. Il s'agit pour lui de mettre en avant les notions de citoyenneté et d'humanisme, plutôt que les vieilles solidarités tribales. Il limitera donc délibérément la participation de son entourage familial.

L'école, quant à elle, avec son réseau d'influence, aurait pu constituer un autre gisement important de participants : beaucoup de ses membres l'ont soutenu à titre individuel, mais finalement, seuls cinq professeurs se sont décidés à le suivre à Auschwitz (dont trois avec leurs épouses), ainsi que l'administrateur Joseph Hilou. Et s'il compte organiser des débats avec les élèves les plus âgés, il ne veut pas les solliciter : la date prévue du voyage, mai 2003, tombe en pleine période d'examens, et il a déjà assez de problèmes avec leurs aînés !

De même, il a décidé de limiter délibérément le nombre de ses coreligionnaires, tout en les invitant à une véritable mobilisation. Dans ses sermons, il exhorte les fidèles à jouer leur rôle de chrétiens et leur rappelle le fond de l'Évangile : Jésus guérit non seulement les corps, mais aussi les âmes, en rejoignant chacun dans sa souffrance la plus intime. Jésus pénètre ce non-dit ténébreux qui nous habite, et qui nous empêche de voir notre propre lumière en même temps que celle de l'autre, qui occulte à nos yeux l'image de Dieu dont chaque homme est porteur. En d'autres termes, Jésus est par excellence Celui qui se déplace à la rencontre de l'autre. Tel ce Samaritain dont il nous parle dans une parabole, qui est capable de faire du « lointain » – l'étranger blessé et laissé pour mort sur le bord de la route – un véritable « prochain » – un homme reconnu dans sa dignité dont il va prendre soin. Pour le curé de Nazareth, l'initiative qu'il a lancée est une mise en application de ce modèle évangélique, seul capable de changer la vie. Faire du lointain un prochain, voilà bien le sens de cette démarche qui consiste, pour des Arabes, à aller s'intéresser au traumatisme fondamental du monde juif – ce lointain qui a pris si souvent la figure de l'envahisseur, de l'occupant et de l'ennemi – au lieu d'en rester à une proximité exclusive avec la souffrance palestinienne. L'effort demandé aux consciences est tout simplement gigantesque, et les paroles du prêtre sont difficilement assimilables par les huit à neuf mille melkites de Nazareth dont il est le curé, comme par les autres chrétiens arabes. Beaucoup demeureront spectateurs plus ou moins sceptiques. Mais rares seront les oppositions déclarées, comme celle de ce prêtre orthodoxe qui lance une contre-initiative, vite avortée, en appelant à une visite des camps de Sabra et Chatila. Quant à la hiérarchie melkite, elle s'en tient à une distance à la fois prudente et bienveillante. Au total, le nombre des chrétiens qui le soutiennent au point de désirer faire partie du voyage est suffisamment important pour qu'il soit obligé de limiter les places. « Si nous voulions vraiment faire appel aux chrétiens, dit-il, ce n'est pas trois cents participants que nous aurions, mais trois mille ! » Il est plus important à ses yeux de concentrer ses efforts sur la majorité musulmane de la communauté arabe, pour que sa représentation dans la délégation palestinienne du voyage se rapproche de ce qu'elle représente dans le pays par rapport aux chrétiens.

Et ils sont là, les musulmans. Ils répondent présents, parce qu'ils connaissent le curé de Nazareth depuis toujours, et qu'ils ont une confiance absolue en ce prêtre étranger à tout communautarisme. Le lien qui les unit – culturel, linguistique, et surtout affectif – est tel qu'à plusieurs reprises, au cours des dizaines de réunions qui jalonneront la préparation laborieuse du voyage, Émile laissera échapper un « Nous, les musulmans... » qui en étonnera plus d'un, mais qui révèle simplement une solidarité d'expérience et de destin.

« Nous, les musulmans... » ! Qu'est-ce à dire ? « Ma foi est différente de la leur, explique-t-il, et il ne me vient même pas à l'esprit de nier nos divergences théologiques, ce serait pure démagogie. Je vais même plus loin, et je ne me prive pas de leur dire qu'ils font fausse route, ceux qui se croient "modernes" et "ouverts" parce qu'ils ont pris de l'Occident un certain goût pour le confort, la technologie, les nouveaux moyens de communication, tout en demeurant dans des schémas mentaux archaïques hérités d'un certaine conception fermée de l'islam. Lorsque j'entre dans la maison d'un tel musulman, qui se croit large d'esprit parce qu'il est aguerri à toutes les techniques d'avant-garde, et qu'il n'éprouve même pas le besoin de me présenter sa femme reléguée au service des hommes, ça me révolte. Mais il n'empêche : nous, chrétiens arabes d'Orient, nous partageons depuis des siècles un vécu avec le monde musulman. Pour le meilleur et pour le pire, peut-être, mais cette histoire est globalement plus lumineuse que douloureuse, et nous devons l'assumer. L'assumer, c'est-à-dire faire de notre différence chrétienne un levain. Nous n'avons jamais rompu le lien avec l'Occident, et nous sommes toujours demeurés orientaux, plongés dans cet univers culturel de l'islam qui porte tant de richesses ignorées, voire niées aujourd'hui par l'Europe et l'Amérique. Cette double expérience nous a permis de parler plusieurs langages symboliques, et nous pouvons, nous devons nous faire traducteurs des cultures. Il me semble que les Églises chrétiennes font trop souvent le deuil de cette mission. Résultat : l'exil des chrétiens d'Orient devient de plus en plus inquiétant, et rien de sérieux n'est fait en haut lieu pour enrayer le phénomène, alors que nous avons un rôle historique si important à jouer. » Ce « Nous, les musulmans... » du curé de Nazareth, bien que paradoxal, n'est donc pas un lapsus. Il procède d'une vision, d'une volonté délibérée de s'inscrire dans un univers culturel, à la fois par solidarité et désir de mouvement.

Et les réactions des musulmans d'Israël sont à la hauteur d'une telle inspiration. Ceux qui décident de suivre Émile sont des universitaires comme Tabeth Abu Rass, professeur de géographie à l'université Ben Gourion, au sud d'Israël dans le Néguev, qui y anime un groupe de dialogue Juifs-Arabes ; ou comme Feisal Azaizeh, qui dirige un groupe du

même type à l'université de Haïfa, et Idriss El-Titit, cher-
cheur en mathématiques appliquées au célèbre institut Weiz-
mann de Rehovoth... Il y a aussi des écrivains et des
journalistes connus dans le pays, comme Nazir déjà cité,
Na'im 'Araydeh ou Moustafa 'Abdel Halim ; une vedette du
cinéma et de la télévision, Salim Daw ; des chefs d'entreprise,
comme Ibrahim Jabareen, président de la chambre commer-
ciale de la région Nord, ou comme Ahmad 'Afifi, déjà rencontré, qui dirige plusieurs compagnies de bus et de
tourisme ; des médecins et des avocats, comme Ahmad
Masaalha ou 'Abdel 'Aziz Darawsheh qui participaient eux
aussi à la toute première réunion... Ce dernier est le seul chef
de service arabe dans un hôpital public israélien. Il a eu à
soigner les victimes de certains attentats-suicides, et il sait
qu'elles sont souvent autant arabes que juives. Il sait aussi,
par expérience, que la souffrance d'un blessé que l'on a dû
amputer, ou celle d'une famille à qui l'on apprend, après des
heures d'opération, que l'on n'a « rien pu faire », est toujours
la même : toujours aussi unique, toujours aussi insupportable, que l'on soit juif ou arabe.

Les femmes musulmanes sont aussi très présentes, telle
Taghrid Shbeta, militante du parti H'adash (communiste),
amenée au projet par son ami Nazir. Elle enseigne la traduction arabe-hébreu à l'université Bar Ilan et a, dans le passé,
dirigé la Poste de Tira, la deuxième du pays – à l'époque,
elle était la seule Arabe à exercer cette fonction en Israël. La
présence féminine est importante pour Émile, qui a toujours
été attentif à la difficile condition de la femme arabe en
Israël. Condition que Taghrid résume ainsi sur le plan social :
« En tant que femme arabe, si je postule à un emploi, il faut
que je dépasse l'homme arabe, qui lui-même doit dépasser la
femme juive, qui elle-même doit dépasser l'homme juif... S'il
reste des miettes, elles seront pour moi. » Taghrid reconnaît
la souffrance passée et actuelle de ses concitoyens juifs, mais
elle veut leur faire comprendre, en participant à ce voyage

avec eux : « Le conflit qui nous oppose est circonstanciel, c'est un conflit d'intérêts, qui n'efface pas tout ce que nous avons en commun. » D'autant que, sans nier la spécificité de la Shoah ni ses conséquences sur les générations d'aujourd'hui, elle a constaté que « des causes différentes peuvent provoquer des effets très semblables » : « Ma belle-mère a vécu la Nakba. Elle ne s'autorise pas à être heureuse, elle a peur à tout moment de perdre ce qu'elle a, ce sont les mêmes symptômes que certains rescapés de la Shoah... Dans ces cas-là, continue-t-elle, on a moins besoin de chefs militaires que de psychologues... Or les Juifs d'Israël ont intériorisé le principe qu'ils devaient être forts à tout prix. Le moindre signe de compassion, d'amitié, de confiance est ici interprété comme une faiblesse, et leur rappelle inconsciemment la faiblesse qui était la leur pendant les années noires. Ils votent par peur pour des gouvernements de droite qui ne savent jouer que sur la force, comme si l'idée de devoir faire un jour la paix les angoissait. » Taghrid veut aider à débloquer cette situation insupportable pour tous, d'autant que la seconde Intifada marque à ses yeux une régression collective, dont elle et les siens ont fait aussi les frais : « Soudain, dit-elle, on nous a regardés autrement, on ne faisait plus la différence avec les Palestiniens des Territoires. Si j'arrivais quelque part en ayant traversé un check-point un jour de bouclage, on se demandait comment j'avais fait pour passer au travers. Comme si nous avions été dépossédés de notre citoyenneté israélienne. » Pour elle comme pour tous ceux qui adhèrent au projet d'Émile, il y a urgence : après les événements de l'automne 2000 où ils se sont consumés dans la révolte, une immense lassitude a envahi les cœurs.

Dans l'esprit d'Émile, il faut encore affiner la représentativité du groupe arabe qu'il veut constituer. C'est pourquoi, dès le début, il se met en relation avec des Bédouins et des

Druzes. Ces deux catégories de population sont moins faciles à contacter, car elles tiennent une place à part dans le monde des Arabes vivant en Israël. Contrairement aux autres, Bédouins et Druzes sont appelés à faire leur service militaire et sont donc considérés avec distance par leurs frères, parfois avec mépris, presque comme des « collaborateurs » – l'entrée leur est même refusée dans certains pays arabes.

Parmi les Bédouins, issus des populations nomades jadis nombreuses en Palestine, la moitié s'est sédentarisée, les autres vivent encore sous des tentes ou dans des constructions de fortune. Eux aussi ont été dépossédés de leurs terres, mais si les autres Arabes ont pu parfois recevoir des compensations financières, leur nomadisme a valu aux Bédouins d'être spoliés sans aucune contrepartie. En grande majorité musulmans, ils sont concentrés dans le Sud, autour du désert du Néguev. Israël est un petit État et ils ne tardent pas à être informés du projet, par la radio et par des rencontres qu'organise le curé de Nazareth, lequel a décidé de parcourir le pays de long en large pour monter le voyage. Émile est bien reçu chez les Bédouins, dont plus d'une quinzaine finiront par s'inscrire. Tel Abdallah Abou Chriqui, qui définit les siens comme « des gens bons, accueillants et nobles, attachant beaucoup d'importance au respect de l'étranger ». Ce travailleur social cultivé semble bien intégré à la modernité israélienne, mais s'exprime toujours de façon traditionnelle : « J'ai vu dans les yeux des Juifs qu'ils étaient prêts maintenant à accepter l'autre. J'ai déjà visité les camps en Allemagne, et j'ai compris leur souffrance d'hier et d'aujourd'hui. Je veux me rapprocher d'eux. Si un homme pleure devant moi, je lui donne de l'eau, et ainsi nous vivons ensemble. »

Les Druzes, eux, sont mieux connus d'Émile, depuis que, jeune prêtre, il les côtoyait dans les villages de Galilée. La rencontre de leurs anciens, dans les années quatre-vingt, fut un grand moment de sa vie : « Ce fut un véritable coup de foudre. J'étais très touché par leurs gestes, comme celui qui consiste à s'embrasser la main trois fois. C'était pour moi la découverte d'un monde paysan et commerçant que je ne connaissais pas, à la fois simple et très malin, où l'on suit une éthique fondée sur la bonté. » Des amitiés sont nées ainsi, que, vingt ans plus tard, le prêtre sollicite à nouveau pour obtenir une présence druze dans son projet. Là, il n'a pas besoin de beaucoup insister : nombre de Druzes connaissent le monde juif, dans lequel ils ont été mieux intégrés que les autres Arabes.

Ainsi en est-il pour Fadel Mansour, professeur de biologie à l'université de Haïfa, qui habite dans un village du mont Carmel et travaille à l'Institut volcanique de Névé Ya'ar. Ce croyant fervent, que l'on distingue dans les réunions par sa coiffe traditionnelle multicolore et qui porte sur le visage cette sagesse druze qu'Émile avait tant appréciée, est très fier de sa culture et de sa religion. Il donne souvent des conférences en Israël pour faire connaître sa foi – dans la limite de ce qui peut être dit publiquement de cette tradition initiatique. Confession singulière qui s'est séparée formellement de l'islam au XIe siècle, mais qui en garde des éléments essentiels : mis à part la croyance en la réincarnation, les Druzes ne se distinguent des musulmans que par des règles sociales (interdiction de la polygamie, divorce équitable, liberté testamentaire...) ou par des détails culturels comme le fait que leurs mosquées n'ont pas de minarets. Fadel explique volontiers ces particularités avec un luxe de détails, mais c'est aussi un scientifique, acquis à la modernité et à la démocratie. C'est ce qui le rapproche d'Israël, sur lequel il voudrait bien, dit-il, que le Liban (où vivent beaucoup de ses frères druzes), le futur État palestinien ou les autres pays arabes prennent exemple pour son respect des libertés publiques : « Les Palestiniens sont intelligents, ils ont beaucoup souffert, ils ont côtoyé d'autres civilisations, et je crois qu'ils ont beaucoup appris, paradoxalement, de l'État qui les oppresse et les occupe.

Ils peuvent créer le premier État démocratique qui ait jamais existé dans le monde arabe. Mais encore faudrait-il qu'ils rompent avec leur vision clanique voire mafieuse de la politique. » Fadel, qui fut jadis membre du Parti travailliste, a été, lui aussi, traumatisé par le fait que la police israélienne ait pu tirer sur ses frères arabes. Il ne savait plus que faire pour rétablir un dialogue totalement coupé avec les Juifs : il était prêt à entendre le propos d'Émile. Il a immédiatement saisi, dit-il, que « la mémoire de la Shoah est une clé pour rouvrir ce dialogue ». « Je me considérais jusqu'à présent comme un bon connaisseur de la mentalité juive, mais je n'avais pas vraiment pris la mesure de l'effet de la Shoah sur le peuple juif et la société israélienne. »

Ainsi, c'est un véritable condensé de la société arabe en Israël qui se constitue autour du projet d'Émile, et qui va bientôt se cristalliser dans une association. Une seule association pour les adhérents juifs et arabes, mais dont le titre se déclinera en deux expressions différentes, selon la consonance particulière à chaque langue : *Mizikaron lashalom* en hébreu, qui se traduit par « De la mémoire vers la paix », et *Nadhkor el-alaam min ajl el-salaam* en arabe, littéralement : « Souvenons-nous du monde pour aller vers la paix. »

En arabe également, le texte de six pages élaboré par les premiers participants au cours de longues séances collectives, et qui appelle à la mobilisation de la communauté arabe :

Nous, Arabes d'Israël, sommes profondément préoccupés par la grave détérioration des relations entre Juifs et Arabes dans notre pays, et par un climat de ségrégation, d'antagonisme, de rejet, qui met en péril la légitimité de notre citoyenneté et notre existence même...

C'est pourquoi nous lançons le présent projet, en vue de créer un climat différent, où une valeur absolue serait reconnue à chaque être humain, où prévaudrait la volonté de partager et de guérir...

Nous ne nous pencherons pas sur ce que doivent accomplir les citoyens juifs dans cette sainte mission, car c'est à eux qu'il incombe de prendre les décisions à cet égard. Nous avons deux motifs de vouloir allumer la flamme de la paix : étant des Palestiniens, nous voulons que la situation de notre peuple s'améliore afin qu'il obtienne sa liberté et son indépendance ; étant des citoyens d'Israël et partageant avec lui sa prospérité comme ses difficultés, nous voulons qu'il vive dans la paix et la sécurité. Nous nous considérons comme un pont de paix reliant les deux rives... agissant à titre de médiateurs et présentant à l'un le point de vue de l'autre...

Les deux peuples ne pourront cesser les hostilités et les effusions de sang que lorsque chacun comprendra et fera siennes la souffrance et les craintes qui ont conduit l'autre sur le terrain de l'affrontement et de la guerre...

Nous avons décidé d'examiner l'histoire du peuple juif, de l'exil et des persécutions jusqu'à l'Inquisition et l'Holocauste, afin de comprendre ses souffrances. Étant arabes et musulmans, nous ne sommes nullement responsables de tous ces crimes, mais notre culture très ancienne, nos croyances et notre amour profond de l'humanité nous exhortent à nous exprimer pour les condamner fermement. Nous offrons donc aux Juifs notre solidarité et notre compassion, nous faisons front commun avec eux pour prévenir de tels actes...

Pour mettre en œuvre ce qui précède, nous lançons le projet dont le père Émile Shoufani a eu l'initiative, et qui consiste à examiner ce qu'a souffert le peuple juif aux mains des nazis... Nous souhaitons notamment organiser le voyage d'une délégation arabe et juive au camp de la mort d'Auschwitz, symbole de l'Holocauste.

Il ne s'agit pas d'un projet politique ou religieux, lié à un parti ou à un groupe quelconque. Il ne s'agit pas non plus d'une simple visite de cimetière. Ce ne sera pas non plus un acte d'hypocrisie... En silence et sans manifestation ni discours, il s'agira d'un voyage effectué pour notre bien et celui des Juifs, qui permettra de passer à une nouvelle étape, main dans la main vers une réalité nouvelle...

IV

Pourquoi la France

J'aime cette terre qui m'a fait,
Faut l'dire, pas juste contester...
Trop longtemps j'ai pris sur moi, la rancœur devient voile,
Après on s'dit « normal, moi aussi j'dois leur faire mal »,
C'est une sorte de parodie, on s'dit « y a moi et puis y a l'autre »,
On s'enferme dans un rôle, et l'autre devient d'trop, faux ?...
La même étoile au-dessus d'nos têtes à tous scintille,
Ma mère m'a toujours dit que tous le même rêve on poursuit...
On n'est qu'des acteurs, « coupez ! » et notre film est fini...
Tu sais, j'aime c'pays, le ressens-tu dans ce que je dis, l'Ami,
Pour toi et moi je prie que Dieu bénisse la France, c'est un si beau pays.
Sur ce champ infini de la mémoire, n'y a-t-il que des épouvantails ?
L'enfant s'est-il véritablement dissous, dans ce visage d'adulte crispé ?....
Hors de l'Amour, il n'y a point de Salut...
Que Dieu bénisse la terre qui nous a redonné la vue...

« Que Dieu bénisse la France », rap d'Abd al Malik

Dès l'été 2002, avant même que fût élaboré cet appel des Arabes israéliens, Émile Shoufani avait pris l'habitude de faire des allers-retours de Nazareth à Paris pour y impulser un mouvement semblable à celui qu'il avait lancé en Israël. Avec des idées simples, il s'envolait régulièrement vers la France compliquée...

Que venait faire un curé dans cette France laïque où la parole des clercs est souvent reçue comme suspecte a priori dans l'opinion publique ? Que pouvait bien apporter un petit Arabe oriental dans ces éternels débats franco-français, où l'on a toujours l'impression que Paris est resté le centre intellectuel du monde ? Était-il bien nécessaire de faire ces milliers de kilomètres pour intervenir dans le pays d'Europe qui a peut-être les rapports les plus embrouillés avec l'État d'Israël et les pays arabes ?

En juin 2002, nous étions en train de mettre la dernière main à son livre d'entretiens avec Hubert Prolongeau, lorsque Émile décida d'y inclure l'idée de son voyage judéo-arabe à Auschwitz. C'est donc en France, et en français, que celui-ci fut pour la première fois annoncé publiquement. Et il l'assortissait d'une invitation appuyée aux « Français d'origine juive et arabe ». Lorsque je lui demandai la raison de cette ouverture d'un deuxième front en France, alors qu'il avait déjà tant à faire dans son propre pays et ne savait même pas encore quel écho y trouverait son projet, la réponse d'Émile fut d'abord affective. La chose ne lui paraissait rien de moins que naturelle : « Parce que la France est ma seconde patrie », me dit-il. Au temps de son enfance, ses parents travaillaient à l'Hôpital français de Nazareth, et les missionnaires français tenaient de nombreuses écoles et organisations chrétiennes dans la ville. Lorsqu'il s'était envolé pour la France à l'âge de dix-sept ans afin d'y faire son séminaire, il avait découvert des horizons insoupçonnés qui l'avaient transformé en profondeur. Paris avait été le lieu de sa deuxième naissance et, sept ans plus tard, c'est un jeune prêtre palestinien à moitié francisé qui était revenu prendre ses fonctions au pays.

Mais cette relation quasi filiale avec la France, qui le fait encore y revenir une ou plusieurs fois chaque année, n'aurait pas été déterminante à elle seule. À ses yeux, il aurait été impensable, et certainement stérile, d'agir dans la seule sphère des relations entre Arabes et Juifs d'Israël. La question du Proche-Orient, en effet, est devenue mondiale. Non seulement pour des raisons de géostratégie planétaire, mais surtout parce qu'elle engage le rapport à l'altérité que peuvent avoir la diaspora juive, l'Europe, l'Amérique, les peuples arabes... Ce conflit met en branle toute la problématique des relations entre l'Orient et l'Occident, entre l'« identité juive » et le reste du monde, entre les religions et la politique, entre l'unité de l'humanité et la diversité des cultures... et c'est bien pourquoi il a pris une importance si disproportionnée sur la scène internationale. L'urgence de notre époque, aux yeux du curé de Nazareth, est de circonscrire le champ du litige politique pour l'empêcher d'être pollué sans cesse par ces questions devenues confuses et passionnelles – bien qu'elles soient incontournables et essentielles. Aux responsables politiques, donc, l'élaboration de réponses précises permettant de résoudre le contentieux territorial. Aux sociétés civiles, la mise en œuvre d'une véritable rencontre des personnes, des familles, des peuples, dans l'apprentissage d'un « vivre ensemble » sans lequel toute paix décidée par les politiques demeurera fictive. D'où le renoncement d'Émile Shoufani à solliciter la participation de ses frères des Territoires : son projet serait immédiatement devenu une question de politique internationale. D'où, aussi, l'idée d'étendre la portée de son initiative à des Juifs et des Arabes venus d'un pays extérieur en tant que personnes indépendantes, car c'est là relation judéo-arabe au niveau planétaire qui est ici en cause.

Ce pays tiers devait être forcément européen, puisque la Shoah a eu lieu sur ce continent. Or, Émile sait que la population française compte non seulement la plus forte communauté juive d'Europe, mais aussi la plus forte communauté arabo-musulmane. Et que le conflit israélo-palestinien y a des conséquences considérables, surtout depuis le début de la deuxième Intifada. La France, dont le quart de la population juive a été exterminé par les nazis, et qui compte depuis les années cinquante de nombreux Séfarades issus du Maghreb, était évidemment toute désignée pour être associée à son projet.

Au-delà de la singularité historique et démographique de la France, ou du lien personnel qu'entretient avec elle le curé de Nazareth, arrêtons-nous un instant sur cette idée d'un appel à l'Europe. Depuis des décennies, après avoir long-temps gardé une attitude plutôt pro-israélienne en raison de son propre passé, l'Europe affecte de tenir une posture de distanciation face au conflit israélo-palestinien. Sa neutralité prétendument bienveillante vis-à-vis des deux parties est cen-sée la positionner en possible médiatrice. Mais son désenga-gement est tel qu'il révèle plutôt une crainte éperdue de la contagion. Or la contagion sera de toutes façons inévitable si les Européens ne prennent pas la question au sérieux. Car l'Intifada est déjà « sortie de ses frontières, ce qui nous parais-sait extérieur est devenu intérieur », comme l'écrit dans un article du *Monde*[1] le sociologue allemand Ulrich Beck. Ce professeur à l'université de Munich entend mettre en garde ceux qui croient encore pouvoir échapper à la question proche-orientale, et souligne « l'enchevêtrement du global et du local au sein des conflits ». Pour lui, « ce phénomène s'ex-plique par ce qu'on pourrait appeler la globalisation des émotions... Dans notre culture télévisuelle globalisée, la compassion n'est plus seulement fonction du schéma ami-ennemi en vigueur au niveau national. Depuis qu'on reçoit partout les images télévisées des combats et de leurs victimes, il est clair que la violence qui se déchaîne dans un coin du globe peut créer une propension à la violence dans de nom-breux autres coins de ce même globe ».

J'ajouterai que la télévision, aujourd'hui si déterminante dans la fabrication des opinions publiques, et sur laquelle

---

1. *Le Monde*, 22 novembre 2003.

s'alignent de plus en plus les autres secteurs de la presse, est par nature un engin explosif que nous ne maîtrisons pas. Censée apporter aux foules des informations quasi concomitantes aux événements, elle est le lieu par excellence de la *tyrannie de l'immédiateté* qui régit l'Occident et, à sa suite, la planète entière. Idolâtrie du direct, de l'instantané, du « temps réel », à laquelle s'ajoute l'illusion de la transparence : le comble des médias audiovisuels, c'est précisément de ne pas se présenter comme médias, mais comme immédiats. Ce qu'on nous expose dans un journal télévisé, ce n'est pas une interprétation précaire et assumée comme telle de la réalité, c'est *la* réalité. Telle est souvent la prétention des présentateurs, et même lorsque leur propos est plus modeste, telle est de toute façon notre impression subjective de téléspectateurs. Nous absorbons ce débit continu d'images comme si nous constations nous-mêmes les faits bruts, car nous sommes presque tous des analphabètes de l'image et succombons facilement à son « effet de réel ». L'Occident a cru donner naissance à une civilisation de l'image, mais il s'agit plutôt d'une barbarie, au sens premier du mot : le barbare est l'homme qui ne dispose pas d'un langage articulé apte à désamorcer la violence. Il n'a pas besoin d'être forcément méchant pour se conduire en destructeur et autodestructeur.

Dans le cas particulier du conflit israélo-palestinien qu'elle contribue à mondialiser, l'image télévisée ne peut être que globalement défavorable aux forces de paix. Et ce, sans qu'il soit besoin de supposer je ne sais quel complot de la part des journalistes, sans qu'il faille forcément mettre en cause leur honnêteté. Simplement, la paix n'est jamais un donné, elle est un processus qui se construit dans la durée, par petites touches précaires et souvent discrètes. Elle est donc rarement télégénique. La violence, elle, a par nature la faculté de « crever l'écran » et de créer l'événement. Dans la course à la visibilité médiatique, les extrémistes partent toujours avec une longueur d'avance sur les artisans de paix. En outre, bien

71

qu'elle soit en couleur depuis longtemps, la télévision ne nous présente le monde qu'en noir et blanc, et tend même à réduire au maximum les mille nuances de gris qui seraient trop complexes, donc trop longues à transmettre. Elle ne connaît que des « victimes » et des « bourreaux », et n'a pas le temps, par exemple, de pénétrer l'incroyable complexité des sociétés israélienne et palestinienne. Structurellement, elle ne peut imaginer (mettre en images) l'enchevêtrement des violences mutuelles, il lui faut réduire la réalité compliquée du conflit à une geste efficace mettant en scène des protagonistes bien typés.

En l'occurrence, Israël fait vite figure de Goliath bardé de chars et d'avions de combat, tandis que les Palestiniens jouent le rôle de David aux mains nues. L'immense traumatisme provoqué par les attentats-suicides est de peu de poids au regard de la misère d'un peuple arguant des droits de l'homme pour réclamer (à juste titre) sa terre et son État. L'insupportable dénuement des villes palestiniennes est *visible*, et donc potentiellement télégénique, contrairement à l'angoisse de celui ou celle qui doit, pour prendre l'exemple cité par Ulrich Beck, prendre quotidiennement un ticket de bus à Haïfa (angoisse d'ailleurs partagée par les Arabes israéliens, comme Émile dont le neveu Youhana a bien failli, à quelques minutes près, mourir dans l'explosion d'un bus à Jérusalem).

Là encore, il est excessif d'en induire, comme le font certains intellectuels et responsables communautaires dans le monde juif, et notamment en France, l'existence d'une mauvaise volonté générale des médias à l'égard d'Israël. Et il est aussi déloyal que dangereux de les soupçonner d'antisémitisme inavoué. Propager de tels procès d'intention dans une population déjà traumatisée par des actes objectivement antisémites (comme il y en a eu des centaines en France depuis trois ans), c'est prendre la lourde responsabilité de l'enfermer dans la peur et le désespoir. Plutôt que de pointer les erreurs de la presse comme autant de preuves d'un antisémitisme omniprésent, il serait plus sain d'analyser les dérives inhérentes à notre société dite de l'information.

Mais, c'est un fait, les conséquences de ces dérives générales n'en sont pas moins inquiétantes : exportation du conflit proche-oriental ; stigmatisation du gouvernement d'Israël et, par glissements successifs, de l'État d'Israël puis du monde juif dans sa globalité ; identification des Européens d'origine arabe au peuple palestinien considéré comme victime exclusive... Chacun, dans ces conditions, cherche à se faire plus royaliste que le roi, en oubliant les critiques parfois virulentes qui se font jour, sur place au Proche-Orient, au sein de son propre camp. C'est ainsi, comme le notait Ulrich Beck, que « le conflit israélo-palestinien, tel qu'il est intériorisé en Europe, sape les formes de sociabilité multiculturelles qui ont été une conquête de ces dernières années... les formes que revêtaient l'entente et la réconciliation entre Juifs et non-Juifs se retrouvent gravement menacées... »

Pour Émile Shoufani, cependant, l'extension du projet à la France ne fut pas seulement fonction d'une inquiétude. Il fut aussi le choix d'une espérance : la cohabitation de Juifs et d'Arabes sur une terre ni juive ni arabe représente à ses yeux une chance, la possibilité de faire l'expérience d'un partage. Possibilité renforcée par cette « laïcité à la française » très singulière, qui fait couler beaucoup d'encre ces derniers temps, et dont il demeure depuis toujours très admiratif.

Il faut dire que le curé de Nazareth, s'il se considère avant tout comme prêtre au service de l'Évangile, « n'est pas un curé comme les autres » — pour reprendre une expression maintes fois entendue de la bouche de non-croyants qui l'ont côtoyé. Dans l'école privée catholique qu'il dirige, par exemple, tous les élèves, chrétiens ou musulmans, portent la même chemise bleu ciel. Celle-ci ne recouvre pas tous les vêtements

73

comme le faisait la blouse grise de rigueur à la communale sous notre IIIe République, mais son uniformité n'en dit pas moins clairement l'appartenance commune des enfants, et la sanctuarisation de l'école vis-à-vis des conflits extérieurs. La religion n'y est évoquée que sur le mode du partage fraternel, lors des grandes fêtes musulmanes et chrétiennes. Et les « signes religieux ostensibles », grandes croix comme foulards, y sont strictement interdits. Lui-même porte la soutane, dans l'enceinte de l'école ou au sein de sa paroisse, mais dès qu'il se déplace, il retourne à l'habit civil, souvent même en oubliant le col romain. Mieux : il se dispense d'arborer la traditionnelle croix dorée et lourdement ouvragée, de trente centimètres de haut, qui correspond à son statut ecclésial d'archimandrite et que d'autres portent quotidiennement – abstention qui tranche singulièrement sur les usages en vigueur dans les Églises orientales. « Pour nous autres les melkites, s'exclame son frère Élie, c'est comme s'il était en tenue de sport ! Ses pairs tiennent beaucoup à ce genre de distinction vestimentaire qui renforce le respect et l'autorité. Et lui se promène habillé comme s'il venait d'être ordonné hier ! » Voilà donc un prêtre qui se situe d'emblée en tant qu'humain parmi les humains, en refusant d'imposer à quiconque sa vocation personnelle par des signes extérieurs trop évidents. L'esprit de laïcité, à ses yeux, ne porte en rien atteinte aux convictions spirituelles. Tout au contraire, il libère les uns et les autres en ne les identifiant pas totalement à leur communauté d'origine. Ce faisant, il ménage entre eux un espace vacant, rendu disponible pour l'établissement de relations spontanées, interpersonnelles, délivrées de tout préjugé.

Émile Shoufani demeure ainsi un amoureux de la Liberté et de l'Égalité à la française, dans un monde oriental où l'individu est toujours chapeauté par sa communauté, pour le meilleur parfois mais souvent pour le pire – et Israël ne fait pas exception sur ce point : l'état civil y est administré par les religieux des diverses confessions, depuis que les pères fondateurs, pourtant radicalement laïques, ont offert aux rabbins cette concession au moment de la création de l'État. Plaçant son projet de voyage au-delà ou en deçà de toute religion, le curé de Nazareth use d'un vocabulaire qui n'a rien de « catho ». Sans qu'il ait à se forcer ni à se surveiller pour cela, cette attitude renforcera son audience auprès d'un public français particulièrement chatouilleux en ce domaine.

Il s'abstiendra même de surfer sur la vague porteuse de l'interreligieux, sachant que de nombreux auditeurs, en France peut-être plus qu'en Israël, se sentent totalement étrangers à cette dimension. La tolérance et le respect des différences, en effet, sont de plus en plus évoqués de nos jours sur le mode des relations entre communautés religieuses. Que les chefs spirituels des différentes confessions se rencontrent et fassent des déclarations en faveur de la paix, voilà qui est certes louable. Que des fils d'Abraham affirment ensemble leur foi en un même Dieu de paix et de justice, on ne peut qu'applaudir. Mais des milliers de personnes peuvent avoir des racines juives ou arabes sans se percevoir comme liées d'une quelconque manière, y compris affective, par l'un des trois monothéismes. Et il n'y a rien de plus agressant pour un déiste, un athée ou un agnostique que de se voir « récupéré », pour des raisons d'origine ethnique, dans une sphère spirituelle qui n'est pas la sienne. Tout prêtre qu'il est, Émile Shoufani comprend non seulement qu'il serait dommageable d'exclure ces bonnes volontés non religieuses, mais surtout que leur présence est susceptible d'ouvrir son projet à une autre dimension : elle mettra l'accent sur le fonds de fraternité humaine irréductible à toute appartenance, fonds qu'il s'agit précisément de réaffirmer à Auschwitz, à l'endroit même où il a été nié. Pour lui, dans le triptyque fondateur de la République française – Liberté, Égalité, Fraternité –, c'est le dernier terme qui supporte les deux autres. On peut voir là l'influence du philosophe français Emmanuel Lévinas, auquel le prêtre voue une particu-

75

lière admiration : c'est l'exigence foncière de fraternité qui est toujours première, c'est elle qui fonde l'universel. Car, « comme une parenté », le langage fraternel de la responsabilité constitue « un lien antérieur à toute liaison choisie[1] ».

Mais si la France est mère de la laïcité, on ne peut nier qu'historiquement elle fut d'abord « fille aînée de l'Église ». Cet élément non plus, Émile ne l'oubliera pas : s'il vient en France, c'est aussi pour s'adresser au public chrétien. Pour l'interpeller, plutôt : « Que ceux qui croient en l'Évangile se réveillent ! Les chrétiens ont un rôle à jouer, un rôle essentiel de médiateurs entre le monde juif et le monde arabo-musulman. Je constate trop souvent qu'ils refusent de s'engager, de peur de prendre des coups peut-être, par culpabilité vis-à-vis des uns ou des autres, ou tout simplement par ignorance de leur propre vocation. Mais nous n'avons pas le droit de passer à côté de ce moment de l'histoire, on a besoin de nous ! »

Le constat paraît sévère, il est à la hauteur des exigences d'une foi censée être capable de faire des miracles. Les bonnes volontés ne manquent pas dans les églises, mais les moments de grâce où des chrétiens répondent vraiment à leur mission de médiateurs dans les tensions judéo-musulmanes sont manifestement trop rares, en France comme ailleurs. Pour ce faire, il ne suffit pas de se tenir en position de neutralité entre juifs et musulmans, il faut encore prendre le risque de s'engager totalement pour tenter de dissoudre les peurs. Dans les dialogues de sourds, la simple présence d'un tiers à la fois impliqué et disponible permet souvent que s'ouvrent les yeux et les oreilles. Lorsque la relation bilatérale est devenue un carcan impossible à briser, l'intervention du troisième peut amener une libération. Elle change d'un coup la donne en

---

1. Cité par Catherine Chalier, *La Fraternité, un espoir en clair-obscur*, Buchet-Chastel, 2003, p. 149.

offrant à chacun la chance de relativiser ses affects, de cesser cette focalisation sur l'autre qui détruisait les deux protagonistes. Lévinas encore : « Le Tiers est autre que le prochain, mais aussi un autre prochain, mais aussi le prochain de l'autre et non pas simplement son semblable[1]. » Le passage du binaire au ternaire, l'avènement de la relation à trois porte en lui-même la potentialité d'une ouverture à l'universel : « Le Tiers, c'est l'humanité tout entière, dans les yeux qui me regardent. »

Je dirai ici brièvement, en tant que chrétien, de l'écho qu'a eu en moi cet appel d'Émile Shoufani à ses coreligionnaires. Cet écho tient en peu de mots : « N'ayez pas peur ! » S'il fallait résumer tout l'Évangile en quelques sentences, je crois que celle-là devrait y figurer en bonne place. En deuxième place, plus précisément, juste derrière le « Tu aimeras ton prochain comme toi-même », dont on oublie souvent qu'il n'est pas une invention de Jésus, mais une pure citation de la Torah hébraïque (Lévitique, 19,18). La nouveauté chrétienne, en l'occurrence – ou plutôt l'accent mis par Jésus de Nazareth sur une des dimensions de la Torah –, tient tout entière dans cette question de la peur : notre incapacité à pleinement aimer, notre infirmité relationnelle ne vient pas d'une quelconque malédiction divine, ni d'une méchanceté foncière de l'homme, mais d'une angoisse profonde devant la précarité de notre existence, devant la fragilité essentielle de notre moi, devant le mystère de notre identité si incertaine. Peur panique d'où procèdent justement toutes les crispations identitaires, toutes les formes de violence. Et le « remède » que nous propose Jésus n'est autre que la foi. Non pas une foi qui serait *adhésion* intellectuelle à une formule dogmatique, à un corpus de prêt-à-croire. Plutôt une *adhérence* (traduction de la *emouna* hébraïque choisie par André Chouraqui), une relation d'attachement indéfectible, une

---

1. *Autrement qu'être, ou au-delà de l'essence*, Nijhoff, 1974, p. 200.

confiance radicale au Père miséricordieux. La troisième sentence qui donc pourrait servir à « résumer » la Bonne Nouvelle serait une de ces exhortations, si fréquentes dans l'Évangile, à faire confiance au Père universel. Un Père aussi indulgent et aimant qu'une mère. Un Père si proche, si tendre que Jésus l'appelle *abba*, « papa »... L'entrée, à la suite du Nazaréen, dans cette dimension filiale à laquelle il nous invite peut nous rendre capables de toutes les « folies » : il ne craint plus d'être trop prodigue, il n'a plus peur de perdre, celui qui sait qu'en tant qu'homme il est dès l'origine soutenu, secouru, fondé par cette relation. Et il n'a plus besoin de s'accrocher désespérément à ses identités sociales, culturelles, ni même biologiques : c'est en ce sens qu'alors, comme le dit Paul, « il n'y a plus ni Juif ni Grec, ni esclave ni homme libre, ni homme ni femme » (Ga, 3, 28).

À mes yeux, l'enseignement de l'Évangile n'est pas une question de morale normative, mais une question de mécanique : la voie qu'il indique, la foi qu'il transmet est véritablement un levier apte à « déplacer les montagnes » pour transformer le monde. Émile Shoufani fait partie de ceux qui ont compris, intégré, expérimenté cette puissance subversive d'un amour enraciné dans la non-peur, par la grâce d'une confiance inconditionnelle en ce Roc dont parle le psalmiste. Puissance qui, dans l'histoire, nous a donné un François d'Assise traversant les champs de bataille ensanglantés de la cinquième croisade pour aller dialoguer avec le sultan Al-Malik, ou un Martin Luther King marchant calmement au-devant des chiens policiers spécialement dressés pour agresser les Noirs...

À prendre l'Évangile dans le sens de cette apparente folie, on doit bien avouer que les « chrétiens », au sens propre, sont peu nombreux sur terre et dans l'histoire. Je fais mien ce constat et, évidemment, ne me présente moi-même sous ce qualificatif que par pur abus de langage. Ma chance est d'avoir pu rencontrer, en Émile Shoufani, un authentique « chrétien ».

Beaucoup ne s'y sont pas trompés, et lorsqu'il prit la parole en France, à l'automne 2002, pour annoncer son projet de voyage judéo-arabe à Auschwitz, les dons qui arrivèrent alors en masse venaient souvent de particuliers catholiques, orthodoxes ou protestants. Les chèques à l'association Mémoire pour la paix étaient parfois accompagnés de petits mots d'encouragements : ils nous disaient l'enthousiasme de chrétiens qui « attendaient ce jour depuis des années » et qui, sans vouloir aucunement s'imposer, désiraient répondre par ce geste discret à ce qu'ils ressentaient comme leur vocation de médiateurs. Apportèrent aussi leur franc soutien nos amis de l'hebdomadaire *Témoignage chrétien*, qui avaient lancé quelques mois auparavant la grande pétition « La Paix, nom de Dieu ! », et qui préparaient eux-mêmes un voyage interreligieux pour la paix à Jérusalem.

Personnellement, j'accordai beaucoup d'importance à cette attitude, impulsée par Michel Cool, du journal qui avait sauvé l'honneur de l'Église pendant l'Occupation en luttant contre l'antisémitisme de Vichy et en incarnant la résistance spirituelle au nazisme. Cet appui fraternel de *Témoignage chrétien* était pour moi d'autant plus significatif que pendant plusieurs décennies, sous le règne de Georges Montaron, la position de l'hebdomadaire avait été plus trouble : sa solidarité légitime avec les souffrances du peuple palestinien et son amitié historique avec le monde arabe – amitié qui datait de la guerre d'Algérie, un temps où le journal s'était à nouveau comporté héroïquement dans son combat pour la justice – l'amenaient régulièrement à des partis pris virulents contre Israël, voire à des dérives frisant l'inadmissible. Ambiguïtés symptomatiques de certains milieux chrétiens, que j'ai constatées plus d'une fois chez les progressistes dont je partage par ailleurs la sensibilité. J'ai vu autour de moi de bons « cathos de gauche », qui avaient lutté depuis les années soixante pour que la France s'ouvre au respect du monde de l'immigration maghrébine, qui avaient derrière eux de longues années de combats pour la justice sociale, de dialogue sincère avec l'islam et, bien sûr, qui avaient toujours eu en horreur l'antisémitisme d'extrême droite, tomber soudain dans un vocabulaire reprenant les vieux schémas antijuifs. Du soutien à un peuple opprimé ils avaient glissé à la défense inconditionnelle de ses leaders, de la critique justifiée d'une politique ils étaient passés à celle d'un État, puis à la mise en cause de la légitimité de cet État, pour finir par des insinuations à peine masquées sur l'« orgueil » du peuple d'Israël, la puissance du « lobby juif », etc. Tout cela avec la bonne conscience de ceux qui se tenaient prêts à descendre promptement dans la rue au moindre dérapage antisémite de Jean-Marie Le Pen ! L'exemple caricatural de cette dérive était un prêtre, moins honnête que les autres mais tout auréolé de la gloire de décennies de dialogue avec l'immigration musulmane, qui avait osé soutenir le négationniste Roger Garaudy au cours de son procès... et, contrairement à l'abbé Pierre, qui n'avait pas éprouvé ensuite le besoin de s'en repentir.

Sans aller jusqu'à cette infamie, il est vrai que plusieurs prêtres ou laïcs chrétiens se disant « amis de l'islam », reconnaissant avec une admiration feinte ou sincère la générosité de l'appel d'Émile Shoufani, furent paralysés par leur peur de mettre à mal leur bonne entente avec les musulmans. « Je crains que cette entreprise, m'écrivit l'un d'eux, soit perçue comme un leurre par certains de ceux que nous aurons à toucher dans les jours qui viennent. » La guerre d'Irak, en effet, se profilait à l'horizon. Mais c'était faire peu de cas de la capacité des musulmans de France à entrer dans une autre logique que celle de l'identification communautaire. D'autres chrétiens bien intentionnés, reprenaient carrément à leur compte cette logique, comme si leur longue promiscuité avec *un certain* islam avait fini par leur faire voir le monde avec les lunettes de l'idéologie communautariste.

Moins fréquente depuis quelques années, l'attitude symétrique a aussi existé : du temps où les relations judéo-chrétiennes étaient encore très imprégnées de culpabilité historique, le désir, de la part des chrétiens engagés dans ce dialogue, de le voir déboucher un jour sur une réelle amitié les a parfois conduits à faire silence sur la question palestinienne. Telle est ce que j'appelle la logique du tiers exclu : le dialogue se fait à deux, il est déjà en lui-même difficile, fragile, laborieux, et dans ce labeur bilatéral est souvent oublié le troisième. Comme si l'entente à deux ne pouvait se faire que sur le dos du tiers... Or c'est le tiers auquel on n'a pas pensé, ou que l'on s'est gardé d'inviter de peur qu'il ne vienne gêner une concorde fragile, c'est précisément celui-là qui importe : il est le critère qui permettra de jauger la profondeur et la solidité de la relation, il est le catalyseur qui permettra d'élargir l'horizon.

Chrétien engagé dans le dialogue avec les Juifs et le judaïsme, Paul Thibaud, président de l'Amitié judéo-chrétienne de France, comprit tout de suite cet enjeu crucial et se joignit à nous. Du côté du dialogue islamo-chrétien, le père Christian Delorme suivit avec enthousiasme la même démarche : figure bien connue de la région lyonnaise, celui que l'on appelait jadis le « curé des Minguettes », compagnon de route des « beurs » qui anima la fameuse Marche pour l'égalité au début des années quatre-vingt, n'hésita pas une seconde à participer à l'aventure avec ses frères musulmans. Deux cas, parmi tant d'autres, de croyants tout à fait conscients des risques encourus vis-à-vis du travail qu'ils avaient déjà mené, mais conscients aussi du rôle éminent de médiateurs qui incombe aux chrétiens.

Christian Delorme et Rachid Benzine forment un tandem tellement inséparable que si l'on voit l'un des deux s'engager dans une initiative de ce genre, on peut être sûr que l'autre l'a juste précédé, ou bien ne tardera pas à apparaître... Ils ont publié ensemble un livre qui raconte la découverte par chacun de la religion de l'autre, et qui fait le point sur la possibilité d'une authentique amitié spirituelle entre chrétiens et musulmans. Son titre résume bien leur propos : *Nous avons tant de choses à nous dire.* Il leur a valu de parcourir toutes les grandes villes de France pour témoigner de leurs convictions, au point que Rachid, qui a passé sa petite enfance au Maroc et a grandi dans les cités de Trappes, est devenu l'un des spécialistes les plus en vue du dialogue islamo-chrétien en France. Mais les Juifs, les connaissait-il ? Il n'avait jamais eu l'occasion de les rencontrer, ni dans son Maroc natal qui s'est quasiment vidé de son importante population juive à partir des années cinquante, ni dans l'univers des cités. Et s'il avait visité Auschwitz au cours d'un voyage organisé jadis par son lycée, il n'en savait guère plus sur leur histoire, leur religion et leur culture, comme l'immense majorité des « beurs » de sa génération.

Aussi ne se sentait-il pas spécialement concerné, de prime abord, par le projet d'Émile. Occupé par des recherches sur les « nouveaux penseurs de l'islam [1] » et sur l'exégèse coranique contemporaine, il n'était pas prêt à se laisser disperser par un nouvel engagement. « Que les chrétiens fassent un travail de réflexion sur leurs responsabilités et des déclarations de repentance, c'est leur devoir, mais les Arabes n'ont aucun lien avec cet événement historique ! » Telle est sa première réaction... mais il lui suffit de quelques jours pour prendre conscience de l'enjeu. Ayant depuis longtemps tissé un réseau de relations avec la plupart des familles de l'islam de France, il est bien placé pour savoir, comme il l'écrira plus tard, que « ces derniers mois, sous l'effet des événements tragiques qui ne cessent de se produire au Proche-Orient, peut-être aussi

---

1. Rachid Benzine, *Les Nouveaux Penseurs de l'islam*, Albin Michel, 2004.

sous l'influence de prédicateurs de malheur et de groupes manipulant la haine, des jeunes de nos quartiers, appartenant à des familles maghrébines et musulmanes, se sont laissés aller à des comportements judéophobes ». Face au risque de dérive de toute une génération, face aussi à des réactions qui tendent à la diaboliser, à « essentialiser » ces débordements délirants, il ne peut pas, compte tenu de l'influence qui est la sienne dans ces milieux, esquiver l'appel d'Émile. Car de tels actes et de telles paroles, dit-il, « témoignent surtout d'une immense ignorance, tant de ce que sont réellement les Juifs que de la situation historique et politique complexe du Proche-Orient. Ces propos n'en sont pas moins fortement condamnables. Mais pour déraciner de telles attitudes, il faut se donner les moyens d'une véritable éducation à la connaissance et au respect de l'autre, y compris – peut-être même surtout – si l'autre exprime des opinions différentes ».

Rachid Benzine va donc lui aussi s'engager, et comme il ne fait rien à moitié, il deviendra vite le principal relais du projet d'Émile auprès des musulmans de France. Dès la première rencontre au Centre communautaire juif de Paris, sa parole franche et chaleureuse convaincra nos partenaires juifs qu'Émile n'est pas seul, que des Arabes français sont de plain-pied avec lui dans cette démarche sans précédent. Ce jour-là, j'observe à quel point l'ancien « jeune des cités », comme son frère de Nazareth, sait non seulement trouver les mots justes pour aller droit au but, c'est-à-dire au cœur, mais aussi structurer son discours pour éviter les mille écueils possibles de l'entreprise. Et je lis un étonnement mêlé de déférence dans le regard de ses respectables interlocuteurs : des rabbins connus comme Gilles Bernheim et Daniel Farhi, des personnalités comme Gérard Israël, Ady Steg, le président de l'Alliance israélite universelle, Edmond Elalouf et Raphy Marciano, président et directeur du Centre communautaire... Je me dis alors que, oui, tout est vraiment possible...

Parmi les participants à cette toute première réunion, Victor Malka est le seul à connaître Émile depuis plusieurs années – le grand rabbin Sirat, qui l'a rencontré plusieurs fois et l'apprécie depuis longtemps, n'a pu être présent. Malka est un journaliste chevronné qui sait manier une dialectique mordante, il est un partisan convaincu de la paix avec les Arabes, mais pas une « colombe ». Dans le mensuel qu'il dirige, *Information juive*, il a la plume acérée et donne volontiers la parole aux plus polémistes des intellectuels de la communauté, tels Alain Finkielkraut ou Alexandre Adler. Mais il y a aussi Victor, Victor l'homme de cœur, qui ne craint pas de pleurer devant la générosité d'un Émile Shoufani – « et je n'ai jamais eu honte des larmes qu'il m'a fait verser, au contraire, je les lui pardonne et le remercie ! » Victor l'érudit en matière talmudique, qui étaie naturellement son engagement en référence à sa tradition : « L'un des textes du Talmud qui m'a toujours bouleversé depuis mon adolescence est celui du Traité Haguiga 4b : on y voit successivement trois docteurs de la Loi qui, lisant chacun un passage de la Bible, se mettent à pleurer. Pourquoi ces larmes ? Les versets sur lesquels ils se sont arrêtés avaient en commun de se conclure par la formule *oulaye*, "peut-être". Par exemple, "si vous agissez de telle manière, *peut-être* rencontrerez-vous l'espérance". Et chacun de ces maîtres de se poser la question : *Koulléhaye véoulaye ?* "Tout cela pour un peut-être ?" Toutes ces recherches, toutes ces prières, toute cette rigueur éthique pour une pauvre hypothèse parmi d'autres ? Et Rachi, le grand commentateur français du Moyen Âge, ajoute : "Au bout de toutes ces souffrances, n'y aurait-il finalement que le doute ?" Eh bien oui, voilà ce que nous demande la Torah, de nous engager totalement sur une simple espérance ! C'est à cet enseignement que me fait penser l'initiative du père Shoufani. Nous n'avons aucune certitude du résultat, mais nous sommes conviés à faire confiance. Avec lui, je veux bien faire ce pari. »

Pari commun avec Rachid Benzine, avec lequel il se lie

immédiatement d'amitié. Originaires l'un et l'autre du Maroc, ils s'entendent dans tous les sens du terme, puisque Victor Malka parle un arabe impeccable. Voilà précisément ce que voulait Émile, et qui commence à se réaliser dès la première rencontre. Le rédacteur en chef d'*Information juive* en vient naturellement à inviter son ami musulman à s'exprimer dans ses colonnes, en toute liberté : « Comme d'autres, écrit Rachid, je ressens parfois une violente colère grandir du plus profond de mon être. Ma lecture de la tragédie israélo-palestinienne, les analyses que je peux faire de la situation politique me rendent solidaire du peuple palestinien (mais pas forcément de ses dirigeants et des organisations qui l'encadrent). Quand ce peuple est meurtri, humilié, avec lui je me sens moi aussi meurtri et humilié. Sans doute même est-ce mon honneur de me sentir ainsi concerné. Mais puis-je, pour autant, me laisser submerger par des sentiments inutilement hostiles et me lancer dans des diatribes anti-israéliennes et anti "prosionistes" ? Je ne suis pas, moi, confronté directement aux mêmes violences. Je vis dans une société de paix où je peux avoir le recul nécessaire pour tenter de comprendre ce qui se passe. Surtout, je dois m'interdire de faire supporter à tous les Juifs les choix politiques que je reproche aux dirigeants d'Israël. Même si beaucoup de Juifs de France, pour des raisons diverses, sont enclins aujourd'hui à soutenir Ariel Sharon, je n'ai pas, moi, à assimiler tous les Juifs à Sharon. Ce n'est pas mon voisin juif, en effet, qui a ordonné de détruire telle ou telle habitation, ou d'éliminer tel ou tel Palestinien. De même, il serait injuste, le Juif de France qui penserait pouvoir faire supporter aux Arabes de nos banlieues la responsabilité de tel ou tel attentat-suicide qui vient d'ensanglanter telle ou telle famille innocente... parfois opposée à la politique de Sharon. »

Ce message, Rachid Benzine le renouvelle lorsque Victor Malka l'invite à son émission *Écoute Israël* sur France Culture – c'est la première fois qu'un musulman intervient dans cette

émission religieuse juive créée il y a trente-cinq ans. Ses paroles sont entendues par Norman et Nevenka Gritz. Leur fils
unique, David, a été tué à l'âge de vingt-quatre ans dans
l'attentat du 31 juillet 2002 à la cafétéria de l'Université
hébraïque de Jérusalem. En écoutant Rachid à la radio,
Nevenka décroche le téléphone, elle veut voir le musulman
qui parle ainsi. On a beau se dire que la folie meurtrière des
attentats-suicides n'a rien à voir avec le véritable islam, il
n'empêche : moins d'un an après l'assassinat de son fils unique par un Arabe se réclamant d'un islam perverti, il faut
avoir une âme noble pour aller ainsi au-devant du dialogue.
Rachid et les parents de David se rencontrent, leur amitié est
immédiate. Ils lui parlent du fils qu'ils chérissaient par-dessus
tout : il préparait un DEA sur le totalitarisme et le pluralisme, fondé sur la lecture de l'épisode biblique de la tour de
Babel. C'est sur ce projet qu'il avait obtenu une bourse pour
une année d'études à Jérusalem, attribuée par l'association
Maskilim (du nom du mouvement moderniste du XIXᵉ siècle
représentant les Lumières juives). Il était le premier lauréat
de cette bourse, parce qu'au-delà de son travail universitaire,
il avait été reconnu comme le « symbole d'une jeunesse
ouverte sur le monde et éprise de paix ». Ses parents admiraient son activité effervescente dans tous les domaines
– celui des études, dans lequel il était exceptionnellement
brillant, mais aussi celui des relations judéo-chrétiennes ou
des débats sur la paix, sans oublier la musique, du rock au
violon classique.

Trois semaines après son départ, son corps leur était
ramené, avec une petite boîte noire contenant son violon.
Dans le faire-part de décès pour le Carnet du *Monde*, ils
avaient tenu à mentionner : « Que le cercle d'amour qui s'est
créé autour de lui finisse par vaincre la haine dont il a été la
victime. »

J'ai rencontré Norman et Nevenka Gritz, un jour où ils
avaient rendez-vous avec Rachid dans une brasserie de Mont-

parnasse. C'était la première fois depuis des mois que Norman réussissait à sortir de leur appartement parisien. Il est arrivé le dernier, je l'ai aperçu dans la rue, titubant, littéralement KO, comme une marionnette disloquée par le destin. Depuis le cataclysme, ses os, son corps, son être étaient anéantis. Juif américain, il n'avait rien vécu de la chasse à l'homme subie par les Juifs européens, mais soixante ans plus tard, on l'avait atteint en plein cœur en lui prenant son fils unique. Un Arabe, un prétendu musulman, avait fait *ça*. Alors aujourd'hui, il s'était fait violence pour s'arracher à la dépression, à la somatisation, et il était venu passer un moment avec Rachid le musulman. Il souriait, pas une larme. Et il nous confirma ce que Rachid m'avait dit, mais qui me paraissait inouï : s'ils l'avaient pu physiquement, lui et son épouse auraient été du voyage. Telle est la puissance du mouvement inspiré par Émile Shoufani. Qu'ils aient seulement pensé à la possibilité de se mêler à des Arabes pour aller à Auschwitz représentait déjà une grande victoire. « Nous représenterions David, nous dirent-ils simplement, car il est évident qu'il aurait adhéré à cette initiative. »

Ce jour-là, je me suis pris à penser que ce pays, la France, avait peut-être une vocation, comme Émile en avait eu l'intuition. Vocation symbolisée par ce Juif de Chicago qui avait rencontré à Paris une catholique de Bosnie et avait décidé avec elle de s'y installer (« notre compromis historique », disaient-ils), liés aujourd'hui d'amitié, par-delà tous les malheurs et toutes les haines, avec ce musulman venu du Maroc.

V

« *J'appelle...* »

Être généreux, ce n'est pas nourrir, donner à boire
ou vêtir, mais partager les souffrances d'autrui.

Ali ben Abi Tâlib, cousin et gendre du Prophète

Il a connu tout ce qu'un fils d'immigrés, noir, pauvre, élevé par une mère seule avec six frères et sœurs, peut connaître de la délinquance des cités : vols et trafics en tous genres, deal de shit, illusions de l'argent facile, grande frime et rapports de force. Converti à l'islam – ou plutôt à cet islam obscurantiste qui sévit dans certaines banlieues –, il a parcouru les routes de France pour prêcher dans des mosquées de fortune. Il ne compte plus ceux de ses compagnons du quartier du Neuhof de Strasbourg qui furent victimes de la violence, qui sont morts d'overdose ou sont tombés dans un islamisme agressif, en marge de la société... Avec de tels antécédents, Abd al Malik avait tout pour entrer dans l'univers de la « haine ». Il aurait pu agonir la France de récriminations, maudire sa police et ses politiciens, franchir le pas fatal qui va de la rébellion adolescente à la violence concrète – comme des « frères » le lui ont d'ailleurs proposé concrètement en 1995, au moment de l'affaire Kelkal. Leader du groupe de

89

rap NAP (New African Poets), il aurait pu mettre leur succès au service d'un prosélytisme islamiste, nourrir ses textes d'imprécations anti-occidentales et même antijuives, comme cela s'est vu. Au lieu de cela, il ose intituler son livre-témoignage *Qu'Allah bénisse la France !*[1] et son premier disque en solo *Le Face-à-face des cœurs*. Rien de mièvre dans ces titres, aucun maniérisme, aucun calcul dans ces déclarations d'amour. Simplement l'expression libérée d'un jeune artiste qui, au-delà d'une histoire bousculée, a toujours été en quête d'une spiritualité authentique donnant sens à sa vie. Après maintes pérégrinations, Abd al Malik a en effet trouvé sa voie dans le soufisme, à travers une confrérie marocaine dont l'enseignement est centré sur l'amour universel. Le vieux sage qui dirige cette *tariqâ*, Sidi Hamza, lui a dit que chaque être humain recèle le *sirr*, le secret spirituel, et qu'il ne pouvait donc plus raisonner en termes de Noir, d'Arabe ou de Juif là où il n'y a que des hommes porteurs de ce trésor. Cet islam lumineux l'a ouvert aux Lumières de l'Europe et à l'esprit de la citoyenneté, au point que la bénédiction qu'il appelle aujourd'hui sur son pays d'accueil embrasse dans une même sincérité ses frères juifs, chrétiens ou laïques. Sans oublier ses sœurs, que sont toutes les femmes. Car l'amour inconditionnel de sa mère et de son épouse Wallen[2] fut pour lui fondateur.

C'est avec Wallen – Naouale dans le privé – qu'il a discuté de sa participation au voyage, après avoir entendu Émile à la radio. Et c'est elle qui l'encourage : « Selon elle, tous ceux qui voulaient la paix devaient saisir cette main tendue. Quelqu'un s'avançait pour poser la première pierre de la réconciliation, non seulement des Israéliens et des Palestiniens, non seulement des juifs et des musulmans de France, mais de l'homme avec lui-même. » Lorsque son ami Rachid Benzine

---

1. Abd al Malik, *Qu'Allah bénisse la France !*, Albin Michel, 2004.

2. Artiste elle aussi, elle s'est fait connaître en 2001 par le titre *Celle qui a dit non*.

lui téléphone pour le solliciter, Abd al Malik est déjà prêt, et il entraînera avec lui deux autres membres de son groupe de rap. Ce jeune d'origine congolaise est en lui-même, bien que faisant partie de la minorité africaine de l'islam de France, le symbole de toute une jeunesse chez laquelle l'appel d'Émile provoquera une prise de conscience. « Jusqu'alors, dit-il, les Juifs étaient une réalité et une culture trop éloignées de moi pour que je m'y intéresse, et jusqu'à présent je n'en connaissais quasiment aucun, à part ceux que j'avais rencontrés dans le monde de la production musicale, et avec lesquels je m'étais d'ailleurs très bien entendu. Il m'était arrivé de capter, dans le mouvement du *tabligh* où je m'étais laissé embrigader pendant plusieurs années, des paroles plus ou moins antisémites. Mais je n'y prêtais pas plus attention qu'aux autres manifestations de la bêtise humaine, comme les propos antiturcs, anti-asiatiques ou antinoirs que j'entendais quotidiennement. J'avais bien eu l'occasion de lire Primo Levi, mais étrangement, je n'avais jamais fait le lien dans mon esprit entre cette horreur absolue de la Shoah et l'antisémitisme verbal que j'avais pu constater chez mes compagnons de jadis. Je comprends maintenant que l'anéantissement d'un peuple s'origine dans des actes et des paroles qui paraissent tout à fait banals, et qui véhiculent en fait une idéologie mortifère. »

Cette jeunesse des banlieues, on le sait, est aujourd'hui survoltée par le conflit du Proche-Orient, prenant fait et cause pour les « frères de Palestine » et vivant par procuration leurs combats et leurs passions, parfois jusque dans les dérives des islamistes. Les imams n'ont pas toujours le courage de pointer les dangers d'une telle identification – quand ils n'ajoutent pas eux-mêmes de l'huile sur le feu. Tareq Oubrou, l'imam de la mosquée de Bordeaux, est de ceux qui veulent construire un islam proprement européen, et ancrer les jeunes à la fois dans leur tradition et dans une citoyenneté assumée. Sa mosquée est l'une des rares où les hommes et les femmes ne soient pas séparés par une cloison ou un rideau dans la salle de prière. Ses relations avec chrétiens et juifs de Bordeaux sont excellentes. Le soutien qu'il apporte à Émile est déterminant, car son influence, bien que discrète, est très grande dans les mosquées de France – combien de fois n'entendrons-nous pas : « Et qu'en pense l'imam Oubrou ? » Concrètement, il fait en sorte de mobiliser les deux associations sur lesquelles il a le plus de poids : Étudiants musulmans de France (EMF) et Jeunes musulmans de France (JMF). « Il faut que vous donniez l'exemple, vis-à-vis de notre communauté parfois enfermée dans une vision judéophobique, et stigmatisée comme telle. La Shoah s'est produite à un moment où les musulmans n'étaient pas encore présents en Europe, mais aujourd'hui, vous êtes européens, vous devez assumer cette histoire, et participer à ce travail commun qui consiste à explorer les enseignements de la Shoah, dont l'humanité tout entière n'a pas assez tiré les leçons. Il faut défendre une paix juste au Proche-Orient, mais n'oubliez pas la paix civile ici, qu'il faut préserver, cultiver, construire chaque jour. Nous n'avons pas à transposer le conflit proche-oriental sur le sol français. Nous avons la chance, avec ce socle commun de citoyenneté dans un espace de laïcité, de vivre au-delà de nos appartenances respectives. Alors, ne mélangeons pas les registres. »

Même si Tareq Oubrou est considéré par eux comme une grande figure spirituelle, même si l'ancien président d'EMF, Charaffeddine Muslim (président du Conseil régional du culte musulman d'Aquitaine), est toujours à ses côtés à tenir le même discours, le message passe difficilement auprès de ces jeunes qui se demandent toujours s'ils ne sont pas en train de trahir leurs frères palestiniens, si c'est bien le moment de s'intéresser à la Shoah quand se prépare la guerre d'Irak, si l'islamophobie n'est pas plus enracinée en France que la

judéophobie... D'autant que leurs relations avec les jeunes de
l'Union des étudiants juifs de France (UEJF), eux aussi solli-
cités par Émile, ne sont pas au beau fixe. Il y a un an, Patrick
Klugman, le président de l'UEJF, a lancé dans *Le Monde* un
cri d'alarme pour dénoncer une tolérance fautive, dans les
milieux scolaire, universitaire et intellectuel, vis-à-vis de ceux
qui se nomment eux-mêmes les « antifeuj » : « C'est la forme
d'expression d'un antisémitisme inconscient de lui-même,
qui se nourrit de l'ennui, de l'oisiveté, de la méfiance et de
l'aigreur... L'antisémitisme n'est pas une opinion comme les
autres : c'est une opinion qui tue. Nous voudrions qu'enfin
les consciences s'éveillent, nous en avons assez de voir les
agresseurs présentés comme des victimes [1]. » La discussion ne
peut être sereine entre les jeunes juifs, meurtris et révoltés
par des agressions qui se multiplient, et des jeunes musulmans comme Mériem, qui a adhéré récemment à EMF, porte
fièrement le *hijab* (voile islamique) et ne craint pas de provoquer en affichant ses convictions. Mériem se sent stigmatisée
par la méfiance des Juifs, et elle le dit : « Je me souviens être
tombée des nues le jour où, dans le métro, j'ai proposé à un
vieux monsieur en kippa de lui céder ma place. Il était tout
étonné et m'a remerciée cinquante fois ! C'est vraiment qu'il
y a un problème de communication ! Mais nous, on en a
marre de faire peur, alors qu'on a rien contre personne...
Tant qu'il y aura la peur, on ne pourra pas discuter. »
   Émile est là justement pour faire dialoguer les uns et les
autres, mais sur autre chose que sur leurs récriminations
mutuelles. Au cours de maintes réunions, il les laisse échanger
leurs arguments, mais au fond ce qu'il leur propose est une
rupture, une sorte de jeûne temporaire dans ces conversations
que l'on pourrait prolonger à l'infini sans aboutir à un changement réel. Son projet, dit-il, n'est pas plus destiné à résoudre les questions politiques immédiates qu'à négocier les

1. *Le Monde*, 21 novembre 2001.

bases des futurs contacts intercommunautaires dans le pays. « Ce n'est pas mon rôle, ce sera peut-être le vôtre ensuite, mais décidons ici et maintenant, entre nous, de placer notre relation à un niveau humain, au-delà de toutes nos appartenances. Face à la mémoire de la Shoah, c'est la seule attitude possible, et cette expérience nous apprendra à nous regarder différemment. » Le pacte est finalement accepté, après un repas commun au cours duquel Émile a donné tout ce qu'il pouvait donner. L'imam Oubrou est là, qui a observé « ses » jeunes, ceux qu'il a conseillés et encouragés depuis des mois, mais qui devaient entrer dans cette expérience de leur propre chef. Et c'est le moment qu'il choisit pour annoncer que lui aussi viendra avec eux pour mettre son propre poids dans la balance de ce pari.

Une autre personnalité influente de l'islam français est aux côtés d'Émile, depuis la toute première réunion au Centre communautaire juif de Paris, en septembre 2002 : le cheikh Khaled Bentounès, guide spirituel de la confrérie Alawiya, héritier d'une haute lignée de personnages illustres du soufisme. Son enseignement vise à une ouverture réelle de l'islam « par le haut », c'est-à-dire par la voie d'une authentique spiritualité. Spiritualité incarnée, puisqu'il a présidé en 1991 à la création des scouts musulmans de France et continue d'y insuffler un esprit où la foi se mêle à l'action pédagogique. Qui connaît en France l'existence d'un mouvement scout musulman ? Peu de monde, assurément, en dehors des autres branches du scoutisme national et international avec lesquelles les échanges sont constants. Voilà encore une face non négligeable de l'islam français que les médias nationaux n'ont jamais montrée et qui gagnerait tant à être mieux connue du public. Depuis le jour où le groupe de Toulouse invite Émile à intervenir à la « Tente d'Abraham », rencontre interreligieuse organisée chaque année par les scouts musulmans, le contact est immédiat, et leur adhésion est aussi réfléchie que chaleureuse. Le cheikh a donné par avance approbation et directives, mais les jeunes responsables régionaux et nationaux qui se mobilisent ne sont pas en reste : dans le pur esprit du scoutisme, ils ne cesseront de se donner à fond pour le succès de l'entreprise, avec une bonne humeur et une sincérité qui laisseront un souvenir indélébile aux autres participants, notamment aux rescapés de la Shoah qu'ils entoureront d'écoute et d'attentions tout au long du parcours.

En réalité, ils rêvaient d'une telle aventure depuis longtemps : « Les éclaireurs israélites, on les rencontre régulièrement, mais ils sont assez réservés, explique Wafa, une belle jeune fille de vingt ans. Ils sont un peu sur la défensive tandis que nous, on est en demande. » Et Nabil, vingt-quatre ans, surenchérit : « J'avais presque envie de pleurer quand on m'a proposé de faire partie du voyage. J'ai monté une société de télémarketing, filiale d'un grand groupe parisien tenu à 90 % par des Juifs. Je suis le seul musulman, mais me suis toujours senti proche d'eux par le goût du travail, et par le fait qu'eux aussi sont d'origine marocaine. [Le Maroc, encore et toujours, terre privilégiée de la coexistence judéo-musulmane...] Les scouts chrétiens, on les connaît mieux parce que, avant la création des scouts musulmans de France, ceux qui voulaient entrer en scoutisme le faisaient à travers les scouts de France. Mais les éclaireurs israélites, même s'ils sont étonnés, voire un peu gênés que des musulmans aillent vers eux, on veut leur faire comprendre qu'on a vraiment envie de les connaître. »

Émile pouvait-il espérer sincérité plus enthousiasmante ? Avec ces jeunes si bien éduqués au sens propre, c'est-à-dire conduits à découvrir leur voie propre et leur responsabilité de citoyens, avec ces jeunes qui lui rappellent si fort les élèves de son école, il est de plain-pied dans la fraternité. Leur guide spirituel les accompagne dans leur démarche par une prière qui dit l'essentiel de son enseignement : « Ouvre-leur l'Œil du Cœur pour qu'ils perçoivent que T'aimer, c'est aimer toutes Tes créatures dans le respect des différences voulues par

Toi, afin que chacun découvre par l'autre la richesse et la grandeur de Ta miséricorde... Mon Dieu, fais que ce voyage soit une offrande de tous ceux et celles qui espèrent en Toi dans leur détresse, mais sans faiblir, et qui veulent, selon Ta volonté, vivre et partager dans la fraternité et la paix le don sacré que Tu nous as prodigué : la Vie. »

Du côté juif aussi, des religieux s'engagent. Dans le mensuel *L'Arche* (dont le rédacteur en chef, Méir Waintrater, participe à toutes les réunions) le rabbin Philippe Haddad, acteur résolu du dialogue judéo-musulman comme du dialogue judéo-chrétien, n'hésite pas à comparer le combat d'Émile Shoufani à ceux « d'un Martin Luther King ou d'un Gandhi ». Et il ajoute : « En tant que juifs, en tant que chrétiens, nous devons encourager l'islam a éveiller sa Miséricorde, premier attribut d'Allah... Il est des rendez-vous de l'Histoire qu'il ne faut pas rater, le Messie nous en tiendrait rigueur. » Le rabbin libéral Daniel Farhi, lui, parle de « geste prophétique ». Les mots sont forts, ils sont à la hauteur du saisissement qui traverse la communauté à l'annonce de cette initiative. Saisissement mêlé souvent d'incrédulité, voire de soupçon. C'est bien pourquoi il faut que des responsables se risquent franchement : « Rappelez-vous seulement ceci, répond Daniel Farhi aux timorés qui trouvent l'initiative d'Émile trop hasardeuse : la tradition juive nous enseigne que les flots de la mer Rouge ne se sont ouverts devant les Israélites poursuivis par les Égyptiens que lorsque le premier homme – Nahshone ben Aminadav – entra dans les flots jusqu'aux narines !.... Peut-être faut-il parfois des éclaireurs de l'humanité pour qu'il y ait des suiveurs. »

L'implication de Daniel Farhi a du poids, au-delà même de sa fonction de rabbin. Il sait de quoi il parle, lui qui manifesta plusieurs fois en Allemagne aux côtés de Serge et Beate Klarsfeld contre l'impunité des criminels nazis, lui qui a organisé de nombreux voyages à Auschwitz, notamment lors de l'affaire du carmel attenant au camp, lui qui fut présent aux procès de Barbie, de Touvier, de Papon. Surtout, en 1991, pour la célébration du Yom HaShoah (Journée du souvenir de la Shoah), il a commencé à lire en public, avec quelques pionniers tout d'abord, puis avec des fidèles de plus en plus nombreux au fil des années, les noms des déportés juifs de France. Depuis cette date, tous les ans, à l'emplacement de l'ancien Vélodrome d'hiver près des quais de la Seine, là où treize mille hommes, femmes et enfants juifs furent parqués par la police française en juillet 1942 avant d'être livrés aux nazis, est lue sans discontinuer pendant vingt-quatre heures la liste des victimes établie par Serge Klarsfeld. Oui, si Daniel Farhi s'engage, puis le Dr Richard Prasquier, président du comité Yad Vashem France, c'est qu'ils sont convaincus de servir vraiment une pédagogie de la mémoire. Ce dernier s'impliquera personnellement pour faciliter la collaboration avec la Fondation pour la mémoire de la Shoah, présidée par Simone Veil, et les contacts avec les instances dirigeantes du CRIF.

Mais le pari n'est pas gagné, loin s'en faut. Régulièrement, alors que chaque jour nous rapproche de la guerre en Irak, et qu'Émile a encore plus de problèmes en Israël pour monter concrètement son action, il lui faut revenir en France pour expliquer, encourager, réconcilier. Les mêmes objections reviennent sans cesse, si enracinées dans la sensibilité profonde de chaque communauté que la chose, à vrai dire, paraît bien mal partie. Du côté juif, certains se demandent si, en accompagnant ainsi des Arabes à Auschwitz, on ne va pas leur livrer un peu trop facilement une sorte de certificat de non-antisémitisme, qui leur permettra ensuite de surenchérir impunément dans leur critique radicale d'Israël. Un tel geste, en outre, ne risque-t-il pas d'induire l'idée que la légitimité de l'État hébreu n'est liée qu'à la Shoah, alors que le projet sioniste est né plus d'un demi-siècle avant la Déclaration d'indépendance de 1948 ? Du côté arabe, les réserves sont symétriques : n'y a-t-il pas quelque chose d'indécent à aller se recueillir à Auschwitz au moment où Sharon écrase les villes palestiniennes ? Reconnaître la souffrance passée du monde juif alors même qu'il semble se liguer en Europe et en Amérique pour soutenir un gouvernement si brutal, cela ne relève-t-il pas d'une coupable naïveté, si ce n'est d'une trahison ?

La tentation du découragement affleure parfois dans ce combat quotidien. Finalement, Émile a-t-il eu raison de s'entêter sur ce principe de la gratuité du geste, qui semble provoquer tant de réserves chez beaucoup de musulmans ? Il lui faudra bien, pourtant, en rassembler un nombre significatif, et pas seulement des jeunes, s'il veut éviter la débâcle ! Car les Juifs les plus enthousiastes conditionnent eux-mêmes leur participation, et il le comprend bien, à celle d'une délégation musulmane suffisamment représentative. Cette problématique en boucle l'empêchera de dormir pendant plusieurs mois. Mais il n'est pas question pour lui de transiger sur le caractère unilatéral de l'initiative. Si les Arabes israéliens ont su comprendre et assumer ce principe, eux qui vivent au cœur de la tourmente, il n'y a pas de raison pour qu'il faiblisse en France sur ce point crucial. Toute son inspiration tient dans cette rupture radicale avec le calcul d'intérêts. Inspiration qui rejoint encore une fois l'idée lévinassienne de dissymétrie dans la relation interpersonnelle, que Catherine Chalier explique ainsi : « L'asymétrie éthique se fonde sur l'idée que mon inquiétude pour l'autre ne dépend en aucune façon de son éventuel souci pour moi... l'éthique prend sens dans le désintéressement[1]. » Ce que veut Émile, c'est que pour la première fois des Arabes décident collectivement de

---

1. *Lévinas, l'utopie de l'humain*, Albin Michel, 1993, p. 100-101.

« se mettre à la place » des Juifs, d'entrer dans leur mémoire et leur histoire, de vivre temporairement, mais vraiment, leur sensibilité. Thématique caractéristique de la substitution, à propos de laquelle Lévinas écrit : « Ce que l'autre peut faire pour moi, c'est son affaire. Si c'était la mienne, la substitution ne serait qu'un moment de l'échange et perdrait sa gratuité. Mon affaire, c'est ma responsabilité et ma substitution inscrite dans mon moi, inscrite comme *moi*[1]. » C'est en réalité une expérience d'ordre spirituel qui est proposée là, impliquant une non-réciprocité ou, plus précisément, impliquant que la réciprocité ne soit pas posée en a priori.

La barre est placée haut, il n'est pas sûr que l'ambition d'Émile soit audible par le monde tel qu'il est... L'ouvrage est à remettre sur le métier chaque fois qu'il revient en France, tandis qu'en Israël, même s'il a réussi à provoquer une réelle mobilisation chez les Arabes, il commence aussi à faire l'objet d'attaques... Sans compter les énormes problèmes financiers que pose la réalisation concrète du projet. Certains jours, lorsque je lui téléphone, je le sens envahi par l'angoisse à l'autre bout du fil, à travers son ton de voix et des silences auxquels ne m'a pas habitué son volontarisme. D'autres fois, c'est la tristesse qui l'emporte, après une déception plus amère que les autres – mais même si je devine qu'il retient ses larmes, il ne l'avouera jamais. Il est comme ça, porté par la nécessité d'aller jusqu'au bout de cette folie, puisque, après tout, les sociétés elles-mêmes sont prises de démence dans ce Proche-Orient où chaque semaine amène son lot d'enfants morts des deux côtés. Folie pour folie, il a choisi celle de la fraternité, et la tiendra quoi qu'il en coûte. *Koulchi mich !*, « Tout va bien ! », voilà ce qu'il répond invariablement à son

---

1. *De Dieu qui vient à l'idée*, Vrin, 1982, p. 148. Mais la substitution chez Lévinas n'est pas un fait empirique, elle ne procède en tout cas pas d'une décision humaine, elle vient d'ailleurs, d'une responsabilité originelle pour autrui. Le rapprochement est donc ici téméraire...

frère Élie et à ses proches, effrayés par cette obstination irraisonnable. *Koulchi moumtaz !*, « Tout va très bien ! »

En décembre 2002, il décide de venir franchir à Paris le pas qui rendra impossible tout retour en arrière : il présente dans une conférence de presse l'Appel qu'il a mis au point au fil des semaines et des rencontres, mot après mot, avec des amis. À partir de cette déclaration, un abandon ne serait plus interprété comme la mise en suspens d'une belle idée toujours valable pour l'avenir, mais comme un lamentable échec :

J'appelle les hommes et les femmes de bonne volonté, quelles que soient leurs origines et leurs croyances, à mettre tout en œuvre pour que le dialogue et la compréhension mutuelle deviennent les maîtres mots des relations entre les peuples et les cultures.

J'appelle mes frères juifs et arabes à mettre momentanément de côté leur contentieux, pour essayer ensemble de renouer une relation vraiment humaine. Il ne s'agit pas de trahir en quelque façon la cause des siens, il ne s'agit pas non plus de faire semblant d'oublier tout ce qui nous sépare. Il s'agit, pour éclaircir enfin l'horizon, de mettre résolument à distance nos litiges, si graves soient-ils, d'empêcher les urgences du moment de nous aveugler, d'arrêter le cycle infernal de la vengeance. Seule une telle expérience peut donner à la confiance une chance de renaître.

J'appelle mes frères arabes à prendre pleinement conscience d'un phénomène nouveau et essentiel : la capacité de dialogue de nos interlocuteurs est totalement paralysée, depuis notamment deux ans, par une grande vague de terreur historique qui remonte du plus profond de la mémoire juive. Le peuple qui aujourd'hui semble le plus fort est paradoxalement, de par son expérience séculaire, de plus en plus convaincu qu'il a à craindre pour son existence même. Et cette conviction, quoi que nous en pensions, est une réalité incontournable.

La non-responsabilité des Arabes dans l'événement de la Shoah est certes une évidence pour tous. Nous le savons : l'idée même d'un tel génocide est étrangère au monde arabe et musulman, dont les traditions d'hospitalité et de générosité ont beaucoup contribué à l'émergence de l'humanisme contemporain. Mais nous le savons aussi : la Shoah interpelle et concerne tous les peuples de la planète, y compris ceux qui n'y ont été mêlés d'aucune façon. Tout humain ne peut que se sentir bouleversé en profondeur par ce crime majeur contre l'ensemble de l'humanité, contre l'idée même d'humanité.

J'appelle mes frères arabes à se joindre à moi pour accomplir ensemble un geste fort, gratuit et résolument audacieux. Sur le lieu qui incarne l'atrocité du génocide, à Auschwitz-Birkenau, nous ferons acte de fraternité envers les millions de victimes, nous proclamerons notre solidarité avec leurs fils et leurs filles juifs, nous témoignerons de notre empathie pour cette souffrance indescriptible. Cet acte de mémoire signifiera notre refus radical d'une telle inhumanité, il témoignera de notre capacité à comprendre la blessure de l'autre.

J'appelle mes frères juifs à se joindre à cette marche, qui sera précédée d'une démarche de rencontres et de dialogue. Je les invite à partager avec leurs frères arabes leur expérience personnelle et leur connaissance de la Shoah. Il est grand temps de commencer ensemble ce travail de partage de la mémoire, sans lequel aucun partage de l'avenir, aucune compréhension mutuelle ne pourront voir le jour.

J'appelle mes frères juifs à comprendre que, pour l'immense majorité du monde arabe et musulman, le conflit qui nous déchire n'est absolument pas d'ordre religieux, ni encore moins racial. Les Arabes ne sont pas les continuateurs de ceux qui voulurent jadis faire disparaître les Juifs en tant que Juifs. Héritiers comme eux de la foi d'Abraham, ils sont comme eux porteurs de valeurs lumineuses.

J'appelle mes frères juifs et mes frères arabes à tout faire, avant, pendant et après cette démarche commune, pour lui donner son sens plein, celui d'un premier pas en vue de construire une confiance mutuelle, pour que naisse un dialogue authentique dégagé de toutes les suspicions accumulées au cours des dernières générations. Aucun d'entre nous n'ajoutera à ce geste symbolique des commentaires tendancieux qui en altéreraient le sens ou la portée. Ce détour par les abîmes les plus sombres de la mémoire de l'humanité ne peut relativiser en aucune façon les souffrances d'autres populations, en d'autres lieux et en d'autres temps. Il ne peut au contraire que nous renvoyer chacun à nos responsabilités du présent, et à notre vocation d'êtres humains en marche vers un « vivre ensemble ».

J'appelle tous les hommes et les femmes de bonne volonté, qu'ils soient juifs, chrétiens ou musulmans, qu'ils appartiennent à d'autres religions ou à aucune – puisqu'il ne s'agit pas là d'un rassemblement interreligieux, mais d'une démarche de personnes humaines en tant que telles –, à supporter de toutes leurs forces ce projet. Qu'il puisse contribuer à nous guérir de tant de traumatismes, qu'il puisse nous ouvrir une brèche vers un autre avenir et préparer l'aurore de la paix.

VI

Le parcours du combattant de la paix

Agis avec sincérité : quand tu crois qu'elle peut te nuire, elle te sert.

Proverbe arabe

Pour beaucoup, en ce 18 décembre 2002, lorsque Émile Shoufani, entouré de Victor Malka et de Rachid Benzine, présente son appel devant un parterre de journalistes dans un restaurant parisien, l'affaire est entendue : avec son regard clair, sa voix chaude et sa langue qui n'est pas de bois, ce curé-là a certes du charisme, sa sincérité n'est pas en cause, et il paraît même avoir une bonne connaissance du terrain proche-oriental. Mais son projet est tout simplement impensable. Voire ambigu... On sait bien que l'homme de Nazareth a plus d'un tour dans sa besace évangélique, mais pour l'heure, on en est plutôt à tenir la chronique d'une guerre annoncée : dans quelques semaines, les bombes commenceront à tomber sur Bagdad, et avec elles s'écrouleront les rares initiatives de dialogue qui peuvent encore exister au Proche-Orient. Si l'on se montre admiratif devant la beauté du geste, on doute qu'il puisse se concrétiser en Israël dans un contexte qui ne saurait évoluer positivement... et s'il avorte là-bas, il n'aura aucune chance d'aboutir ici.

103

En Israël, Émile attendra la fin de la campagne électorale, avec laquelle il ne voulait provoquer aucune interférence, pour lancer le même appel. Début février, à Tel-Aviv, il se présente entouré d'une quinzaine de personnalités juives et arabes : tous ses amis connus de la presse sont là, Ruth Bar Shalev, Salem Joubran, Nazir Mjally... L'appel des Arabes israéliens est signé par des centaines de personnes, et, ô surprise, sur la photo de groupe publiée dans *Haaretz* apparaît même le chef spirituel d'une des deux branches du mouvement islamiste (oui, il existe des partis islamistes en Israël, qui y ont droit de cité et sont même représentés à la Knesset !). La présence du cheikh Abdallah Nimer Darwich, qui a passé douze ans en prison et est maintenant le leader des islamistes « modérés » basés dans le sud du pays, étonne les journalistes et fait grand bruit. Elle prouve qu'Émile, avec l'aide notamment de Salem et de Nazir, a touché la communauté arabe israélienne dans toutes ses composantes. Depuis le temps où il officiait dans les villages de Galilée, il a toujours entretenu un dialogue – difficile, peut-être, mais respectueux – avec les islamistes, en respectant la règle qu'il s'était fixée lui-même, selon laquelle « il faut aller chercher les gens là où ils sont ». Finalement, le cheikh Darwich se retirera du projet quelques mois plus tard, juste avant le voyage, mais le fait qu'il ait pu en soutenir la légitimité révèle l'ampleur du travail réalisé.

Travail d'explication qui incombera particulièrement à Nazir Mjally, le militant communiste devenu mandataire en titre du curé. Toutes ses missions et tous les déplacements d'Émile ne sont pas couronnés de succès : le cheikh Rahed Salah, par exemple, leader des islamistes radicaux du Nord, les a reçus avec une grande amabilité autour d'un thé, les a longuement écoutés, leur a demandé la permission de se retirer quelques minutes pour se concerter avec ses collègues ; puis il est revenu, leur a donné sa bénédiction et leur a promis que son mouvement ne les attaquerait pas... mais il s'est déclaré dans l'impossibilité de les soutenir, car, décidément, il ne croyait pas que la Shoah ait eu lieu ! Preuve, s'il en était besoin, que le négationnisme s'est bien enraciné dans certains courants de la population arabe.

C'est surtout en dehors du pays qu'il fallait expliquer aux autres Arabes le sens de la démarche – non pas pour obtenir leur accord ou quêter une quelconque autorisation, mais pour faire saisir au moins la légitimité du geste et la spécificité du rôle des Arabes israéliens. Émile est un Palestinien, il n'entend pas se dissocier de son peuple et veut tout faire pour être compris. D'où, surtout, des contacts suivis avec Mahmoud Abbas, dit Abou Mazen, alors numéro deux de l'Autorité palestinienne, et responsable depuis vingt ans des relations entre l'OLP et les Arabes israéliens. « La première fois que je suis allé lui expliquer le projet au début de l'automne 2002, raconte Nazir, il m'a stoppé net au bout de quelques phrases. "Arrête ! me dit-il, répète-moi exactement ce que tu viens de me dire." Je lui répète, alors il se lève d'un bond de son bureau, il vient vers moi et m'embrasse sur le front : "Voilà ce qu'il fallait faire depuis longtemps", m'a-t-il déclaré textuellement. » Nazir reviendra le voir à Ramallah une dizaine de fois, dont deux en compagnie d'Émile. L'appui du futur Premier ministre palestinien est sans réserve, il est même enthousiaste et concret : il fait savoir à qui de droit dans le monde arabe que les frères arabes qui vivent en Israël ont une mission de médiateurs envers les Juifs, et qu'on doit les laisser prendre des initiatives originales pour préparer l'avenir.

Avec le président de l'Autorité, Nazir aura une relation plus conventionnelle. « J'étais sur ce chemin bien avant toi ! » lui dit malicieusement Arafat. Et de lui rappeler sa tentative pour visiter le musée de l'Holocauste de Washington, qui avait fait scandale quelques années auparavant. Il y a longtemps, lui raconte-t-il, au cours de sa rencontre secrète avec Nahum Goldman, le président du Congrès juif mondial, au tout début des années soixante-dix, il avait fait part à son interlocuteur de sa volonté d'« apprendre la Shoah ». Peu importe ces anecdotes et l'intention qui les sous-tend, l'essentiel est qu'il ne formule aucune objection au projet, et laisse faire Abou Mazen...

Nazir s'est rendu aussi à deux reprises en Égypte à la fin de l'année 2002, d'abord seul en éclaireur, ensuite avec Émile. Au cours de son premier séjour en octobre, il a rencontré notamment une trentaine d'écrivains et d'universitaires. Tous ont approuvé, admiratifs devant cette première grande initiative de leurs frères palestiniens d'Israël. Tous, sauf un, Mahmoud Amir El-Alem, un radical qui avait été obligé de s'exiler sous Sadate. Mais même cet ennemi juré d'Israël, sceptique par rapport à leur projet, lui promet qu'il sera le premier à les défendre s'il le faut – « parce que ce que vous faites est partie intégrante de la culture arabe ». Puis, en décembre, Émile et Nazir sont retournés ensemble au Caire, où ils ont rencontré, entre autres, un groupe de journalistes du quotidien *Al-Ahram*, Saïd Kamal, adjoint du secrétaire général de la Ligue arabe, et le secrétaire général lui-même, Amer Moussa, ainsi que Hossama El-Baz, principal conseiller du président Moubarak. Le but de toutes ces rencontres – et d'autres, comme celle du poète Mahmoud Darwich en Jordanie – n'est pas d'obtenir des déclarations tonitruantes, ce qui n'est pas nécessaire a priori, et pourrait même se révéler contre-productif du côté juif. Il est surtout de convaincre du bien-fondé de la démarche et d'engranger des soutiens officieux pour que ces personnalités apportent leur caution en cas d'attaques dans la presse arabe. Les deux pèlerins de la paix obtiennent l'assurance de cet appui, assortie d'une adhésion plus ou moins enthousiaste : pour les uns, comme Amer Moussa, il est simplement question de « soutenir de façon générale toute démarche propre des Palestiniens d'Israël, donc également celle-ci » ; pour d'autres, comme Saïd Kamal ou Hossama El-Baz, l'accord de fond est plus manifeste. Ce dernier publie d'ailleurs dans *Al-Ahram*, début 2003, une série de trois longs articles qui sont, sans s'y référer, en lien avec le projet d'Émile : le premier reprend les démonstrations des historiens qui prouvent que les *Protocoles des Sages de Sion* sont un faux (problème d'actualité en Égypte dont il sera question plus loin), le second démonte les thèses négationnistes, le troisième retrace l'histoire de la coexistence séculaire entre Arabes et Juifs en terre d'islam. Juste avant le lancement officiel du projet début février à Tel-Aviv, la déclaration des Arabes israéliens sera envoyée, via l'ambassadeur d'Égypte en Israël, à Hossama El-Baz qui se tient prêt à agir en cas de besoin.

Finalement, les critiques publiques s'avèrent trop rares pour donner lieu à de telles interventions, d'autant qu'elles ne viennent que de sources arabes en Israël même, non des pays environnants.

Il s'agit notamment du parti Balad et du Parti communiste. Le leader du premier, Azmi Bshara, est une vieille connaissance d'Émile, lequel l'avait même présenté aux journalistes français lors d'un voyage de presse à Nazareth, il y a quelques années. Bshara ne peut donc attaquer le prêtre de front, il se dit simplement « un peu sceptique » et déclare au *Jerusalem Post* que ce projet lui inspire des « sentiments partagés » : « Plusieurs personnes qui s'y sont engagées font partie de mes amis, explique-t-il [lui aussi, comme Nazir et Salem, est un ancien du Parti communiste]. S'il s'agit d'exprimer le désir authentique et honnête d'en savoir plus sur l'histoire de la majorité de la population du pays où nous vivons, alors c'est une bonne chose. De tels efforts sont bienvenus... » Mais ces précautions rhétoriques enrobent une critique sur la possible et même probable récupération de l'opération par les Juifs. En fait, il n'y croit pas : « Je soupçonne là la tentation d'être "okay"... Le problème est que,

107

jusqu'à présent, quand d'autres nations ont montré de l'intérêt pour l'Holocauste, Israël en a toujours profité pour détourner cette solidarité de manière à justifier ses propres actions. Il existe deux fautes majeures face à l'Holocauste : celle qui consiste à le nier et celle qui consiste à l'instrumentaliser. Les deux contiennent une part de déni... »

Bshara, qui a jadis visité les camps d'Allemagne avec le Parti communiste, n'est pas dans une logique négationniste, au contraire, il argue du respect de la mémoire pour dénoncer sa récupération. Mais son scepticisme affiché reflète une déception personnelle : « Je ne dis pas que [le projet] est mauvais, explique-t-il, je dis simplement que je ne suis pas sûr que ce soit là la bonne voie. Cela pourrait occulter le fait que le facteur principal de la détérioration des relations judéo-arabes, c'est l'occupation, et non pas un manque de connaissance de l'histoire juive. Mon expérience est que, chaque fois que je me suis montré réceptif, j'ai fini par me retrouver soumis à des attaques encore plus virulentes, parce que alors ils ne pouvaient plus me mettre dans une case bien précise comme ils l'auraient voulu. Je me rappelle une fois où je participais à un débat télévisé sur la deuxième chaîne. L'un des intervenants a comparé le massacre de Yamit à un mini-Holocauste, j'en ai été offusqué non pas en tant qu'Arabe, mais en tant qu'être humain. Et lorsque je lui ai demandé quel effet, selon lui, de telles comparaisons pouvaient avoir sur la mémoire de l'Holocauste, et comment il pouvait se montrer aussi indécent, tout le monde m'est tombé dessus ! "Qui es-tu pour défendre les victimes de l'Holocauste ?" me demandaient-ils, en ajoutant des accusations collectives sur "vous, les Arabes", et ce que nous avions fait ou pas fait pendant la guerre... »

Azmi Bshara est un politique, il ne peut se permettre de se montrer trop violent dans ses propos. Mais il laisse ce soin à d'autres, notamment dans l'hebdomadaire de son parti, *Fasl El-Maqal*, où paraissent plusieurs articles assassins contre l'idée de ce voyage. Notamment celui de Tamin Mansour, professeur de lycée à Tira et enseignant à l'université de Beit Berl qui déclare que ce voyage « sera profitable à la machine publicitaire israélienne. D'autant que les Juifs ont déjà bien exploité l'histoire de la Shoah, et ont commis beaucoup de massacres en son nom. Ils ont édifié un État en Palestine sur le dos des Palestiniens, grâce à l'Holocauste. Je ne vois donc pas, conclut-il, pourquoi nous devons leur accorder cette faveur ». Ses propos sont repris à Londres par *Al-Hayat*, quotidien en langue arabe, qui donne la parole à des adversaires du projet déclarant que « l'Holocauste est une vache sacrée dans le discours politique israélien » – à ma connaissance, ce sera la seule voix arabe d'opposition publique à l'extérieur d'Israël.

Émile ne s'émeut pas outre mesure de telles attaques, il est même surpris qu'elles ne soient pas plus nombreuses et plus virulentes. Venant du Balad ou du Parti communiste, il les interprète comme l'expression d'une inquiétude non dite, et beaucoup plus réelle que celles que ses contradicteurs veulent bien avouer : le mouvement qui s'est créé autour du texte de l'appel des Arabes israéliens pour le voyage a pris une telle ampleur qu'il peut effectivement alarmer les leaders politiques. Et si le curé de Nazareth voulait transformer ce mouvement en parti ? Il a acquis une telle notoriété qu'il nourrit peut-être des ambitions personnelles, par exemple vis-à-vis de la mairie de Nazareth ? D'ailleurs, parmi ses soutiens arabes, n'y a-t-il pas une bonne vingtaine d'anciens membres du PC, et au moins deux de ses anciens dirigeants ? N'auraient-ils pas l'intention cachée de préparer une refondation du Parti, aidés par les « sionistes », puisque le parti actuel, qui n'est plus que l'ombre de ce qu'il fut jadis, devient de plus en plus nationaliste arabe, et que ceux qui l'ont quitté durant les deux dernières décennies avaient, eux, une longue pratique du dialogue avec les Juifs ? Suppositions qui font bien rire Émile et qui dénotent à ses yeux une absence totale de compréhension de la situation. « Je ne leur en veux pas, dit-il, ils continuent à raisonner comme politiques, selon les normes de la vie politique dans notre région. L'un d'eux me l'a dit clairement un jour : "Nous, nous sommes engagés dans un parti, et la règle d'or de la vie politique, c'est qu'on ne fait rien gratuitement. Si nous posons un geste généreux, on doit obtenir un résultat en retour, dans de justes proportions. Et toi, tu viens casser cette règle du jeu, tu nous mets en porte à faux en faisant le premier pas et en ne leur demandant rien en retour." »

Les rumeurs qui le blessent, par contre, sont celles qui véhiculent des attaques ad hominem et lui prêtent des intentions plus noires. Sur le plan politique, personne ne peut vraiment l'atteindre, tous ceux qui le connaissent savent bien sa réputation de patriote, son refus de toute compromission avec le jeu des partis, sa sévérité à l'égard du gouvernement en place. Et si par défi quelqu'un s'aventure à une phrase malheureuse sur le « sang des martyrs » qu'il serait censé trahir, Émile n'a presque pas besoin de répondre : même les sceptiques se réveillent soudain pour défendre son honneur, car tous connaissent son histoire familiale et son passé personnel. Mais nous sommes en Orient, les choses ne sont jamais simples, toujours mêlées à des affaires de clans ou de vieilles rancunes... Alors les jaloux – car il s'agit la plupart du temps de ressentiment personnel, de parents d'élèves éconduits, d'anciens fournisseurs de l'école qui n'ont pas accepté telle ou telle décision, etc. – emploient d'autres moyens. On s'en prend à son caractère, Abouna serait autoritaire, ne supporterait aucune contestation – déformation malveillante d'une réalité positive : la fermeté inébranlable avec laquelle il lui a fallu résister aux pressions, pour défendre les principes du projet tels que définis dès le début. Ou bien on raconte – car il s'agit toujours d'un « on » ne révélant jamais ses sources – qu'il complote et place ses pions pour obtenir le titre d'évêque de Nazareth, lequel va justement être bientôt libéré. Des lettres anonymes sont même envoyées à des professeurs de son école (« Ne vous laissez pas manipuler ! ») et à des personnalités chrétiennes de la région.

Émile a beau vouloir ignorer ces allégations (*Koulchi moumtaz !*, « Tout va très bien ! »), il faut avoir le cœur bien accroché pour supporter de telles bassesses, surtout lorsqu'elles proviennent de membres de sa communauté chrétienne. Pour comprendre à quel point elles le blessent, il faut savoir qu'en 1998 le curé de Nazareth avait été « élu » au poste d'évêque de Nazareth. Mais cette cooptation par l'ensemble des évêques melkites, bien qu'obtenue à une très large majorité, devait être confirmée par Rome pour prendre effet. L'accord n'est jamais arrivé, officiellement pour des raisons de procédure, en réalité parce que Émile n'avait pas que des amis au Vatican : beaucoup admiraient son action depuis longtemps, mais d'autres, ennemis acharnés d'Israël, intriguaient en coulisse en le dénonçant comme « prosioniste ». Ces temps sont révolus et les médisances se sont quasiment tues, mais il sait bien que son initiative actuelle, menée en électron libre, risque fort de lui coûter cet évêché dont le poste sera bientôt à nouveau vacant. Qu'importe ! Déjà, à l'époque, il n'avait fait aucune campagne pour être élu, et avait lui-même fait retomber la pression lorsque certains, dans l'Église melkite, voulaient monter au créneau contre l'oukase de Rome. Ce n'est pas maintenant qu'il va écouter ceux qui lui conseillent de ne pas trop faire de vagues avec son initiative, afin de préserver ses chances pour un avenir proche... Mais qu'on aille insinuer qu'il a lancé cette mobilisation pour au contraire se mettre en avant, en la prenant comme marchepied pour des ambitions ecclésiales, c'est vraiment trop fort !

Dans la presse juive d'Israël, l'annonce publique de ce voyage a aussi provoqué un débat de grande ampleur. Pendant les quinze jours qui suivent, en février 2003, Émile ne cesse de donner des interviews aux journalistes de la presse écrite et audiovisuelle, et les sollicitations sont tellement nombreuses qu'il lui faut faire appel à tous les membres du bureau de l'association pour y répondre. Ce sont des pages entières qui paraîtront, dans les semaines et les mois suivants, dans *Haaretz*, *Maariv*, le *Jerusalem Post*, le *Jerusalem Report*, *Yedioth Aharonot*, et des heures de débats sur les radios et télévisions du pays. La discussion est parfois vive, car le thème de la Shoah et des Arabes provoque toujours des réactions passionnelles. Dans *Haaretz*, le député ultra-orthodoxe Shmuel Halpert déclare que ce projet est « une profanation de la mémoire des victimes ». Dans le *Jerusalem Report*, le psychologue Yoav Peck lui répond. En 1991, écrit-il, il avait conduit en Autriche, invité par le ministère autrichien de l'Éducation, un groupe d'une trentaine de jeunes Israéliens et Palestiniens, les uns venus du mouvement La Paix maintenant, les autres élèves d'une école anglophone de Ramallah fondée par les quakers. Au moment de décider s'ils iraient ou non visiter le camp de Mauthausen, les tensions avaient été très fortes – dans les Territoires occupés, la première Intifada faisait rage. Mais finalement l'expérience de cette visite avait été fondatrice, et plusieurs jeunes restent à ce jour toujours en contact. « Sommes-nous prêts à nous mettre à l'école de notre jeunesse ? demande Peck. Allons-nous continuer à utiliser notre souffrance pour nous distancier des autres et nous justifier nous-mêmes, ou bien sommes-nous capables de *générosité* dans la mémoire de l'Holocauste, au moment où un nouveau groupe de Palestiniens courageux est prêt à écouter le récit de notre histoire ? S'ils peuvent nous entendre, peut-être pouvons-nous les entendre. Peut-être allons-nous renforcer, en exprimant l'humanité qui nous est commune, notre volonté d'en finir avec cette prison qui nous est commune. »

Dans le *Jerusalem Post*, le professeur Walter Reich, ancien directeur du musée de l'Holocauste de Washington, prend aussi position : « S'ils [les Arabes israéliens] prennent la mauvaise voie, ils vont exploiter les morts de la Shoah. Mais s'ils prennent la bonne voie, ils vont faire un pas révolutionnaire vers la réconciliation entre Israéliens et Palestiniens, et donner une leçon salutaire à une région traumatisée par la guerre et par l'anticipation de la guerre. » Pour lui, le projet de visite du musée de l'Holocauste de Washington par Arafat avait été le type même de *photo-op*, d'opération médiatique uniquement motivée par la volonté de redorer son image. Sans remettre en cause la sincérité du curé de Nazareth, il craint que son initiative ne soit détournée vers cette voie de la *photo-op*, et surtout que les Palestiniens n'en profitent pour faire le parallèle entre Nakba et Shoah. Or, écrit-il, les risques d'un voyage à Auschwitz sont plus grands que ceux d'une visite dans un musée, car « si l'exploitation d'un symbole est condamnable, celle du lieu réel l'est encore plus ». Mais Reich, qui enseigne dans le cadre du mémorial Yitzhak Rabin, termine sur une note positive : « Si, une fois à Auschwitz, [tout cela] est dit clairement par Shoufani et par une large majorité de sa délégation, alors l'humanité des Arabes aura rejoint celle des Juifs, et même les Israéliens les plus traumatisés par les attentats-suicides de ces trente derniers mois auront tout lieu de croire qu'au moins quelques Arabes, et peut-être plus que quelques-uns, peuvent recevoir les Juifs dans une fraternité de souffrance. Cela n'apportera pas la paix. Mais cela apportera une compréhension et pourra ouvrir le cœur des Israéliens, fermé aujourd'hui par les ravages de la terreur. » Maints articles exprimeront ce mélange d'espérance et de crainte, d'enthousiasme et de réserve... et surtout de surprise.

Surprise aussi dans les milieux juifs de France, où l'on a peine à croire qu'en pleine crise de débordements antisémites on pourrait assister à un tel miracle du côté musulman. Certains font le pari immédiatement, ils ont rencontré Émile et ont tout de suite compris qu'ils pouvaient lui faire entière confiance, qu'il était de leur devoir de miser sur sa capacité à bouleverser la donne : Théo Klein, l'ancien président du CRIF, Jean Halpérin, le président du Colloque des intellectuels juifs de langue française, feront tout pour l'aider ; George Steiner, qui a été très impressionné par sa rencontre avec lui dans une émission de Bernard Pivot, envoie son soutien de Londres par retour de courrier ; Simone Veil l'assure de l'appui financier de la Fondation pour la mémoire de la Shoah qu'elle préside...

Certes, les médisances vont bon train ici aussi, des rumeurs courent sur le compte d'Émile, alimentées par telle ou telle phrase de son livre d'entretiens *Comme un veilleur attend la paix*, où il a effectivement la dent dure contre Sharon et la politique d'occupation israélienne. On apprend même qu'il aurait l'intention, après Auschwitz, d'emmener le même groupe à Jénine, ce qui est exactement le contraire du principe de gratuité qui lui vaut tant de combats... Et de bonnes âmes prêtent foi à ces ragots, persuadées qu'un Palestinien ne peut toucher à la mémoire de la Shoah qu'en la dénaturant.

Ce délire interprétatif ne sera publiquement mis en mots qu'une seule fois, par Shmuel Trigano, dans un article qui ne paraîtra dans *L'Observatoire du monde juif* qu'au mois de juin (après que le succès et le déroulement du voyage auront démontré la vanité de ses arguments). L'auteur y accuse le curé de Nazareth de vouloir « engranger un avantage symbolique important pour la cause palestinienne ». Il se gausse de cette compassion à ses yeux hypocrite, en faisant étrangement le lien avec une « théologie de la libération de la Palestine » qui n'a jamais fait partie du vocabulaire d'Émile Shoufani : « Cette compassion fraternelle, écrit-il, si nouvelle dans le discours palestinien, porte en fait un jugement d'Israël, plus connu, lui, foncièrement négatif quoique "compréhensif", comme si l'expression d'une compassion sans limites neutralisait sa virulence. » Bref, l'entreprise est « ambivalente » et cache une « stratégie paradoxale » qui vise à « accabler Israël de façon très sournoise »...

Mais une telle attitude déloyale est finalement très minoritaire, et de nouveaux noms juifs viennent s'ajouter chaque jour à la liste des personnalités qui soutiennent l'Appel d'Émile : rabbins comme Jacquot Grünewald, Rivon Krygier, Michel Serfaty, spécialistes du dialogue interreligieux comme Émile Moatti ou André Chouraqui, intellectuels comme Henri Atlan, Jean Blot, Catherine Chalier, Jean Daniel, Mireille Hadas-Lebel, Albert Memmi, Michel Tubiana... Ils viennent des milieux consistorial, libéral ou massorti, ils sont de droite ou de gauche, religieux ou non religieux, ashkénazes ou séfarades. Les instances dirigeantes du CRIF elles-mêmes se montrent favorables... Que demander de plus ?

Mais voilà, Émile ne se satisfait pas de ce succès d'estime qui concerne avant tout sa propre personne. Il veut non seulement qu'un nombre suffisant de Juifs de France fassent partie du voyage, mais aussi qu'ils y aillent en confiance. Autrement dit, qu'ils *apprennent* à faire confiance, ce qui représente pour eux, surtout en ces temps de polémique, une véritable révolution culturelle.

Pour l'heure, la plupart n'en sont pas là, surtout parmi les jeunes. Aussi reviennent-ils sans cesse à la charge, dans nos discussions, sur les dangers objectifs du projet. « Qui participera au voyage, chez les musulmans ? Quelles garanties avons-nous de l'honnêteté intellectuelle de telle personne, sur laquelle Untel a des présomptions négatives ? Si elle appartient à telle organisation, dont on connaît par ailleurs les limites, voire les ambiguïtés par rapport à la laïcité républicaine, sa présence ne va-t-elle pas contribuer à légitimer l'ensemble d'un discours douteux ? Avez-vous lu cet article récent dans la presse, qui jette le doute sur les activités de telle association ? Qu'en dites-vous, avez-vous vérifié ces accusations, ne faut-il pas rejeter l'inscription de ses membres ? Dans ces conditions, peut-être allons-nous nous retirer du projet... » Le ton est dur, le discours répétitif, il y a dans ces incessantes remises en cause quelque chose de désespérant. De désespéré aussi. Mais le regard de l'étudiante juive qui parle ainsi, Béatrice Prasquier, responsable de la commission Mémoire au sein de l'UEJF, ce beau regard plein d'inquiétude contredit ses paroles : elle ne peut pas croire que *cela* réussisse, mais au fond elle en meurt d'envie. Elle nous bombarde d'objections, elle est toujours à la limite d'abandonner, elle n'a même pas l'air d'avoir été convaincue après la conversation... et je sais pourtant qu'à chaque fois, de retour dans son association, Béatrice se fait militante enthousiaste du projet auprès de ses amis.

Dix fois, cent fois, Émile répond à ces réquisitoires en règle. Calmement, patiemment, sans s'offusquer de ces objections qui sont pour lui tout à fait légitimes. Elles sont d'ailleurs corroborées par certains musulmans « républicains » qui ne veulent pas être mêlés à des « intégristes », et elles impliquent la plus grande prudence. Il le sait bien : le moindre dérapage, dans cette atmosphère de tension internationale et intercommunautaire, constituerait une pure catastrophe. Pour lui, bien sûr, qui en serait tenu pour premier responsable. Mais plus encore pour la paix, pour les deux peuples en cause, pour tous ceux chez qui il avait provoqué un réveil d'espérance. Parfois, après l'une de ces séances d'explication, je comprends, l'espace d'une seconde, qu'un cauchemar fulgurant traverse son esprit : et si la haine, tout à coup, malgré toutes les précautions qu'il aurait prises, faisait une irruption intempestive pendant que nous serions là-bas, en ce lieu-là, Auschwitz ? Si deux ou trois personnes, parmi les trois cents participants alors prévus, se laissaient aller pour une raison quelconque à la provocation ? Le scandale serait assurément énorme, toutes les victoires successives qu'il aurait remportées au cours de la préparation du voyage seraient irrémédiablement oubliées, balayées. Alors, oui, il aurait fait plus de mal que de bien. Il a conscience d'avoir tenté le diable, un peu comme s'il l'avait provoqué en duel, poussé par l'immensité du désespoir ambiant. Mais son défi, en fin de compte, ne procède-t-il pas d'un orgueil démesuré ? Pour qui se prend-il, s'il n'a pas les moyens objectifs de son ambition ? Se croit-il capable de changer le monde tout seul, lui qui n'est après tout qu'un simple curé arabe, un peu connu sans doute, mais ne disposant d'aucun réseau, d'aucun parti, d'aucune organisation capable de le relayer sérieusement ?

Une seule réponse à cette écrasante solitude : transmettre son grain de folie.

Faire comprendre aux Juifs que cette espérance en un « peut-être », dont parlait Victor Malka, fait partie intégrante de leur tradition.

Les mettre devant un pari pascalien : « Arrêtez de tergiverser, de soupçonner, vous n'aurez jamais de garanties absolues ! Misez sur le changement possible des individus, sur l'espoir qu'une fois réunis en confiance nous serons plus hauts que ce que nous sommes chacun dans la séparation. Puisque vous avouez vous-mêmes que la situation actuelle est lamentable, vous n'avez rien à perdre, et peut-être tout à gagner ! »

Élever le débat, contourner les obstacles par le haut, en provoquant un retournement des attitudes.

Non pas seulement convaincre les esprits, mais convertir les consciences.

Sa présence et son regard ont alors autant d'importance que ses paroles. Il se donne sans compter, individuellement, avec un ton et une intensité qui font comprendre à chaque personne que son engagement actif est indispensable. Que lui aussi, Émile Shoufani, a des exigences, car il a absolument besoin d'elle, ici et maintenant. Que tout, d'une certaine manière, est entre ses mains à elle. Qu'elle ne peut se contenter de multiplier les interpellations en gardant une position extérieure. Qu'il ne tient qu'à elle de faire basculer l'affaire du côté positif, de transformer l'utopie en réalité. Car les risques politiques de l'entreprise ne pourront être dépassés que par un prodigieux investissement personnel de chacun, qui n'aura rien à voir avec celui que demande habituellement une réunion intercommunautaire ou interreligieuse. Un investissement tel qu'il induira un saut qualitatif. C'est la seule chance de réussir : sinon, sur le papier, la chose est impossible.

Seul un homme se disant et se vivant comme n'étant « ni *pour* (les uns), ni *contre* (les autres), mais toujours *avec* (chacun) » était capable de tenir la gageure. D'autant que la gageure est double ! Il faut, dans le même temps que l'on tente de répondre à ces objections, expliquer aux musulmans de France, avec l'aide de Rachid, qu'il leur appartient de répondre à la peur qui s'est emparée du monde juif. « Peur, les Juifs ? ! Mais de quoi auraient-ils peur, ce sont eux qui écrasent nos frères avec l'une des armées les plus puissantes du monde ! » s'entend rétorquer Émile. Il faut aussi leur expliquer que le « pas de côté » proposé par rapport aux questions politiques n'est pas un abandon de toute revendication pour la justice en France ou au Proche-Orient : ce détour lui-même est un acte politique. « Si nous sommes incapables de nous entendre autour d'une table de négociations, répète-t-il, il est urgent de changer de table, asseyons-nous ailleurs pour parler de nous-mêmes, de ce qui nous fonde dans nos peurs et dans nos espérances. Nous ne pourrons revenir utilement à la première table que lorsque les conditions d'un vrai dialogue seront rétablies. »

Il faut surtout, encore et encore, revenir sur cette éternelle question de la gratuité du geste, si difficile à accepter. Elle n'a pourtant posé aucun problème à Leïla Chahid, déléguée en France de l'Autorité palestinienne, lorsque nous l'avons rencontrée à Paris. C'est même elle qui a réagi lorsqu'une amie musulmane a soulevé l'objection : « Mais vous n'y pensez pas ! a-t-elle lancé. Demander une contrepartie, ce serait rabaisser l'action du père Shoufani à un marchandage indigne ! Non, négocier, c'est notre affaire, à nous les politiques. Lui a lancé un geste noble, à la hauteur de ce que doit être l'âme arabe. Et si les responsables musulmans de France ont du mal à s'engager gratuitement parce qu'ils sont soumis à la pression de leurs jeunes, eh bien qu'ils fassent leur travail de pédagogues, ils sont là pour ça ! » Réaction réconfortante pour Émile, qui en a bien besoin. Certes, de nouveaux soutiens parviennent chaque semaine du côté musulman – le directeur de l'Institut de théologie de la Mosquée de Paris, Djelloul Seddiki, le présentateur de l'émission télévisée sur l'islam, Ghaleb Bencheikh, les écrivains Tahar Ben Jelloun, Malek Chebel, Abdellatif Laâbi, Salah Stétié, la revue *La Medina*, le soufi marocain Faouzi Skali, l'historien tunisien Mohammed Talbi... Mais, dans nos réunions, c'est toujours cette question de la non-réciprocité qui demeure l'obstacle principal.

Les voix de deux intellectuels musulmans de haut vol, le poète Abdelwahab Meddeb et le professeur Mohammed Arkoun, vont emporter finalement l'adhésion de tous, au cours d'une séance décisive à Paris entre Émile et des responsables musulmans. Ce jour-là, Jean Lacouture a fait le déplacement avec son épouse. Il avait déjà signé sans hésitation la liste de soutien, comme d'autres personnalités chrétiennes ou agnostiques aussi connues que lui, de Jacques Duquesne à Jean-Claude Guillebaud en passant par Monique Hébrard, Albert Jacquart, Paul Ricœur ou Jean-Pierre Vernant. Mais il a voulu faire plus, en tant que compagnon du monde arabe depuis cinq décennies. L'enterrement d'un proche l'empêche d'assister au débat jusqu'à la fin, mais l'homme a le sens de l'Histoire, il pressent qu'il se prépare là un événement mémorable, peut-être un tournant, alors il est arrivé le premier pour prêter main-forte au curé de Nazareth. Il dit à tous la force de la démarche, il les encourage à franchir le pas. Son intervention a du poids, ils savent qu'il ne parle pas en moralisateur, mais en ami de toujours.

Certains, cependant, continuent à hésiter... C'est alors qu'Abdelwahab Meddeb prend la parole.

D'origine tunisienne, l'écrivain est plus familier du monde des revues, de la littérature et des recherches historiques sur les « cultures d'islam » (titre de l'émission qu'il anime sur France Culture) que de celui des tribunes publiques. Mais il a défrayé la chronique il y a quelques mois en publiant un essai, *La Maladie de l'islam*, dans lequel il analyse non seulement la dérive intégriste, mais aussi les faiblesses de la tradition musulmane qui la prédisposait, depuis l'origine, à succomber à cette « maladie ». À ses yeux, la xénophobie et l'antisémitisme sont des symptômes évidents de ce mal qui ronge l'islam d'aujourd'hui. Aller à Auschwitz avec des Juifs, c'est affirmer au monde qu'il ne faut pas confondre l'islam avec le visage que certains en montrent. Et y aller sans demander quoi que ce soit en retour, c'est affirmer les ressources d'humanisme vivantes et créatrices qui habitent encore le monde musulman. La générosité du geste n'en fera pas un signe de faiblesse, car la prodigalité n'est perçue comme une faille que par ceux que hante leur impuissance. Au contraire, dit-il, il s'agit de montrer que l'islam est capable d'un tel « acte souverain », d'une grandeur restée intacte malgré les avilissements voulus par les intégristes.

Le professeur Mohammed Arkoun surenchérit. Il sait qu'on attend son avis, car son prestige international fait de lui une caution incontournable. Il n'y va pas par quatre chemins : pour lui, explique-t-il avec fermeté, faire de ce voyage le résultat d'une négociation, liée directement ou indirectement au conflit israélo-palestinien, reviendrait à détruire la singularité de la question posée par le père Shoufani. « Cette question est celle de la Shoah comme échec d'une civilisation dite "de progrès", qui a cru pouvoir rendre compte de l'humain par la seule raison moderne, et a montré qu'elle portait en son sein le monstre de l'inhumanité... et de la pire irrationalité. Cette question est universelle, ladite civilisation étant devenue planétaire, après avoir soigneusement occulté l'abîme ouvert en elle par l'événement Shoah. » Il faut donc répondre d'une manière universelle à ce défi laissé en suspens depuis soixante ans : voilà le sens de la présence arabe, c'est-à-dire d'une population qui n'a rien à voir avec l'événement historique, mais qui s'avoue tout aussi remise en cause dans ses structures de pensée que les populations directement concernées comme victimes ou coupables. Vouloir rabaisser le débat à une problématique bilatérale judéo-arabe n'aurait aucun sens. « C'est donc clair, tonne le professeur, non seulement je ne demande pas de réciprocité, mais si on en évoque la possibilité, ou, ce qui revient au même, si on lie en quoi que ce soit notre voyage aux questions proche-orientales, je considère qu'on baisse la garde sur l'essentiel, et je me retire ! »

En entendant ces paroles, Émile le pressent : il a gagné ! Des jeunes sont là qui écoutent leurs aînés, certains ont beau être proches de l'UOIF réputée aux antipodes de la sensibilité républicaine de ces intellectuels, ils ne peuvent que vibrer à cette élévation du débat au niveau universel. Dès lors, malgré toutes leurs divergences internes, une sorte de consensus émergera parmi les futurs participants issus de l'islam de France. Consensus établi non sur la base d'une chimérique plate-forme commune, mais fondé sur un dépassement des appartenances, sur une ouverture en grand angle que Mohammed Arkoun synthétisera en trois verbes dans un texte rédigé pour le voyage : « D'abord *communier* : communier tous ensemble sur les lieux de ce qui est un crime contre l'humain, la négation de la condition humaine à travers l'extermination d'un peuple exceptionnel, en raison de cette exception même, par un autre peuple en plein XXe siècle. Ensuite *intérioriser* : intérioriser la souffrance des survivants pour aller très loin ensemble dans la quête concrète, active, critique et continue des conditions d'accès à une histoire indéfectiblement solidaire de tous les sujets humains et de tous les peuples. Car les peuples attendent d'être promus à égale dignité au titre de sujets collectifs, à l'instar du sujet individuel qui a vocation à déployer son existence comme personne, comme citoyen, comme acteur témoin engagé dans la quête de sens. Enfin *penser* : penser l'Holocauste ensemble pour intégrer toutes les victimes juives et, à travers elles, toutes les cohortes de "témoins" (*shuhadâ'* en arabe, c'est-à-dire témoins devant Dieu) qui nous adjurent de trouver de nouveaux chemins, d'instaurer des libertés plus responsables en vue de l'accomplissement du destin de l'homme. »

VII

La maladie antisémite

> *Que de saints bien-aimés dans les synagogues et les églises !*
> *Que d'ennemis haineux dans les rangs des mosquées !*

Ibn ʿArabî [1]

Après avoir dit l'adhésion pleine et entière d'intellectuels, de religieux, de jeunes musulmans à la démarche d'Émile Shoufani, je ne pourrais faire ici l'économie d'une question qui, pourtant, ne fut presque pas abordée dans la préparation de ce voyage, mais qui rôdait autour de lui comme un spectre inquiétant et détestable. Cette question, c'est celle de l'antisémitisme arabe et musulman, avec son corollaire logique, la réception en milieu arabe des thèses négationnistes. Elle mérite une parenthèse, d'autant plus indispensable qu'elle est l'objet, de part et d'autre, de graves confusions. Mais avant toute évocation de ce phénomène inquiétant, quelques précisions s'imposent quant au vocabulaire.

---

1. Cité par Abdelwahab Meddeb comme exemple lumineux d'un musulman qui a su prendre ses distances avec la solidarité communautaire envisagée comme pur réflexe (*La Maladie de l'islam*, Seuil, 2002, p. 222).

Éliminons tout de suite une ineptie devenue, malheureusement, une banalité de café du Commerce, mais que l'on peut entendre parfois dans des débats prétendument sérieux : « Les Arabes ne peuvent pas être antisémites puisqu'ils sont des sémites. »

Le mot « antisémite », depuis l'Allemand Wilhelm Marr à qui l'on attribue son invention à la fin du XIXe siècle, et jusqu'à aujourd'hui, a toujours signifié spécifiquement le racisme antijuif. Certes, les mots « sémite », « sémitique », etc. (dérivés du nom de Sem, l'un des fils de Noé selon la Bible) caractérisent un groupe de langues dont font partie l'arabe comme l'hébreu. Mais extrapoler cette catégorie purement linguistique au domaine ethnique, comme on l'a beaucoup fait depuis un siècle et demi, relève d'un tour de passe-passe à connotation racialiste, ou au moins d'un abus de langage, d'une transposition totalement invalide du point de vue scientifique. Les Arabes, pas plus que les Juifs, ne sont donc des Sémites. Ils parlent une langue sémitique, ce qui est tout autre chose. Et l'antisémitisme – mot introduit dans notre langue par Drumont, l'auteur délirant de *La France juive* – désigne depuis toujours une haine antijuive, seulement antijuive. Les Arabes qui veulent s'en dédouaner par principe ne savent pas que leur argument rhétorique s'appuie en fait sur les thèses raciales qui furent à la mode dans l'Europe d'il y a un siècle, et qui sont reconnues comme infondées depuis bien longtemps.

Deuxième contre-vérité à éliminer, pour cerner un tant soit peu le sens des mots : l'antisémitisme ne serait qu'un exemple particulier de la catégorie générale du racisme, il n'y aurait pas lieu de lui attribuer une nature spécifique, de lui accorder le bénéfice d'une singularité par rapport aux autres expressions du racisme.

C'est un raisonnement de ce genre, par exemple, qui a justifié en France le changement de nom du MRAP : le Mouvement contre le racisme, l'antisémitisme et pour la paix, fondé après la seconde guerre mondiale, devint en 1977 le Mouvement contre le racisme et pour l'amitié entre les peuples. La fusion progressive des deux notions – que l'on distinguait encore clairement il y a quelques décennies pour cause de proximité temporelle de la Shoah – est un processus aujourd'hui consommé en Europe. Et il devient de plus en plus difficile d'insister sur leur nécessaire différenciation : celui qui s'acharne à mettre ainsi en exergue le danger spécifique de l'antisémitisme (ce qui n'implique pas de minimiser celui des différentes formes de racisme !) est présumé suspect. Soupçonné de complaisance à l'égard de la politique d'Israël, voire de compromission avec le « lobby sioniste ». La volonté de noyer la réalité de l'antisémitisme dans l'eau indifférenciée du racisme procède, très souvent, d'une animosité contre le « particularisme juif » : la volonté « démocratique » de niveler toutes les souffrances s'insurge contre toute mise à part, et se teinte facilement de ressentiment contre un peuple qui serait censé avoir obtenu son statut de victime aux dépens des autres. C'est ainsi que l'on rencontre parfois, au cœur même des groupes antiracistes, des thèmes connus de l'antisémitisme : « Pour qui se prennent-ils, ils cherchent sans cesse à se distinguer, à s'isoler, à se placer au-dessus des autres... », et finalement : « Ils veulent capitaliser leur Shoah. » Situation paradoxale mais bien réelle, que des intellectuels juifs ou non juifs compliquent encore en instruisant contre les mouvements antiracistes en général un procès idéologique. S'il faut fermement dénoncer cette dérive sémantique de *certains* discours antiracistes, c'est, à mon sens, ajouter à la confusion ambiante que de transformer cette dénonciation en polémique rageuse et systématique.

Il est urgent, cependant, de rappeler inlassablement que racisme et antisémitisme ne s'équivalent pas, que même si leurs champs se recoupent en partie, leur logique est différente. Pour reprendre les termes de l'historien Georges Bensoussan, « le premier se nourrit de la xénophobie, du mépris et de la haine, et aboutit à la mise à l'écart, à la ségrégation et au meurtre. Le second est d'emblée nourri par une problématique démonologique (les Juifs sont agents du Mal sur la terre et les vecteurs d'un complot mondial) et exterminatrice. Dans sa version moderne et laïque, l'antisémitisme est toujours génocidaire, il exhorte, comme le dit Adorno, "à aller jusqu'au bout"... Le raciste rêve de dominer les sous-hommes, l'antisémite, lui, rêve d'un monde sans Juifs[1] ». « Aux yeux de l'antisémite, dit encore Bensoussan, le Juif, c'est l'altérité faite homme[2]. » La finalité normale de ce type de haine – finalité avouée ou inavouée – est moins de persécuter le Juif, de le parquer ou de l'expulser, que de l'éliminer radicalement. Car ce ne sont pas ses « défauts » présumés qui font problème, c'est son être même.

Le monde arabe et l'islam sont-ils pénétrés aujourd'hui d'une telle logique mortifère ? Et si oui, le sont-il depuis toujours, le sont-ils par nature ou par accident ? Ici encore, il convient d'être précis pour éviter les lieux communs consensuels (« L'islam a toujours respecté la Torah et les juifs, qui sont fils d'Abraham comme les musulmans ») ou, à l'inverse, polémiques (« L'islam est intrinsèquement porteur de mépris envers les juifs et le judaïsme »).

Pour ce qui est du Coran, on connaît l'accusation qu'il contient concernant la falsification par les Juifs de leurs propres écritures : ce qui est dit de Moïse et des autres prophètes bibliques dans le Coran étant par principe véridique, tout ce qui peut s'en éloigner dans la Torah professée par les juifs n'est pas la véritable Torah, mais une réécriture du texte originel opérée par les juifs eux-mêmes. Une récrimination parallèle est portée contre les chrétiens à propos du texte de

---

1. *Auschwitz en héritage ?*, Mille et une nuits, p. 60-62.
2. *Ibid.*, p. 85.

l'Évangile. Il n'y a là, ni plus ni moins, que le corollaire du postulat selon lequel la révélation coranique récapitule les révélations précédentes : l'islam n'est pas une nouvelle religion à proprement parler, mais le rappel de la religion telle que vécue par Abraham, et même de la foi naturelle représentée par les prophètes qui l'ont précédé, au nombre desquels Adam lui-même.

La position de l'islam vis-à-vis des deux confessions aînées se comprend dans la logique d'un conflit de légitimité sur le plan strictement religieux, et n'empêche pas le respect commandé par le Coran lui-même envers les gens du Livre. À cet égard, chrétiens et juifs sont dans une même situation aux yeux des musulmans, situation qui s'est manifestée par un même statut de *dhimmis* (protégés, tributaires) lorsqu'ils se sont trouvés à vivre en terre d'islam. On a pu qualifier cette « dhimmitude » de citoyenneté de seconde zone et rappeler les diverses contraintes, humiliations, voire exactions qu'elle a entraînées dans l'histoire. Il n'en demeure pas moins qu'elle constitue un véritable statut qui oblige la communauté dominante. On peut même dire que les Arabes, après avoir fondé en à peine un siècle un immense empire allant de l'Inde à l'Espagne, au sein duquel ils étaient maîtres du pouvoir économique et politique mais souvent très minoritaires sur le plan démographique, ont été amenés à inventer une sorte de « droit des gens » bien avant que Grotius n'en pose les bases en Europe.

La chose est donc claire, et reconnue par tous les historiens : d'une part la polémique religieuse musulmane n'a pas plus attaqué le judaïsme que le christianisme, d'autre part cette polémique n'a jamais remis en question la légitimité du croyant juif dans son être même, comme cela fut le cas quasi continuellement en terre chrétienne. Tout au contraire, les savants, poètes et philosophes juifs ont pu pendant des siècles s'exprimer, enseigner, publier en terre d'islam, et ont apporté une contribution non négligeable à la civilisation musulmane classique. On a peut-être enjolivé parfois la période du fameux « Âge d'or » andalou – qui n'était pas exempte de discriminations, de violences verbales et même de massacres –, mais il n'en reste pas moins que le sort des juifs vivant parmi les musulmans a été longtemps incomparable avec celui de leurs frères d'Europe.

Un seul élément d'origine coranique différencie quelque peu l'image du juif de celle du chrétien pour le croyant musulman : c'est l'épisode de la rupture entre Muhammad et les juifs de Médine, avec lesquels il avait passé dans un premier temps un contrat d'alliance, et auxquels il reprocha ensuite d'avoir dénoncé unilatéralement cette coalition. Peu importe les détails de cette polémique. L'essentiel est qu'il y avait là, potentiellement, le germe d'une accusation de « fourberie », d'« hypocrisie », d'esprit déloyal. Mais, sitôt repérée cette potentialité inscrite dans le texte, l'honnêteté oblige à reconnaître qu'elle n'a pratiquement pas été exploitée par la société musulmane pendant de nombreux siècles. Autrement plus terrible fut, dans l'Europe chrétienne, l'image du juif comme archétype du traître – par assimilation au personnage de Judas dans l'Évangile – qui fonda une tradition de mépris profondément enracinée dans les mentalités. Un virus d'antijudaïsme se cachait peut-être dans les sources premières de l'islam, mais il serait abusif d'en faire le procès aux musulmans d'aujourd'hui : le fait est que ce virus est resté dormant jusqu'à une période très récente. Toutes les traditions ne sont-elles pas, au fond, porteuses de divers virus meurtriers, de la même façon que tout individu héberge en son corps des germes de maladies, sans pour autant que celles-ci se manifestent ? Le virus d'antijudaïsme dont le christianisme s'est révélé porteur était, lui, d'une malignité beaucoup plus virulente – sûrement en raison de la judéité de Jésus et de ses premiers disciples, comme le souligne la phrase de Daniel Sibony que j'ai déjà citée : « L'origine de la haine, c'est la haine de l'origine. » Ce virus s'est manifesté très tôt avec la violence criminelle que l'on sait, et à laquelle rien n'est comparable dans les sociétés musulmanes.

Du moins en était-il ainsi jusqu'au milieu du XIXe siècle. À partir de cette époque, l'antisémitisme moderne est en train d'émerger en Europe sur le terreau du vieil antijudaïsme chrétien, tout en se parant d'une rationalité pseudo-scientifique. Dans le même temps, les peuples arabes, sous le joug d'un empire ottoman en pleine décomposition ou des premières colonisations, sont de plus en plus soumis à l'influence occidentale. La crise des sociétés musulmanes devient manifeste. C'est alors qu'éclate la terrible « affaire de Damas », en 1840, qui marque les prémices d'une diffusion de l'antisémitisme européen en terre d'islam.

De quoi s'agit-il ? Dans cette ville en partie chrétienne, un moine capucin, le père Thomas, disparaît mystérieusement. La communauté juive est accusée du meurtre, un procès totalement truqué est organisé à l'encontre de ses notables, des émeutes éclatent, qui se transforment en un véritable pogrom. Il y a dans ces dramatiques événements une part de contingence : ils sont l'expression d'une situation sociale et politique explosive, et vingt ans plus tard, en 1860, ce ne seront pas les juifs, mais les chrétiens qui feront les frais de l'exaspération des populations musulmanes – massacre auquel mettra fin avec un courage magnifique l'émir Abd El-Kader, alors en exil à Damas. Mais en dehors du fait que les juifs n'auront pas la chance d'être protégés par un tel noble personnage, le pogrom de 1840 est le tout premier signe d'un phénomène qui n'a cessé d'aller crescendo au XXe siècle, et jusqu'à aujourd'hui : l'importation de thématiques antijuives spécifiquement européennes. Le crime dont sont alors accusés les juifs est en effet celui de « meurtre rituel » : ils sont censés avoir tué le moine pour fabriquer du pain azyme (*matza*) avec son sang ! Accusation d'origine typiquement chrétienne, dont on n'a *jamais* constaté la moindre présence en milieu musulman, mais qui par contre a provoqué depuis le XIIe siècle des dizaines de massacres en Europe. La rumeur de Damas est en fait manipulée en sous-main par deux Occidentaux, les consuls français Ratti-Menton et Cochelet. Rien d'étonnant à cela : une diffamation aussi odieuse était totalement étrangère au discours musulman.

Depuis maintenant plus d'un siècle, on constate ainsi, de façon régulière et malheureusement de plus en plus fréquente, des exemples d'injection du virus antijudaïque européen dans le corps en crise du monde musulman : au temps de l'affaire Dreyfus, on a tenté d'exporter les thématiques catholiques antisémites, puis celles des *Protocoles des Sages de Sion* après la première guerre mondiale, puis l'antisémitisme proprement nazi qui, après la création de l'État d'Israël, a pu ici et là contaminer l'antisionisme arabe. À chaque fois, des éléments isolés parmi les notables et certains « intellectuels » ont fait leur cette rhétorique de la haine. Mais, dans l'ensemble, jusqu'à ces dernières années, les peuples du Maghreb, du Proche et du Moyen-Orient demeuraient très peu sensibles à ces arguments fondamentalement étrangers à leurs mentalités.

Toute la question, aujourd'hui, est la suivante : dans quelle mesure la greffe est-elle ou n'est-elle pas en passe de réussir ? Qu'on m'entende bien : la métaphore biologique n'a pas ici pour but de dédouaner les antisémites arabes de leur responsabilité, mais d'essayer de comprendre. Est-on en train d'assister, au tournant du XXIe siècle, à une sorte de « naturalisation » du discours antisémite européen dans les pays musulmans ? Ce soupçon de la « trahison » juive, dont je rappelais plus haut la présence dans la tradition coranique, qui n'avait pas jusqu'ici prêté à conséquence, n'est-il pas en train de trouver un écho dans la thèse antisémite du complot juif, qualifié pour la circonstance de « complot sioniste » ? Le virus a-t-il été activé par un contexte favorable, au point de devenir proliférant ? On est en droit de se le demander, lorsqu'on observe la récurrence du thème du meurtre rituel dans le monde arabe contemporain : le ministre syrien de la Défense, Moustafa Tlass, publie en 1983 un livre intitulé *La Matza de Sion*, dans lequel il tente de démontrer « historiquement » la pertinence des accusations portées contre les Juifs de Damas en 1840 ; le principal quotidien égyptien, *Al-Ahram*, se fait l'écho d'une rumeur accusant les « sionistes » d'avoir introduit sciemment le virus du sida dans les pays arabes ; le quotidien palestinien *Al-Hayat Al-Jadida* reprend d'autres rumeurs, celle de bonbons empoisonnés ou celle de ceintures contenant, dans leurs boucles métalliques, des éléments magnétiques violemment pathogènes...

Inutile de vouloir être exhaustif, la liste est trop longue de ces éléments relevant typiquement de l'antisémitisme traditionnel chrétien, qui sont aujourd'hui régulièrement repris par la presse, par des religieux ou par des chefs d'État. Le président syrien Bachar El-Assad est à cet égard un exemple caricatural : en 2001, dans son discours de bienvenue devant le pape Jean-Paul II, à l'occasion de la première visite qu'ait jamais faite un pape dans une mosquée, il se lance dans une diatribe contre « ces gens » qui occupent des territoires au Golan et en Palestine, et qui ont « tué le principe d'égalité lorsqu'ils ont prétendu que Dieu avait créé un peuple supérieur à tous les autres peuples » (on retrouve là le thème chrétien de l'« orgueil » juif, fondé sur une interprétation mensongère de l'élection dans le judaïsme) ; il ajoute qu'ils « essaient de tuer tous les principes des fois divines [argument totalement étranger à l'islam où, encore une fois, la légitimité religieuse du judaïsme est toujours affirmée] avec la même mentalité qui leur a fait trahir et torturer Jésus-Christ [« torturé » seulement : transposition logique du thème du déicide, puisque selon le Coran le Christ n'est pas mort sur la croix] et de la même manière qu'ils ont tenté de trahir le Prophète Muhammad [résurgence, comme je notais qu'on pouvait le redouter, du thème coranique de la déloyauté juive] ». Autrefois, en Europe, les antisémites chrétiens vomissaient le Talmud, combustible préféré des organisateurs d'autodafés. Cette époque est heureusement révolue, mais cette diffamation de la tradition rabbinique a eu le temps de s'infiltrer dans la presse arabe la plus « respectable » qui s'en prend régulièrement, citations falsifiées à l'appui, à l'« esprit talmudique », synonyme de félonie, de volonté de puissance et de sadisme. Et qui diffuse chaque jour des caricatures représentant le Juif buveur de sang et assoiffé de puissance, qui ressemblent étrangement à celles, antidreyfusardes, vichystes ou nazies, de la première moitié du XXe siècle européen[1].

Oui, il y a bien danger, quand une autorité aussi influente que le grand imam d'Al-Azhar tombe lui-même dans la récupération d'arguments antisémites venus d'Occident. Comme le mentionne Abdelwahab Meddeb dans son livre *La Maladie de l'islam*, ce cheikh Tantâwi « utilisa imprudemment le faux attribué à Benjamin Franklin (fabriqué dans les années vingt par l'extrême droite antisémite américaine, et qui dénonçait les dangers d'une immigration juive) et en fit l'exergue de la thèse qu'il consacra à ce qui devrait être un sujet théologique par excellence, *Beni Isra'îl dans le Coran et la Sunna*[2] ». Il y a danger, quand une telle énormité s'introduit dans une étude savante produite par un cheikh qui a dénoncé l'imposture d'Oussama Ben Laden et qui, selon Meddeb, est l'un « des esprits les moins obtus et les moins fanatiques, une des voix autorisées et raisonnables de l'islam officiel, représentant un quasi-magistère pour limiter les dégâts que cause l'accès sauvage à la lettre ». Il y a danger quand, toujours selon Meddeb, « l'antijudaïsme se mêle à

---

1. Cf. Joël et Dan Kotek, *Au nom de l'antisionisme. L'image des Juifs et d'Israël dans la caricature depuis la seconde Intifada*, avant-propos de Plantu, éditions Complexe, 2003.
2. *La Maladie de l'islam*, p. 131.

l'antisionisme et se mue en un antisémitisme qui n'a pas même conscience de constituer une importation occidentale. Dans la confusion généralisée, une controverse théologique est assimilée à une question politique qui se trouve à son tour mêlée à une perversion raciste ».

Mais il y a pire – si l'on peut dire. Les *Protocoles des Sages de Sion*, ce faux élaboré au début du XXe siècle par la police tsariste et présentant les plans de comploteurs juifs en vue de la conquête du monde, sont traduits en arabe depuis les années vingt. Comme ils l'avaient été en Europe, ils sont de nos jours un best-seller dans nombre de pays arabes. Le nom de Sion que comprend leur titre, et qui à l'époque désignait le peuple juif dans son entier, prend aujourd'hui une connotation très actuelle pour ceux qui veulent mettre fin à l'existence de l'État d'Israël – et qui les intitulent d'ailleurs les *Protocoles sionistes*. Or ce faux document, auquel seuls des esprits déjà contaminés par l'antisémitisme peuvent prêter foi, est beaucoup plus pervers et dangereux que tout autre pamphlet. Il porte en effet à son comble la thèse paranoïaque du complot international, et suggère qu'il en va de la vie même des peuples menacés d'anéantissement par une « synarchie » sans foi ni loi. C'est pour cette raison qu'il eut tant de succès dans l'Allemagne nazie, préparant les mentalités à l'idée d'une extermination des Juifs. Comme le note l'historien Saul Friedlander, « si la menace juive ignorait les frontières, alors la lutte elle-même devait devenir mondiale et sans merci. Dans ce climat lourd de menaces concrètes et de présages imaginaires, l'"antisémitisme rédempteur" parut donc, plus que jamais auparavant, offrir des réponses aux inconnues de l'époque ». Connaissant la suite des événements en Allemagne, sachant à quels crimes cette manipulation a contribué, comment est-il possible qu'une série télévisée conçue et interprétée par un des plus célèbres acteurs égyptiens ait pu être diffusée par de nombreuses télévisions arabes ? « Dans cette série, explique l'acteur, je dévoile tous les *Protocoles des Sages de Sion* qui ont été réalisés jusqu'à nos jours [dix-neuf sur vingt-quatre selon lui], en recourant à des procédés dramatiques, comiques, historiques, nationaux, tragiques et romantiques. » Et ça marche ! Qui dira la responsabilité prise par les concepteurs de cette désinformation criminelle ? Qui dira le mal que fait ce livre infâme dans les sociétés arabes d'aujourd'hui, où il est *vraiment* considéré par beaucoup comme authentique ?

Dans la même lignée, il faut rappeler aussi que la traduction de *Mein Kampf* en arabe, distribuée par une société sise à Ramallah, est en vente libre dans les Territoires palestiniens, assortie d'une préface très ambiguë. Qu'Aloïs Brunner, qui a dirigé un temps le camp de Drancy et fut l'un des plus grands criminels du génocide, est vraisemblablement mort dans son lit en Syrie, protégé par le régime en place contre toutes les demandes d'extradition. Et que l'on voit ici et là (comme dans le quotidien égyptien *Al-Akhbar* en 2001) des articles présentant les « sionistes » comme une cinquième colonne en Allemagne, ce qui aurait obligé Hitler à les « punir »...

Ce qui nous conduit tout droit à la question du négationnisme. Pour faire le lien entre le monde arabe et les pseudo-scientifiques occidentaux qui tentent, surtout depuis les années quatre-vingt, de « prouver » la non-existence des chambres à gaz, il fallait un trait d'union. Roger Garaudy, après avoir glissé du totalitarisme soviétique à celui des islamistes – via un passage incongru par le christianisme –, a joué pleinement ce rôle-là. Il a choisi de centrer son discours moins sur la recherche de « preuves » historiques détaillées, à l'instar du négationnisme habituel, que sur la mise en scène du « complot sioniste » fondé sur le prétendu mensonge de la Shoah. Cette réorientation de la dialectique négationniste a, on le sait, fonctionné à merveille : l'antisionisme arabe avait moins besoin, en effet, d'arguments « scientifiques » censés avoir été déjà apportés par des « universitaires » occidentaux, que d'une rhétorique visant le mobile du mensonge. Toute une élite intellectuelle et religieuse s'est laissé séduire par le syllogisme inavoué qui sous-tend le propos de Garaudy : 1. l'oppresseur Israël tire sa légitimité de l'expérience de la Shoah ; 2. or toute tyrannie a besoin de se construire sur des mythes fondateurs qui ne sont que mensonges ; 3. donc la Shoah est un mensonge. Tout est faux dans cette logique délirante, à commencer par l'affirmation que l'État d'Israël ne serait pas né sans la Shoah. Mais peu importe : Garaudy est reçu comme un prince en Égypte et ailleurs, ses livres sont non seulement en vente libre, mais très bien diffusés, il engrange les louanges de la presse et les cautions morales les plus prestigieuses.

Ici et là, des intellectuels arabes commencent à considérer cet indéniable succès des thèses négationnistes comme une catastrophe, et à le dire. On entend peu les religieux ; quant aux politiques, lorsqu'ils n'appuient pas eux-mêmes un tel discours, ils sont rares à avoir le courage d'un Anis Al-Kak, ministre palestinien de la Planification et de la Coopération internationale. Lorsque celui-ci déclara en 2000 que « la Palestine et le monde arabe tout entier doivent étudier la Shoah, et que le sujet doit être inscrit dans les programmes scolaires », il reçut une volée de bois vert de la part de ses collègues et se fit étriller par la presse. Les rares manifestations d'opposition publique au négationnisme viennent donc d'écrivains, de poètes, de personnalités indépendantes. L'exemple le plus connu est celui des quatorze signataires d'un appel de mars 2001 (dont le Libanais Adonis, et les Palestiniens Elias Sambar et Mahmoud Darwich) qui demandèrent l'annulation d'une conférence négationniste internationale devant se tenir à Beyrouth. Ce colloque, organisé encore une fois par un Européen, le Suisse Jürgen Graf condamné dans son pays et réfugié en Iran, fut interdit à la dernière minute, pour l'honneur du monde arabe – mais non sans que cette annulation ne provoque une vive polémique.

L'action des signataires de cet appel (appuyée par la lettre au président libanais d'un député arabe d'Israël, Ahmed Tibi) a été le premier sursaut d'une élite qui, sinon, n'est pas loin de glisser vers une « trahison des clercs » aux conséquences incalculables. Il faut espérer qu'elle réveillera certaines consciences, à l'instar de l'ambassadeur d'Algérie à l'Unesco qui l'avait saluée au nom de l'« esprit de cohabitation millénaire entre les Juifs et les Arabes ». Pour qu'advienne ce réveil urgent et salutaire, une condition essentielle est nécessaire : que la solidarité arabe cesse de s'exercer à sens unique, dans l'obsession du combat antisioniste qui l'a fait plus d'une fois délirer. Qu'elle se manifeste au contraire quand une personnalité porte une parole digne de l'humanisme séculaire du monde arabe. Lorsque le directeur d'*Al-Ahram* se fait convoquer pour incitation à la haine raciale par la justice française, après avoir publié dans son journal un article haineux sur l'affaire de Damas (titre : « Une *matza* juive faite avec du sang arabe »), toute l'Égypte intellectuelle se mobilise, et les messages de solidarité sont envoyés de tout le monde arabe, du Yémen à la Jordanie en passant par la Palestine. Mais lorsqu'en septembre 2000, le prince Hassan de Jordanie, frère du roi Hussein, affrète son jet privé pour venir assister, aux côtés de personnalités polonaises, américaines et israéliennes, à l'inauguration d'une synagogue dans la ville polonaise d'Oswiecim (qui n'est autre qu'Auschwitz), aucune louange pour ce geste admirable et à l'honneur du monde arabe : tout le monde se tait – sûrement, d'ailleurs, aurait-il été vilipendé de toutes parts si son statut ne l'avait protégé. Et lorsqu'une personnalité comme le Palestinien Edward Saïd, qui fut l'un des pionniers en ce domaine, évoque la nécessaire étude par les Arabes de la Shoah, il se fait agonir d'injures, menacer de mort, et il n'y a pas grand monde pour le défendre. C'est cette logique qui doit changer.

En règle générale, dans le monde juif et surtout en Israël, on est obligé de reconnaître que c'est l'attitude inverse qui prévaut.

Évidemment, le racisme anti-arabe de certains Juifs existe aussi. Je l'ai rencontré un soir dans mon bureau, et l'anecdote vaut d'être mentionnée. Ce racisme m'apparut sous les traits d'une amie (qui ne l'est plus aujourd'hui...), israélienne d'origine française, avec laquelle j'avais déjà eu de fortes divergences politiques. Une femme érudite, intelligente, pétrie de savoir talmudique et de pensée mystique. Notre désaccord était déjà patent sur beaucoup de points, quand elle me raconta à sa manière un spectacle vu à l'Institut du monde arabe sur le martyre d'Ali. Impressionnée par la succession de meurtres qui y était mise en scène, elle en conclut ceci : « Tu vois, ce soir-là, j'ai compris qu'ils ont l'assassinat dans le sang. » Tout y était ! Le « ils » généralisateur, le passage illégitime de l'ordre du mythe séculaire à celui des sociétés d'aujourd'hui, le « sang » qui signait une vision essentialiste et même biologique de l'autre... jusqu'à ce mot « assassinat », qu'elle n'avait peut-être pas choisi à dessein, mais qui nous est tout droit venu de l'histoire des Assassins, cette secte ismaélienne qui s'illustra par le meurtre politique au XIIe siècle. L'association inconsciente qu'elle faisait entre ces Assassins (aux méthodes certes expéditives, mais tout à fait comparables à d'autres pratiques de l'époque) et les terroristes contemporains hypnotisés par les théories wahhabites était l'illustration parfaite d'un certain fantasme occidental de l'islam, celui qu'analyse très bien Abdelwahab Meddeb dans son livre *La Maladie de l'islam*. En l'occurrence, le fantasme s'était mué en racisme au sens propre.

Mille exemples pourraient être ajoutés ici, mais il n'est pas besoin de prouver l'existence de racistes chez les Juifs d'Israël ou de la diaspora : ce mal sévit dans toutes les sociétés humaines. La grande différence avec la situation des pays arabes décrite plus haut, c'est que ce mal y est en général considéré et traité comme tel, c'est-à-dire comme une honte. Le député d'extrême droite Méir Kahane était sûrement comparable à notre Le Pen, et même plus franchement raciste dans ses propos, mais il a été assez rapidement ostracisé par l'ensemble du monde politique. Ovadia Yossef, chef spirituel du parti ultra-orthodoxe Shass, est aussi un spécialiste des déclarations racistes. En août 2000, il accuse le Premier ministre travailliste Ehoud Barak de vouloir négocier avec des serpents : « Pourquoi tentez-vous de les rapprocher de nous ? Vous apportez les serpents à nos portes. Comment faire la paix avec un serpent ? Ces êtres malfaisants, les Arabes, Dieu se repent de les avoir créés. » Il avait déjà déclaré, plusieurs années auparavant, qu'« aucun animal n'est pire que l'Arabe ». Mais à chaque fois, ce fut un tollé : dans tout le pays et dans le monde entier, des dizaines d'intellectuels juifs, de religieux, d'institutions se sont élevés contre ces propos, bien que leur auteur jouisse du prestige d'un ancien grand rabbin séfarade d'Israël. Les réactions étaient à la mesure d'une société israélienne où l'esprit critique est cultivé d'une façon étonnante, notamment dans la presse, contrairement à ce que pensent beaucoup d'antisionistes.

On ne peut clore ce chapitre sans évoquer ce qui est devenu un leitmotiv dans la polémique judéo-arabe autour de la Shoah : la compromission de certains Arabes de l'époque avec les forces nazies. Un discours israélien tend à diaboliser l'histoire arabe en rappelant sans cesse l'attitude haïssable de quelques officiers irakiens (Rachid Ali) et égyptiens (parmi lesquels le futur président Sadate) qui furent tentés de jouer la carte du IIIe Reich contre les Anglais ; pour mieux délégitimer les revendications palestiniennes, on revient aussi régulièrement sur l'histoire du mufti de Jérusalem, encore plus méprisable. Il y a souvent abus dans l'utilisation de ces cas minoritaires, alors qu'on ne valorise pas assez les attitudes contraires, qui existèrent aussi (Mohammed V, notamment, qui refusa d'appliquer au Maroc les directives antisémites de Vichy). Mais il faut bien constater que les faits mentionnés, bien qu'ils soient isolés, sont accablants.

Pour ne prendre que l'exemple du mufti Hadj Amin El-Husseini, il avait déjà été actif lors des émeutes antijuives de 1929 et de 1936-1939. Il contribua à créer des légions arabes sous uniforme allemand, portant sur les épaulettes un écusson « Arabie libre », et eut des contacts avec les collaborateurs musulmans dans les territoires occupés par les nazis en URSS et dans les Balkans. Il espérait que les Allemands parviendraient à se rendre maîtres du Proche et du Moyen-Orient et mettraient ainsi fin à l'immigration juive en Palestine. Dans cette perspective, il ne se privait pas de menacer de mort les Juifs installés dans les pays arabes et se dépensa sans compter auprès des gouvernements allemand, roumain, bulgare et hongrois, pour leur demander d'empêcher « leurs » Juifs de fuir en Palestine. Or, compte tenu de ses contacts réguliers avec Hitler (qu'il rencontra à Berlin en novembre 1941), Ribbentrop, Goebbels et Eichmann, et de sa participation à un congrès international antijuif à Cracovie (à deux pas d'Auschwitz) en 1944, il était forcément informé de la réalité du génocide. On peut donc avancer que si la progression fulgurante de l'Afrikakorps de Rommel n'avait été bloquée à temps, Hadj Amin El-Husseini aurait milité activement pour l'ouverture en Orient d'un deuxième front de la Shoah. Les Juifs de Palestine vécurent alors « deux cents jours d'angoisse[1] ». Recherché par les Alliés comme criminel

---

1. Haviv Kanaan, *200 yemei harada* (« Les deux cents jours d'angoisse »), Mol-Art, Tel-Aviv, 1973-1974.

de guerre après la victoire, Husseini se réfugia en Suisse, d'où il fut extradé en France et placé en résidence surveillée. Évadé en 1946, il parvint à rejoindre Le Caire et mourut en 1974 à Beyrouth[1].

Cette infamie du mufti de Jérusalem est devenue un argument majeur dans le discours officiel israélien, surtout depuis le procès Eichmann en 1961 où ses relations avec les nazis purent être confirmées par l'accusé. Déjà, avant de partir pour Jérusalem assister à ce procès, Hannah Arendt écrivait à son ami Karl Jaspers : « Il y a fort à parier qu'il y aura des efforts faits pour montrer certaines choses à la jeunesse israélienne, et (pis encore) au monde entier. Entre autres... que les Arabes étaient de mèche avec les nazis. Il y a d'autres possibilités pour déformer la question elle-même. » Déformer, oui, car si le crime de Husseini ne peut en aucune manière être minimisé, il n'a eu d'influence que sur une toute petite minorité dans le monde arabe. Et dans le microcosme de la Palestine, il ne doit pas faire oublier le militantisme antinazi d'une partie non négligeable des Palestiniens de l'époque, sous l'influence des communistes. Il existait un véritable mouvement communiste arabe en Palestine qui, en s'alliant à des tendances semblables chez les pionniers sionistes, s'est manifesté ensuite en Israël par un Parti communiste où se mêlèrent pendant très longtemps Juifs et Arabes. Durant la seconde guerre mondiale, ces forces arabes ne furent pas silencieuses, elles s'opposèrent au philogermanisme du mufti par des articles dans les journaux, et par des manifestations à Haïfa, Jérusalem, Jaffa, Nazareth, qui culminèrent dans le grand rassemblement de Ashdod en 1942, où se retrouvèrent des milliers d'Arabes antinazis.

Salem Joubran, qui a bien travaillé cette question historique, en tant qu'ancien leader communiste et conférencier

---

1. Paul Giniewski, « 1936-1945, Les complicités au Moyen-Orient », *Le Mouvement*, n° 106, avril-juin 2003.

arabe sur la Shoah, s'insurge contre une telle déformation de la réalité : « Dès cette époque, dit-il, l'écrivain Émile Habibi [1], futur Grand Prix de littérature d'Israël, déclarait dans ces meetings que la moindre concession à l'antisémitisme nazi serait une souillure pour la cause arabe. Et il ne fut pas le seul, il y avait aussi le Trade Union of the Arabs Workers avec Sami Taha, qui a été assassiné par les nervis de Husseini, le Congress of the Arab Workers avec Émile Touma, et puis Fouhad Nassar, Toufik Toubi, les sociaux-démocrates et tant d'autres ! » Nazir Mjally, lui, qui se considère aussi comme un héritier spirituel de Habibi, se rappelle la conversation qu'il eut un jour avec Yossef Burg (le père d'Abraham Burg qui a été président de la Knesset) : « C'était un sioniste religieux, mais un grand humaniste, à qui on pouvait tout dire et qui vous respectait. Nous étions ensemble à Yad Vashem, et je lui ai montré la grande photo de Husseini qu'ils avaient placée bien en vue au milieu de toutes ces horreurs. Et pourquoi pas une photo d'Émile Habibi ? lui ai-je demandé. Il y a bien une place pour les Justes de toutes les nations, pourquoi représenter les Palestiniens exclusivement sous la face honteuse de ce misérable, et non sous leur face lumineuse ? N'avez-vous pas compris qu'il n'y a pas de peuple mauvais ? » Les deux ex-leaders communistes sont aussi révoltés l'un que l'autre par les insinuations d'une certaine droite israélienne qui tend à faire des Palestiniens les ex-complices et les continuateurs de l'antisémitisme nazi, pour mieux justifier sa politique. Telle fut, par exemple, l'attitude d'un Ménahem Begin en 1982, face à l'opposition juive à la guerre du Liban : « Croyez-moi, lança-t-il, la seule alternative, c'est Treblinka »... à quoi l'écrivain Amos Oz répondit : « Des dizaines de milliers de morts arabes ne guériront pas cette blessure [de la Shoah]... Hitler ne se cache pas à Nabatiye, à Sidon ou à Beyrouth... »

---

1. Dont on a notamment traduit en français *L'Optimiste* (Sycomore, 1980) et *La Terre des deux promesses* (Solin, 1996).

Il ne s'agit pas, pour Salem ni Nazir, d'occulter le scandale Husseini, puisqu'ils participent d'une famille communiste qui l'a combattu et en a été victime. Pour eux, sa perversion et celle de ses comparses procèdent d'une logique folle qui peut se résumer ainsi : « Les ennemis de mes ennemis sont mes amis. » Et quand on lui parle de la haine antisémite et du négationnisme qui sévissent dans certains pays arabes, Salem en convient, en répondant gravement par un proverbe arabe : « Il n'y a pas de ville sans égout. » Mais il pense aussi que certains dirigeants israéliens trouvent un intérêt à ce que les Arabes tombent dans ce piège, ce qui leur permet de les diaboliser et de les mettre hors jeu, et qu'ils seraient prêts à tout faire pour empêcher une évolution des mentalités arabes concernant la Shoah. À preuve, selon Salem, les attaques contre Mahmoud Abbas, alias Abou Mazen, concernant sa thèse publiée au début des années 80 sur la Shoah. Il semble – je n'ai pas pu la lire – qu'en voulant critiquer la récupération nationaliste de la mémoire par les « sionistes », il ait employé des arguments qui flirtaient avec le négationnisme. Mais dans le contexte actuel, il était certainement déloyal de ressortir cet écrit de jeunesse au moment où Abou Mazen est devenu Premier ministre de l'Autorité palestinienne. Tout porte à croire qu'il est entre-temps devenu le leader palestinien le plus conscient de la nécessité pour les Arabes de se pencher sérieusement sur l'histoire de la Shoah. « Il a été le premier officiel de l'OLP, me dit Salem, à affirmer que l'attitude du mufti de Jérusalem durant la guerre avait été honteuse et avait desservi la cause palestinienne. Il lui fallait pour cela un certain courage, compte tenu de l'ambiance d'avant Oslo. Je n'ai pas été étonné quand je lui ai téléphoné et qu'il m'a approuvé dans ma démarche avec Abouna. »

Émile Shoufani confirme pour l'essentiel les dires de ses amis communistes : il a existé un fort courant palestinien radicalement opposé au nazisme et à son antisémitisme, et il serait aussi indigne de l'ignorer que d'identifier la France, en occultant la Résistance, à Vichy et à Pétain – lequel a bénéficié d'une forte adhésion populaire, contrairement à Husseini. Ce courant antinazi a eu des héritiers : Émile se souvient encore des pèlerinages qui, dans sa jeunesse, rassemblaient Arabes et Juifs chaque année en juin, pour le jour de la victoire de l'Armée rouge, dans une forêt dédiée aux héros soviétiques. L'accord était total sur le rejet de toute forme d'antisémitisme, et c'est sur ce genre de souvenirs qu'il faut s'appuyer pour tenter d'éloigner, dans le monde arabe, le spectre de la maladie antisémite.

VIII

Au-delà de la haine

*Je suis sans limite : n'aspirez pas à Me prescrire
un terme...*
*Que tu dises « Monde », ou « Dieu », ou « Moi »,
ou « Toi », ou « Lui », ne crains aucune riposte.*
*Les Noms sont multiples mais Moi je suis
unique...*
*Tantôt tu Me vois musulman – et quel musul-
man, parfaitement sobre et pieux, humble et toujours priant !*
Tantôt tu Me vois courir vers les églises...
*Tantôt dans les écoles juives tu Me vois enseigner,
Je professe la Torah et leur montre le bon
chemin...*

Émir Abd El-Kader l'Algérien

Fermons la parenthèse. Je l'ai dit, nous n'avons accordé
à l'antisémitisme arabe qu'une place très mineure dans la
préparation de notre voyage. Non par pusillanimité, pour
éviter un sujet qui fâche : l'audace d'Émile Shoufani, dans
cette initiative, était telle qu'aucun tabou n'aurait pu l'arrêter
dans sa démarche exploratoire. Mais la question, malgré son
importance, n'était pas vraiment à l'ordre du jour, et ce pour
deux raisons.

La première nous était évidente : nos amis arabes et musulmans, s'engageant délibérément dans une expérience aussi exigeante, au risque d'être incompris de leurs proches, n'avaient pas envie qu'on leur rappelle sans cesse les dérives passées et présentes de certains de leurs frères ou de leurs cousins lointains. Un tel rappel, lorsqu'il se fait systématique, et même s'il ne se dit pas sur le ton de la suspicion, procède d'une logique de défiance. Or le pari initial d'Émile était précisément celui de la confiance. Sachant que l'antisémitisme, au sens propre, est quasi absent des populations arabes d'Israël, sachant que nos interlocuteurs français étaient étrangers à tout esprit de haine, il eût été abusif de faire comme s'ils ne l'étaient pas. Vouloir les convaincre de ce dont ils étaient déjà convaincus serait revenu à répondre à une situation qui n'était pas la leur, en suivant un raisonnement pervers : « Si ce n'est toi, c'est donc ton frère », ou plus précisément : « Si c'est ton frère, c'est donc aussi un peu toi. »

Il fallait, tout au contraire, se tenir résolument à l'écart de cette atmosphère de soupçon, sous peine de fausser toute la perspective voulue par Émile. Je me souviens d'avoir été ainsi obligé d'intervenir pour rectifier, au cours du débat qui suivit la conférence d'un historien, la formulation d'une de ses réponses. Un musulman l'avait interrogé – et ce fut l'une des rares fois où la question fut soulevée – sur la diffusion croissante des thèses négationnistes dans le monde arabe. Il termina sa brève analyse du phénomène par ces paroles : « Tout cela est terrible, il y a urgence, je n'ai qu'une chose à dire : *reprenez-vous.* » J'adhérais à la tonalité d'alarme, mais je ne pouvais laisser passer ce « vous » insupportable. Quoi ! L'identité arabe – avec tout ce qu'elle a d'imprécis sur le plan ethnique et culturel, comme toutes les identités d'ailleurs – ou l'identité musulmane – elle-même tout aussi plurielle – étaient-elles des stigmates marquant toute personne susceptible de leur être liée de près ou de loin ? Et ces stigmates

146

seraient-ils inscrits en filigrane, comme signes d'une dangerosité potentielle, sur le front de ceux-là mêmes qui s'étaient engagés clairement, sincèrement, fermement contre l'antisémitisme de certains de leurs frères d'origine ? Il n'y aurait donc pour eux aucun moyen de se défaire d'une présomption de culpabilité inextinguible, et ils seraient par nature condamnés à redoubler d'efforts pour répondre à des injonctions auxquelles ils auraient cent fois répondu ? Non, il n'était pas honnêtement possible d'entretenir la pointe de suspicion tapie derrière ce « vous ». Devant une telle assemblée, il fallait – et notre ami historien en convint facilement – abandonner définitivement ce vocabulaire de mise en examen pour revenir à notre responsabilité *commune*. Responsabilité de citoyens sommés par l'urgence de contrer *ensemble* – Juifs et non-Juifs, Arabes et non-Arabes, musulmans et autres croyants ou non-croyants – un phénomène qui s'étend comme une lèpre sur le corps malade du monde arabe.

Non pas « Reprenez-vous ! », mais « Reprenons-nous ! »

Un tel postulat de solidarité ne pouvait évidemment être soutenu que dans la mesure où tous les moyens avaient été pris pour éliminer par avance les spécialistes du double langage.

Je dois, à ce sujet, apporter une précision dont je me serais volontiers passé, mais qu'une polémique postérieure à notre voyage m'oblige à mentionner : passant outre aux conseils d'amis musulmans, nous n'avons pas sollicité la participation de Tariq Ramadan. Pourtant, par un article dans *Le Monde* en décembre 2001, celui-ci avait pris « clairement » position contre l'antisémitisme. D'autre part, son audience européenne aurait pu contribuer à élargir le champ de notre action. En outre, son influence incontestable auprès de la jeunesse musulmane de France aurait pu nous inciter à lui demander un soutien. Après tout, si certains d'entre nous dénonçaient chez lui un « faux réformisme » ne relevant que d'une savante stratégie de séduction, d'autres ne voyaient pas au nom de quel principe il fallait faire d'avance le deuil d'un soutien éventuel, qui aurait pu se révéler efficace.

Mais, au fond, que signifiait l'efficacité ?

Dans l'esprit de l'initiateur du projet, et nous l'avions compris, il ne s'agissait pas de faire nombre, d'entrer par effraction dans la comptabilité des forces sociales et politiques en présence, ou de se faire connaître à tout prix parmi les courants d'idées qui constituent l'opinion publique. « Le but ? Il n'y a pas de but ! » proclamait souvent Émile à ceux qui le questionnaient sur les résultats chiffrés qu'il escomptait. Shoufani, combien de divisions ? Aucune, et ce n'était vraiment pas le problème à ses yeux. La fin, pour lui, était tout entière contenue dans les moyens : amener les participants, fussent-ils peu nombreux, à s'engager dans un processus de transformation personnelle, pour changer radicalement les conditions du dialogue. Simplement pour expérimenter que la chose était possible, et ensuite en témoigner. Tout cela se situait à mille années-lumière de la logique de pouvoir d'un Tariq Ramadan, dans laquelle le « dialogue » n'est qu'un moyen au service d'une stratégie. Stratégie visant sans état d'âme à la notoriété, à la promotion d'une cause, à la montée en puissance d'un courant de pensée.

Et cette pensée, en l'occurrence, j'en connaissais personnellement l'une des failles majeures, qui la rendait incompatible avec la démarche d'Émile. Quelques années auparavant, j'avais eu l'occasion de rencontrer l'intéressé qui m'avait, entre autres, proposé de rééditer son livre *Le Face-à-face des civilisations. Quel projet pour quelle modernité ?*[1]. Je n'avais aucunement adhéré au propos de l'auteur – une sorte de version soft, ou plutôt une inversion, vue du côté non occidental et même anti-occidental, de la théorie du clash des

---

1. Tawhid, 1995.

civilisations de Huntington. Mais surtout, j'avais été choqué par des notes de bas de page qui faisaient littéralement l'apologie de Roger Garaudy, dont le négationnisme et la haine d'Israël s'étaient déjà révélés au grand jour. J'avais alors posé comme préalable à toute discussion, sur ce livre ou sur d'autres, la suppression de ces notes nauséabondes. Le refus outragé de Ramadan avait mis fin à mes illusions sur ses réelles intentions. J'avais compris que son habileté dialectique avait failli me tromper... et je me rendis compte par la suite qu'elle en trompait plus d'un. On peut donc écrire un jour des articles pour se démarquer à moindres frais de l'antisémitisme, et le reste du temps naviguer dans une logique qui intègre les vieux schémas antisémites. L'« affaire Ramadan » qui défraya la chronique à l'automne 2003 ne fit que révéler cette technique du discours à double fond, et sa virtuosité de polémiste ne put leurrer que ceux qui ne s'étaient pas donné la peine de le lire...

Mais si nous n'avons que peu abordé la problématique de l'antijudaïsme et du négationnisme arabes, c'est aussi pour une autre raison essentielle. Depuis le début, Émile Shoufani entendait se placer dans une autre perspective que celle d'une simple critique de l'antisémitisme : contre toute forme de haine, bien sûr, mais surtout *au-delà*.

Démonter les rouages pernicieux de l'antisémitisme, soit. Analyser une à une ses contre-vérités, délier les nœuds innombrables par lesquels il emprisonne les êtres dans leurs fantasmes, très bien...

Mais que fait-on de l'énergie fondamentale qui entretient le foyer de la haine ?

Et quand bien même on aurait anéanti les arguments de la guerre, aurait-on pour autant gagné la paix ?

Une fois vaincues les armes rhétoriques de la détestation, la méfiance, si elle demeure, ne sera-t-elle pas toujours prête à se jeter sur le premier prétexte venu, pour se muer en ressentiment, en antipathie, en inimitié... puis à nouveau en agressivité raciste ?

Expliquer, critiquer, démontrer, est-ce suffisant pour éduquer ?

« Non, répond Émile Shoufani, c'est une autre dimension qu'il nous faut atteindre. Combattre des inepties racistes ou autres est indispensable, mais elles renaîtront sans cesse si l'on ne provoque pas une véritable rencontre entre les êtres, une rencontre qui légitime à la fois l'autre et soi-même en profondeur. Or le débat argumenté pied à pied ne conduit pas forcément au dialogue, et le dialogue lui-même ne génère pas systématiquement la rencontre humaine ainsi entendue. Je sais de quoi je parle, nous en avons vu, dans les années quatre-vingt-dix au Proche-Orient, des discussions et des explications pourtant sérieuses ! Le résultat ? Tout s'est écroulé en quelques semaines au premier prétexte... Il nous faut maintenant reprendre les choses à partir de zéro. Certains s'y attellent au niveau politique, c'est très bien, mais aucune solution politique ne pourra faire l'impasse sur le lien humain entre les populations, qui passera par une authentique rencontre entre les personnes. Et il en est de même pour les relations judéo-arabes ailleurs dans le monde : la lutte contre l'antisémitisme et le racisme anti-arabe est une bonne chose, les discussions et les déclarations communes des responsables communautaires sont encore meilleures, mais il faut aller résolument plus loin. Je ne veux pas seulement que tous rejettent la haine, ce n'est qu'un minimum insuffisant. Je veux provoquer des expériences qui rendent impossible la haine, c'est beaucoup plus important ! Au fond, on ne combat pas la méfiance avec des arguments, il faut parvenir à la dissoudre. Faire en sorte que les gens, que les jeunes se retrouvent en hommes et en femmes disponibles pour accueillir l'existence de l'autre, la mémoire de l'autre, la sensibilité de l'autre dans sa vie. Ce n'est pas un luxe que l'on

pourrait reporter *après* avoir établi la paix. Au contraire !
C'est une urgence sans laquelle toute paix sera factice, fragile,
et finalement éphémère. »

Non pas seulement analyser et blâmer la méfiance, mais la
dissoudre : telle est précisément l'expérience que vécurent les
Français se préparant à participer au voyage, au cours d'un
séminaire qui les réunit dans la capitale (avec l'aide de la
Ville de Paris) un mois avant le départ, durant le week-end
du 1ᵉʳ mai 2003.

Présidée par Émile Shoufani, introduite par le rabbin Farhi
et l'imam Oubrou, conclue par Jean Halpérin et Rachid Benzine, cette rencontre de trois jours dépasse toutes nos espérances. Les craintes que nous pouvions encore nourrir sur les
possibilités d'un vrai dialogue judéo-arabe, les hésitations de
certains participants ou les suspicions des uns vis-à-vis des
autres, tout cela s'évanouit dès le premier jour, à partir du
moment où nous nous retrouvons réunis autour d'un même
et unique objectif : prendre la mesure des faits pour mieux
connaître cet événement inouï qu'est la Shoah, et essayer de
penser ensemble l'ébranlement qu'il représente pour la
conscience universelle. Après tant de difficultés, cette
résorption spontanée de toutes les tensions paraît presque
miraculeuse, d'autant que la plupart des présents ne connaissaient auparavant que deux ou trois personnes dans cette
assemblée cosmopolite. Je suis sûr qu'un observateur extérieur, ne sachant pas les combats qu'il a fallu mener pour
en arriver là, regarderait cette belle cordialité et ces regards
rayonnants avec une certaine circonspection, la trouvant trop
merveilleuse pour être vraie. Mais c'est un fait, la « magie
Shoufani » a opéré, et tous ceux qui sont venus, notamment
les jeunes Juifs et Arabes, ont dû tellement se battre contre
les objections de leur entourage et contre leurs propres incer-
titudes qu'ils vivent ce premier rassemblement comme une
libération.

La grande victoire est la diversité des musulmans présents. Aux côtés de Tareq Oubrou qui fait partie de l'UOIF, cette fédération souvent qualifiée par la presse de fondamentaliste, aux côtés des Étudiants musulmans de France et des Jeunes musulmans de France très proches de la même fédération, et chez lesquels la plupart des jeunes filles portent le voile, on aperçoit Bétoule Fekkar-Lambiotte, qui a été membre du Conseil français du culte musulman (CFCM), et qui en a justement démissionné pour protester contre l'influence qu'y prenaient les « intégristes » – et contre le fait qu'elle y était la seule femme. Originaire d'Algérie et témoin de la résistance à la colonisation française, elle a créé Terres d'Europe, une association dont le but est d'aider à une meilleure intégration des musulmans en Occident. Elle se dit admirative du caractère mystique de son président d'honneur, le cheikh Bentounès, mais pour sa part, c'est une républicaine pure et dure, elle l'affiche haut et fort. Elle fait partie de ces musulmans qui réclament l'*ijtihad*, la « réouverture des portes » de l'interprétation du Coran, portes considérées comme closes par les oulémas depuis le XIᵉ siècle. Mais, précise-t-elle, si elle est ici, c'est qu'il ne peut y avoir d'*ijtihad* véritable que dans une réouverture des cœurs.

Fait significatif, la femme qui a remplacé Bétoule Fekkar-Lambiotte au CFCM, Dounia Bouzar, sociologue et éducatrice, est aussi parmi nous. Ainsi que Djelloul Seddiki, directeur de l'Institut de théologie de la Mosquée de Paris, Amar Dib, responsable de la Fédération des clubs Convergences... La liste (qui s'ajoute à tous les noms que j'ai déjà mentionnés plus haut) est beaucoup trop longue pour être citée ici. Mais il est à noter qu'elle ne concerne pas seulement l'islam d'origine maghrébine : on distingue aussi, dans sa gandoura immaculée, le cheikh africain Mamadou Nsangou, imam de la mosquée de Taverny dans le Val-d'Oise, lui aussi membre du CFCM, et le cheikh Saïd Ali Koussay, président de la Coordination des associations musulmanes des pays de l'océan Indien et des Comores. Ce dernier, seul musulman à avoir été ministre à Madagascar, est arrivé en France en 1991. Après la vague d'attentats de 1995, puis l'assassinat des moines de Tibéhirine, il a lancé une structure pour défendre « un islam paisible et discret, de concorde et d'harmonie ». Il a aussi fondé une confrérie soufie et cite souvent le hadith : « Là où vous trouvez la sagesse, prenez-la. » Il est venu, dit-il, pour « apprendre l'histoire et la pensée des juifs, prendre avec lui leur souffrance et leur lumière ».

Comme s'il fallait que l'islam de France fût ici représenté de façon presque exhaustive, on trouve aussi, parmi les musulmans de cette assemblée, quelques visages qui ne sont ni noirs ni « basanés ». Ce sont des convertis. Jean-Louis, qui approche la soixantaine, fait partie de ces Français « de souche », comme on dit faute de mieux, qui sont venus à l'islam autrement que par tradition familiale. Il a eu un chemin spirituel complexe, avec des tours et des détours, des plongées incertaines, il est passé un temps par la franc-maçonnerie, a lu René Guénon, s'est intéressé à la philosophie, aux traditions orientales... pour finalement « poser ses valises », selon son expression, dans la grande maison de l'islam mystique, le soufisme. Cet engagement a changé sa vie en profondeur, et s'il a décidé de se joindre à Émile, c'est, dit-il, parce qu'« en me convertissant à l'islam, je me suis converti à l'universel ». Il a conscience d'être un maillon, un relais dans certains milieux musulmans plus que réservés face à cette initiative. « Je peux sans doute jouer un rôle de charnière, car depuis des années je m'efforce de devenir pleinement musulman sans renoncer aucunement à ma culture. Je connais beaucoup de convertis qui deviennent plus arabes que les Arabes : les habits, la barbe, tout y passe. Parfois, je vais jusqu'à dire qu'il faut désarabiser l'islam ! En tout cas, il faut l'ouvrir à l'esprit des grands mystiques, Ibn 'Arabî, Rûmî, et tant d'autres dont la hauteur de vue et l'universalisme sont à peine croyables de nos jours. J'espère que cette action fera tache d'huile et permettra à terme de faire comprendre à beaucoup de musulmans dans quel délire les Garaudy et autres révisionnistes les entraînent. Il faut informer, et encore informer. Mais le drame de l'islam français, c'est le niveau des imams. Il y a hélas trop peu de Tareq Oubrou. »

Entre cette forte participation musulmane et celle des Juifs français, comme l'avait voulu Émile, plusieurs chrétiens sont là, qui ont parfois milité pendant des mois, telle Aleth Pourquery à Belfort, pour qu'advienne cette rencontre singulière. Ils sont souvent engagés depuis longtemps dans le dialogue interreligieux, à travers l'association Fraternité d'Abraham, la section française de la Conférence mondiale des religions pour la paix (WRPC), le Service d'information et de documentation juifs-chrétiens (SIDIC), l'Amitié judéo-chrétienne de France ou les groupes de dialogue islamo-chrétien. Certains ont participé récemment au voyage pour la paix à Jérusalem organisé par *Témoignage chrétien*, comme le père orthodoxe Higoumène Barnasuphe, qui a fait la connaissance d'Émile en 2002, au rassemblement interreligieux d'Assise autour de Jean-Paul II. Mais, tous en conviennent, la grande différence entre ce type de rencontres et l'événement qui se prépare, c'est que, pour la première fois, ils se retrouvent largement minoritaires. Ici, juifs et musulmans forment plus des trois quarts des participants, cela change tout et ils s'en réjouissent.

Émile a tenu à ce que l'ambiance qui préside à cette rencontre ne soit pas focalisée sur les relations entre croyants. Même s'il demande à l'imam Oubrou de présenter la spiritualité de l'islam aux non-musulmans, même s'il aménage un temps pour ceux qui veulent assister à l'ouverture du shabbat, il réaffirme le caractère non religieux de ce rassemblement. D'ailleurs, plusieurs participants sont « hors catégorie », ni juifs, ni chrétiens, ni musulmans, d'autres sont d'origine juive mais catholiques de religion, certains viennent de l'École de la Paix de Grenoble, d'autres sont francs-maçons... D'autres, encore, sont venus ensemble de telle ou telle ville de province, Juifs et Arabes mêlés, et leur sentiment d'appartenir à la vie d'une région compte autant, semble-t-il, que leur origine « ethnique ». L'avocat Maurice Halimi, ancien président de la communauté juive des Pyrénées-Orientales, et maintenant adjoint au maire de Perpignan, est venu avec Mourad Oubaya, conseiller municipal qui mène une action efficace dans les quartiers de cette ville. Clément Yana, président du CRIF Marseille-Provence, a rassemblé une délégation d'une quinzaine de juifs, musulmans et chrétiens de la région, animée par Xavier Nataf, qui participent au séminaire avec l'aide du Conseil général des Bouches-du-Rhône, dont le président, Jean-Noël Guérini, est un grand admirateur du curé de Nazareth. Marc Tenenbaum, médecin à Nancy, a voulu créer une délégation nancéenne après avoir lu l'Appel d'Émile dans *L'Est républicain*, et a entraîné avec lui, entre autres, un pasteur d'origine kabyle et un adjoint au maire de Nancy... Les origines et les appartenances s'enchevêtrent et multiplient les motivations.

À quoi servirait de s'attarder sur ces liens entrecroisés, qui peuvent signifier tant d'attachements affectifs de nature différente pour chacun : histoire familiale, choix personnel, religion, culture... ? Chaque être, en réalité, se situe au centre d'un réseau de solidarités complexes, qu'il serait inutile et même néfaste de vouloir démêler. Les familles religieuses se referment vite sur elles lorsqu'elles deviennent communautés, les groupes culturels déchirent le tissu social lorsqu'ils se transforment en tribus, les appartenances ont toujours tendance à glisser vers les « identités meurtrières », ainsi que le dit Amin Maalouf. La citoyenneté dépasse tous ces clivages et libère les individus de leurs multiples étiquettes. Il en sera beaucoup question au cours de ce séminaire.

155

Mais l'« esprit citoyen » peut aussi être une abstraction limitée au domaine des idées, incapable de mobiliser les âmes pour une entreprise aussi audacieuse. Aussi Émile Shoufani entend-il aller plus loin, créer un espace où chacun puisse se présenter à l'autre dans sa nudité essentielle. Une telle formule peut sembler relever d'un lyrisme de mauvais aloi, mais en réalité, on est ici loin des grands mots et des bons sentiments, chacun en fait l'expérience concrète. Tout se passe comme si nous avions constitué ensemble un laboratoire d'expérimentation de cette intuition d'ordre philosophique. Intuition très proche, encore une fois, et sans qu'Émile Shoufani ait jamais théorisé une telle proximité, de celle d'Emmanuel Lévinas lorsqu'il parle du visage : « Le visage est signification, et signification sans contexte. Je veux dire qu'autrui, dans la rectitude de son visage, n'est pas un personnage dans un contexte. D'ordinaire, on est un "personnage"... tout ce qui est dans le passeport, la manière de se vêtir, de se présenter. Et toute signification, au sens habituel du terme, est relation à un tel contexte : le sens de quelque chose tient à sa relation à autre chose. Ici, au contraire, le visage est sens à lui seul. Toi, c'est toi. [Le visage] est ce qui ne peut devenir un contenu que votre pensée embrasserait : il est l'incontenable, il vous mène au-delà... » L'appel du visage dans sa fragilité et sa hauteur renvoie à l'incommensurable. Dès lors, sans fusion ni confusion, l'être humain *voit* en autrui un autre être humain habité par l'Infini, expérience a priori banale mais en réalité rarissime, qui interdit tout retour à une négation de l'autre. « La relation au visage est d'emblée éthique, écrit Lévinas. Le visage est ce qu'on ne peut tuer, ou du moins ce dont le *sens* consiste à dire : "Tu ne tueras point[1]." »

---

1. *Éthique et Infini*, Fayard, 1982, p. 80-81.

De beaux visages, il nous en est arrivé aussi de Belgique : une quinzaine d'étudiants participent à ce séminaire, venus de l'Université catholique de Louvain-la-Neuve (UCL). Ils sont très jeunes, disponibles, enthousiastes, ils ne sont pour la plupart ni juifs ni arabes, et représentent plusieurs nationalités : canadienne, mexicaine, péruvienne, française, belge... Ce qui ne signifie pas qu'ils soient sans lien historique avec la Shoah – l'un d'eux, par exemple, est le petit-fils d'un richissime pronazi installé en Amérique du Sud, qui avait aidé des criminels allemands à échapper à la justice après la guerre. La préparation de ce voyage nous aura montré à quel point le souvenir terrifiant de l'événement Shoah, enfoui dans les non-dits familiaux, concerne une population immense, bien au-delà des parents de victimes ou de bourreaux connus...

Le groupe de ces étudiants de l'UCL est encadré par quatre enseignants, dont Gabriel Ringlet, le prorecteur de l'Université, qui fut à l'origine de cette extrapolation du mouvement en Belgique, et Bichara Khader, qui en a pris le relais. La participation de celui-ci est un symbole fort. D'abord parce qu'il est d'origine palestinienne, et que l'essentiel de sa famille vit encore à Zababdeh, l'un des villages des alentours de Jénine. Ensuite parce que cet éminent professeur, directeur du Centre d'études et de recherche sur le monde arabe contemporain à l'UCL, est membre du Groupe des Sages pour le dialogue des peuples et des cultures créé par Romano Prodi, le président de la Commission européenne. À travers lui, c'est donc un peu l'Europe qui est à nos côtés – et qui aidera d'ailleurs au financement du voyage. Mais surtout, Bichara est le frère de Naïm Khader, qui fut le représentant de l'OLP en Belgique pendant une dizaine d'années, et a été assassiné à Bruxelles en 1981. Naïm Khader, proche de Yasser Arafat, a joué un rôle capital dans l'histoire de l'OLP en l'orientant, dans les années soixante-dix, vers l'acceptation d'une coexistence future entre deux États, l'un israélien, l'autre palestinien. Il a été aussi le premier à établir des contacts, via certains Juifs progressistes de Belgique, avec le monde juif en général. Certes, son ami Marcel Liebman était un marxiste radicalement antisioniste, mais, à l'époque, le fait même d'avoir des liens avec des Juifs, et d'affirmer, comme le fit Naïm Khader, que « le conflit du Moyen-Orient n'est pas une guerre entre Juifs et Arabes », faisait scandale dans la direction de l'OLP. C'est d'ailleurs sûrement la raison de son assassinat... par les siens. Les deux frères étaient inséparables, et Bichara a participé à toute cette évolution dans le monde palestinien[1]. Aujourd'hui, après un quart de siècle, après Oslo « qui a rendu l'âme, broyé par les mensonges, la vengeance et la quête désespérée de victoires éphémères », Bichara Khader ressent dans l'initiative d'Émile comme un « parfum d'espérance ». « Israéliens et Palestiniens, dit-il, n'ont jamais fait preuve d'audace pour sortir de leur martyrologie, casser les représentations idéalisées, intégrer l'histoire de l'Autre, rencontrer sa souffrance, comprendre ses peurs. Ce sont deux peuples enfermés sur leur propre malheur, rivalisant pour monopoliser le statut de victime et dont le futur est pris en otage par une mémoire saturée. C'est pourquoi, conclut-il, je ne pouvais pas ne pas être de ce voyage. L'opposition légitime à la politique d'Israël actuelle ne doit jamais nous faire oublier que la Shoah a été la plus singulière des tragédies humaines. »

L'espérance au-delà de la haine, c'est aussi ce dont témoigne, pendant ce premier week-end de mai où nous sommes tous rassemblés dans ce séminaire, le fidèle Jean Lacouture. Après la « victoire » américaine en Irak et le sac du musée de Bagdad, il écrit dans sa chronique hebdomadaire sur le site internet du Parti socialiste : « On se prendrait à désespérer d'un avenir confié à de telles mains [celles des Américains

---

1. Cf. Robert Verdussen, *Naïm Khader. Prophète foudroyé du peuple palestinien (1939-1981)*, Le Cri, 2001.

et de Donald Rumsfeld, dont il vitupère la "fondamentale vulgarité"], si ne se manifestaient ici ou là des hommes et des femmes porteurs d'espoir. Telle cette initiative magnifique dans laquelle je me vois embarqué, et qui change pour moi la couleur du ciel (...) Le voyage aura lieu à la fin du mois de mai, quels que soient les développements que puisse prendre la guerre en Orient. Être associé à une telle initiative par un homme tel qu'Émile Shoufani m'émeut au-delà de toute expression. L'idée est sublime. Elle a suscité une vive sympathie en Israël et la participation arabe sera à la mesure de l'événement. Trop audacieuse pour ne pas troubler ceux-ci, irriter ceux-là ? Certes. Mais dans la terrible glaciation où s'enfonce le débat israélo-arabe (sinon judéo-musulman), ce trait de feu pourrait, d'un coup, remettre en jeu trop de certitudes ou de blocages... »

À la même date paraît dans *Esprit*[1] un article d'Ilan Greilsammer, universitaire israélien bien connu en France, sur les « usages politiques de l'histoire chez les Israéliens et chez les Palestiniens ». L'auteur de la *Nouvelle Histoire d'Israël*, qui avait défrayé en son temps la chronique en démythologisant l'histoire de la fondation de l'État hébreu et de ses premières guerres, argumente en faveur d'une historiographie qui ne serait plus, ni d'une part ni de l'autre, prise en otage par le combat politique. Et il termine son artide en citant l'exemple d'Émile Shoufani : « Pour la première fois, il s'agit vraiment de découvrir le vécu de l'autre dans son authenticité, de découvrir ce qui fonde historiquement l'identité de l'Autre : c'est à la fois un geste très courageux, digne d'admiration, et une raison d'espérer. »

---

1. *Esprit*, n° 294, mai 2003, p. 71-89.

IX

Mémoire et histoire

L'histoire entière du monde sommeille en chacun de nous.

Rûmî

Se rencontrer, pourquoi ? Bien sûr, pour dialoguer, se découvrir mutuellement, et aussi pour s'informer. Mais ne sommes-nous pas déjà *trop* informés sur la Shoah ? Depuis surtout les procès Barbie, Touvier et Papon, beaucoup de Français croient en savoir assez sur le sujet. Alors qu'ils sont saturés d'images violentes par leurs journaux télévisés, ils ne comprennent pas le pourquoi de ce « devoir de mémoire » que certains revendiquent. À la limite, ils trouvent inopportune, voire suspecte, l'insistance des hérauts de la mémoire concernant « toutes ces horreurs ». Le monde présent n'est-il pas déjà suffisamment barbare, que l'on aille sans cesse leur rappeler la barbarie absolue que fut le nazisme ? Et ne frise-t-on pas une complaisance quasi masochiste, quand on se repaît d'images, de livres et d'articles sur le plus noir de notre histoire ? Sentiment de trop-plein, d'envahissement qui peut même se retourner en ressentiment : au cours des dix dernières années, les actions d'organisations juives visant à obtenir

161

des dédommagements par les banques, États et grandes entreprises qui avaient profité du génocide sont apparues aux yeux de certains de nos contemporains comme excessives, vindicatives, relevant de l'acharnement judiciaire au bout d'un demi-siècle. Comme aurait dit un président de la République française, décoré de la francisque de Vichy et resté ami jusqu'au bout de l'ancien pourchasseur de Juifs René Bousquet : « Il est dangereux de remuer tous ces miasmes. » Surtout, la revendication juive concernant l'unicité de l'événement Shoah est souvent mal perçue, intervenant dans un océan de crimes dont beaucoup, après la seconde guerre mondiale, peuvent être qualifiés de crimes contre l'humanité, et dont quelques-uns relèvent du génocide. Quoi ! Ce peuple prétendrait au statut de super-victime, voudrait à tout prix conserver la première place sur le podium du malheur humain ? Après tout, l'Europe entière a souffert de la guerre...

Nous vivons donc une réelle crise de la mémoire, et c'est dans ce contexte que l'initiative d'Émile Shoufani, intitulée « Mémoire *pour la paix* », introduit une nouvelle approche.

Il faut d'abord constater que cette crise ne concerne pas seulement les populations issues de l'immigration. Les jeunes des cités réagissent souvent positivement lorsque des actions intelligentes tentent de les sensibiliser à la question de la Shoah : le rabbin Michel Serfaty, par exemple, organise avec des lycées de l'Essonne, chaque année depuis maintenant dix ans, des voyages en Pologne auxquels participent de nombreux élèves maghrébins – il nous fit d'ailleurs profiter de son expérience et de ses conseils en matière de pédagogie. Le Conseil général des Bouches-du-Rhône et d'autres collectivités locales ont aussi pris de telles initiatives avec des centaines de lycéens, dont une forte proportion était issue de l'immigration. Pour le soixantième anniversaire de la déportation des Juifs de France, Serge Klarsfeld a organisé dix-sept expositions dans les principales gares du pays, dont le programme s'étale de 2002 à 2004, et il constate : « Nous avons vu à Marseille, à Lyon, à Paris, des dizaines de milliers de visiteurs d'origine maghrébine témoigner le plus souvent d'une grande estime et d'une grande attention... Nous avons organisé avec le Conseil général du Rhône un voyage à Auschwitz pour cent quarante élèves de collèges de Lyon dont un tiers était d'origine maghrébine. Tout s'est déroulé dans le meilleur esprit[1]. » Déjà, en 1996, des jeunes d'origine arabe se trouvaient parmi la centaine de lycéens de Paris et de Drancy qui accompagnèrent Jacques Chirac dans sa visite d'Auschwitz... Bref, rien n'est impossible, et il n'y a pas lieu de désespérer de la réceptivité des jeunes, quels qu'ils soient.

Ne nous voilons pas pour autant la face : il est de plus en plus flagrant que, pour diverses raisons qu'il conviendrait d'étudier sérieusement – parmi lesquelles l'importation en France du conflit proche-oriental, l'occultation de la mémoire de la colonisation, etc. –, les modes traditionnels de transmission de la mémoire de la Shoah ne fonctionnent plus, notamment en milieu scolaire. Au cours des multiples échanges spontanés qui ponctuent notre séminaire de Paris, Marc Tenenbaum, médecin impliqué dans les échanges culturels à Nancy, en témoigne : « J'habite, par exemple, dans un quartier où vivent beaucoup d'immigrés, et dans le collège où étudient mes enfants, interviennent régulièrement d'anciens déportés sans qu'il n'y ait jamais eu le moindre problème. Or, l'an passé, les enseignants ont proposé d'aller visiter le camp du Struthof, seul camp de concentration en France. Eh bien, la totalité des enfants beurs du quartier ont refusé d'y aller, en disant que "ce n'était pas leur histoire". C'est consternant. Voilà des gamins que je connais individuellement, avec lesquels il n'y pas a priori de conflit, dont les parents ont souvent vécu en bonne entente avec les Juifs au Maghreb... Que s'est-il passé ? Cela ne sert à rien de les diaboliser, et de fantasmer sur la recrudescence de l'antisémi-

---

1. Entretien dans *Le Mouvement*, n° 106, avril-juin 2003.

tisme, qui est bien réel, je le reconnais, mais à laquelle il faut absolument répondre autrement que par des imprécations. Nous devons ensemble chercher les raisons de fond qui ont enrayé notre système de transmission, voilà la vraie question. » D'où son adhésion enthousiaste au projet du curé de Nazareth : « C'était pour moi comme une bouffée d'oxygène, explique-t-il. Le père Émile a eu une idée de génie en liant mémoire et paix, idée qui avait sûrement une pertinence pour le Proche-Orient, mais qui touche aussi en France au cœur du problème. »

Samir, d'origine algérienne, responsable des Jeunes musulmans de France à Bordeaux, a écouté attentivement le docteur nancéen. « Ces jeunes dont vous parlez, leurs parents ont aussi vécu une terrible souffrance qui n'a pas été reconnue, qui n'entre pas dans la mémoire collective. À quatorze ans, nous aussi, je le sais, nous aurions réagi en disant : "Non, ce n'est pas notre histoire." Depuis, j'ai appris que nos destins sont liés, vraiment étroitement liés. Nous avons également une histoire pleine d'atrocités. Il n'y a aucune raison pour qu'on ne soit pas sensibles à la souffrance des Juifs. Il n'y a pas de couleur dans la douleur. » Autour de la table du déjeuner que nous partageons, personne n'a demandé à Samir où il avait appris que « nos destins sont liés », lui qui n'est manifestement pas si éloigné de ses quatorze ans. Ce mode de pensée est-il à mettre au compte de l'enseignement de l'imam de Bordeaux, alliant tradition musulmane et culture de la citoyenneté ? Le même esprit, en tout cas, se devine dans les propos du frère de Samir, Fathi, expliquant la raison de sa présence : « Pour une fois qu'on nous propose une démarche à dimension internationale pour la paix, où l'on sera vraiment acteurs à part entière, je ne vais pas rater ça ! Et en revenant dans nos quartiers, ensuite, on pourra en faire profiter les autres. »

Mémoire pour la paix, donc, et non pour elle-même. Non, on n'a pas « trop parlé » de la Shoah en France, mais on a peut-être – avec les meilleures intentions du monde – cultivé la mémoire pour la mémoire, en pensant qu'elle se suffisait à elle-même, qu'elle ne donnait pas particulièrement à penser, mais simplement à frémir, à repousser avec dégoût le spectre de l'ignominie. Autrement dit, en la transformant en culte. C'est aussi la raison pour laquelle nous avons refusé le terme de « pèlerinage » : non seulement parce que nous ne voulions pas nous limiter au cadre interreligieux, mais parce que nous refusions d'ériger la mémoire du crime en « religion civile » – ce qu'elle est souvent devenue dans la plupart des États vainqueurs de la seconde guerre mondiale, ainsi qu'en Israël. Il n'était pas question pour Émile Shoufani de sacrifier à un rite commémoratif : la seule originalité de ce voyage aurait été, alors, d'y associer des Arabes, d'intégrer à une liturgie bien établie une population qui y était jusqu'alors étrangère. La belle affaire ! La finalité de l'événement aurait été bien limitée, et même ambiguë, s'il s'était agi de fondre cette altérité arabe dans le creuset d'un esprit consensuel. Le pèlerinage a ses codes, ses institutions garantes du bon ordre des choses, son sens préétabli. Il est censé entretenir une mémoire commune, mais il n'est pas sûr qu'il ne porte pas en lui le germe de l'oubli : les pèlerins veulent honorer ensemble une vérité donnée d'avance, mais la sacralisation du souvenir le tue à petit feu, en l'enfermant dans un rituel qui l'affadit année après année.

Face à cette inexorable perte de puissance du culte mémoriel, la tentation peut être d'en rajouter dans le volontarisme, de multiplier les mises en garde apocalyptiques et les promesses lyriques. Nous n'avons pas voulu non plus nous raccrocher aux poncifs si souvent entendus : « N'oublions jamais ! », « Plus jamais ça ! », *Never again !* Les points d'exclamation n'y peuvent rien : l'indignation ne peut trop longtemps se nourrir de sa propre émotion, elle glisse très vite dans le slogan et l'incantation convenue. Tôt ou tard vient le temps où le « Plus jamais ça » sonne creux et devient à la limite obscène, tellement il est évident que « ça » a recommencé – même si le génocide des Juifs d'Europe perpétré par les nazis demeure inégalé par ceux qui advinrent depuis. Tôt ou tard, le « N'oublions jamais » se révèle dans son absurdité anthropologique : la mémoire individuelle et collective, comme l'oubli, *ne se commandent pas*. Ils relèvent de processus psychiques et de conditions sociales que l'on peut éventuellement orienter, favoriser ou éviter, mais qui ne peuvent obéir totalement à des impératifs moraux. Ne pas oublier, oui. Mais surtout, ne pas oublier que d'autres « Plus jamais ça » sont venus s'ajouter au « Plus jamais ça » initial. Qui était censé être l'ultime. « La logorrhée n'exclut pas l'amnésie, tout comme la commémoration, un jour, peut devenir une parole morte », écrit Georges Bensoussan qui nous rappelait utilement, au cours de sa conférence à notre séminaire, qu'Edouard Balladur s'était rendu à Auschwitz pour y prononcer un vibrant « Plus jamais ça », au moment même où se commettait un génocide de plus au Rwanda, vis-à-vis duquel l'Europe et singulièrement la France étaient étrangement sourdes, muettes et aveugles...

La mémoire, au fond, ne mérite ce nom que si elle est mémoire vive, et donc subversive, politiquement et humainement : capable de bouleverser les valeurs sociales sur lesquelles nous fonctionnons habituellement, capable de « convertir » au sens propre, c'est-à-dire de retourner ceux auxquels elle s'adresse, pour qu'ils en viennent à penser et agir autrement. « Loin d'inciter à un ressassement complaisant du passé, le commandement du souvenir impose une conduite, a écrit Jean Halpérin. Prospectif bien plus que rétrospectif, il a une fonction pédagogique. L'oubli est démobilisateur, alors que la conscience aiguë de l'expérience collective est perçue comme source de sagesse, interpellation et appel à l'éthique et à la responsabilité. » Telle était bien la perspective d'Émile dès le début : mémoire *pour* la paix, orientée vers une prise de conscience qui change la vie, celle au moins des participants, auxquels reviendrait ensuite la responsabilité d'en témoigner.

Encore fallait-il définir le contenu de cette mémoire, savoir sur quels aspects de l'événement se centrer. Et surtout, tenter de comprendre ses racines, sa logique, son fonctionnement concret. Comprendre ? Oui, comprendre à l'aide des outils de l'histoire, « sinon la mémoire se perd dans la liturgie », comme le dit aux participants israéliens, lors de leur séminaire, Yehuda Bauer de l'institut Yad Vashem. Comprendre, c'est-à-dire comparer, refuser d'ériger la spécificité de la Shoah en axiome indémontrable, cheminer au contraire de comparaisons en comparaisons avec des historiens de haut niveau... pour découvrir ensemble que, oui, vraiment, il s'est passé là quelque chose d'unique dans l'histoire de l'humanité, une rupture inouïe. Mais aussi, au-delà de cette fracture inconcevable dans le tissu de l'évolution humaine, explorer les signes d'une montée progressive de la chosification de l'homme et du meurtre de masse – du Code noir de Colbert aux carnages massifs de la première guerre mondiale, en passant par le génocide arménien, le programme nazi d'élimination des handicapés, et tant d'autres faits. Analyser l'idéologie nazie, saisir les étapes de son emprise sur une société ô combien « civilisée », décrire les mécanismes qui ont permis de transformer des hommes « ordinaires » en acteurs d'un crime extra-ordinaire. Remonter jusqu'aux racines païennes et chrétiennes de l'antisémitisme, étudier sa modernisation et sa biologisation par le nazisme. Tenter de circonscrire la genèse de la Solution finale, le processus de sa mise en œuvre... et cependant, constater qu'elle échappera toujours aux moyens de la raison. De longues heures de conférences et d'entretiens très denses avec les historiens permettront aux participants de partir avec ces outils d'intellection précieux, même s'ils n'évitent pas le vertige qui saisit chacun devant l'exposition des faits.

La rencontre d'Émile avec l'historien Marcello Pezzetti, par l'intermédiaire du Dr Richard Prasquier, fut déterminante pour la définition du voyage lui-même. Pezzetti en était alors à son cent trentième voyage à Auschwitz – chiffre largement dépassé depuis, car il y accompagne régulièrement des voyages collectifs et y mène des recherches d'une précision certainement unique en Europe. Très vite, il est devenu pour nous « Marcello », avec sa gestuelle italienne, son grand rire généreux et sa passion communicative. Très vite, il fut évident que nous disposerions de son concours inconditionnel et continu, jusqu'au dernier jour du voyage. « Il est fou ! Complètement fou ! disait-il d'Émile Shoufani. Mais quand tout est bloqué, quand chacun est devenu autiste et n'entend même plus la question de l'autre... alors, pourquoi pas la folie d'un geste symbolique ? »

L'apport de Marcello Pezzetti à la démarche d'Émile tient en un mot : Birkenau. Birkenau est le lieu de l'extermination de plus d'un million d'êtres humains, des bébés jusqu'aux vieillards, par des moyens d'une modernité et d'une efficacité inouïes – et la quasi-totalité de ces êtres humains étaient juifs. Or la plupart des voyages organisés à Auschwitz à partir de l'Europe, des États-Unis ou même d'Israël se limitent essentiellement à la visite des bâtiments du camp d'Auschwitz I et du Musée international. En une courte journée, durée habituelle du séjour sur place, il est difficile d'en voir plus. Une petite proportion des visiteurs va jusqu'au monument international, aux crématoires et à la rampe centrale de Birkenau, mais ils sont généralement pris par le temps. Certains reviennent même en disant qu'il n'y a « rien à voir »... Ils oublient seulement que ce n'est pas ce qu'il y a à voir en ce lieu qui est le plus révélateur, c'est ce qu'il n'y a pas (plus) à voir.

Auschwitz I est un camp de concentration, un enfer où une somme de souffrances terribles saute aux yeux du visiteur, l'agresse et le terrifie. Mais il a existé et il existe d'autres enfers sur terre... Ce qui signe la singularité radicale de l'anti-sémitisme exterminateur des nazis, c'est cet espace presque nu de Birkenau, qui angoisse durablement plus qu'il n'épouvante dans l'instant. Birkenau est moins un enfer que le lieu d'une invention incroyable, impensable, et que beaucoup de contemporains de l'événement n'ont d'ailleurs pas crue possible : la déshumanisation poussée à l'extrême, avec au bout la fabrication industrielle du cadavre. D'autres lieux signent cette spécificité indéniable de la Shoah : Treblinka, Belzec, Sobibor, Chelmno, Maïdanek, camps d'extermination, alors que tous les autres sont des camps de concentration Auschwitz ayant la particularité, avec Maïdanek, et en dehors de ses dimensions gigantesques d'être un camp mixte où l'univers concentrationnaire (Auschwitz I) jouxte les usines de mort (Birkenau), avec, un peu plus loin, les camps d'esclavage (Buna-Monowitz).

Émile a très vite compris : c'est à Birkenau qu'il faut aller.

Et puisqu'il n'est pas question de ne pas voir aussi Auschwitz I, puisque Marcello lui dit qu'il faut du *temps* pour comprendre sur place les mécanismes de la mise à mort et de la réduction en cendres de milliers de personnes par jour, alors nous reviendrons deux journées pleines sur ces lieux. Car ce voyage ne se situe pas seulement dans l'ordre du symbolique, nous ne sommes pas là seulement pour dire plus tard que « nous en étions », nous voulons que ces visiteurs juifs et arabes mêlés touchent du plus près possible une réalité unique dont, en fait, on parle peu. En l'espace d'une conversation, le prêtre arabe a saisi le paradoxe de la mémoire de la Shoah : on croit qu'il y a saturation d'informations, et en réalité le « tumulte mémoriel » dont parlent certains tourne souvent autour de l'essentiel en évitant de l'atteindre. Car cet essentiel est trop sidérant pour laisser indemne, il inquiète en profondeur, il peut pousser à une déréliction désespérante.

Visiter des lieux de souffrances horribles est une chose – Émile en a fait jadis l'expérience à Dachau –, mais Birkenau, c'est le lieu de la *disparition*.

Birkenau, c'est la chosification de l'homme, la transformation massive d'un peuple tout entier en fumée et en cendres. C'est le vertige, le sol qui se dérobe sous les pieds. Émile pressent que cette « peur » au cœur du peuple juif, dont l'intuition lui a fait lancer toute cette démarche, trouve là son fondement. Voilà ce qu'il veut montrer à ses frères arabes, voilà ce que même ses amis communistes, Salem et Nazir, n'ont pas vu. Ils ont certes été formés dans la détestation du nazisme, ils ont été immunisés contre l'antisémitisme, mais leur approche du sujet dépendait de la vision soviétique – et polonaise – centrée sur la résistance, l'héroïsme, les luttes de libération. Pas sur l'abandon et l'impuissance totale de ces millions de victimes réduites à rien en quelques heures.

Les victimes intéressent peu, en général, les mémoires nationales, sauf si elles sont mortes les armes à la main, dans une geste capable de provoquer des transports collectifs, d'exalter les énergies. Mais des victimes qui ont « simplement » disparu, sans laisser de traces, sans se révolter – sauf quelques cas isolés – parce qu'il s'agissait de familles, d'enfants, de femmes et de personnes âgées, parce qu'elles ne savaient pas ce qui les attendait, parce qu'elles étaient épuisées, affamées, terrorisées, et pour mille raisons encore – ces victimes-là posent problème à la mémoire collective. À tel point qu'en Europe, autant que dans les pays de l'Est, on a longtemps passé leur disparition sous silence – elles étaient donc *deux fois* disparues, ainsi que l'avaient voulu les nazis. On évoque parfois le « mutisme des témoins » pour expliquer cette étrange absence des victimes du génocide dans les documents visuels, littéraires ou historiographiques autour des années cinquante. Mais ce mutisme n'avait pas seulement pour cause le traumatisme subi et la nécessité vitale de reconstruire une vie normale. Il était aussi dû à la surdité du monde. Le monde, bien sûr, parlait beaucoup des « camps ». Mais Buchenwald, Ravensbrück ou Bergen-Belsen, camps de concentration, étaient (et sont toujours) largement plus connus que Belzec, où cinq cent cinquante mille juifs au moins furent exterminés en quelques mois. Le mot « génocide » ne figure pas dans le jugement prononcé par le tribunal de Nuremberg. Et l'extermination des Juifs est à peine évoquée dans le film de Resnais et Cayrol, *Nuit et Brouillard*, réalisé en 1956...

Telle fut, pendant deux ou trois décennies après l'événement, notre mémoire européenne. Il a fallu attendre le choc du film *Shoah* de Claude Lanzmann, pour qu'à partir des années quatre-vingt la mémoire pratiquement sans témoins des lieux d'extermination soit explorée et considérée comme centrale. Et même en Israël, la « religion civile », centrée sur la Shoah, a souvent oublié les victimes elles-mêmes. La dénomination exacte du jour de commémoration de la catastrophe dit bien ce qui doit importer à la nation : *Yom HaShoah Vegvoura*, jour de la Shoah *et de l'héroïsme*. De même, la création en 1953 du mémorial de Yad Vashem correspondait à un élan national qui, autant sinon plus que la mémoire du génocide, réclamait celle des héros de la résistance juive, comme les combattants du ghetto de Varsovie. Les témoins du grand désastre, c'est-à-dire les survivants, furent d'ailleurs carrément oubliés dans le discours fondateur de cette institution, prononcé à la Knesset au printemps 1953 par un ministre de l'Éducation nationale qui était pourtant un professeur d'histoire [1]. Toute la société israélienne était alors orientée vers la construction d'un avenir, vers la défense du territoire,

---

1. Article de l'historienne israélienne Idith Zertal dans *Le Nouvel Observateur* hors-série sur « La mémoire de la Shoah », décembre 2003.

et le rappel de l'absolue faiblesse du passé aurait été inopportun...

Émile se rendra vite compte que l'accent mis sur Birkenau grâce aux précisions de Marcello Pezzetti – qui rejoignent les analyses de plusieurs chercheurs européens – a touché une sorte de point aveugle qui subvertit toute la vision israélienne de la Shoah, du moins telle qu'elle est orientée par l'État. Les témoins dans les séminaires de préparation en Israël, qu'ils soient rescapés ou des générations suivantes, mettront tous en évidence une saturation d'héroïsme, une immense lassitude devant le rappel incessant du devoir de puissance, une irrépressible envie de se libérer enfin de non-dits peu « glorieux » qui pèsent encore sur les familles. Parce qu'Émile avait su créer une confiance, une mémoire réprimée venait enfin au jour... devant et avec des Arabes. Les résistances des équipes de Yad Vashem, pourtant sincèrement désireuses de s'associer au projet, furent aussi significatives : résistances devant l'idée de centrer la visite sur Birkenau, devant celle de revenir deux jours sur place... et, comble de tout, devant la perspective d'aller découvrir des lieux extérieurs au camp « officiel », totalement abandonnés, que ces guides pourtant expérimentés et spécialisés ne connaissaient pas. Et il fallait que ce soit un Arabe, conseillé par un Italien, qui leur explique le caractère essentiel de ces lieux pour la mémoire des victimes ! Car c'était bien sur les victimes qu'Émile Shoufani voulait centrer ce geste de mémoire, en tentant de les rejoindre au plus près de leur insondable déréliction, ce que peu d'organisateurs du souvenir avaient fait avant lui.

D'où l'importance donnée aux témoins dans notre séminaire de Paris, comme dans ceux d'Israël. Henry Bulawko, le président de l'Amicale des déportés d'Auschwitz, Ida Grinspan, Magda Lafon, Irène Hajos, Yvette Lévy, Jules Fainzang pour les Français : j'aime à citer leurs noms, car s'ils témoi-

gnèrent douloureusement de l'expérience de la déshumanisation, ils se montrèrent aussi d'une extraordinaire vérité
humaine, qui disait par elle-même leur victoire sur les bourreaux. Leur fraternisation avec les jeunes musulmans, notamment, fut immédiate. Ils étaient venus en connaissance de
cause, car après des dizaines, des centaines de séances de
témoignage – qui sont pour eux autant d'épreuves –, ils ne
voulaient pas passer à côté de ce public ni de cette aventure.
Et le plus incroyable est qu'en dehors de leurs interventions
forcément bouleversantes, ils contribuèrent grandement à
mettre... de la joie dans cette assemblée cosmopolite. Certes,
le survivant Primo Levi le disait lui-même : « Nous, les survivants, ne sommes pas les vrais témoins... nous sommes ceux
qui, grâce à la prévarication, l'habileté ou la chance, n'ont
pas touché le fond... Les engloutis, même s'ils avaient eu une
plume et du papier, n'auraient pas témoigné, parce que leur
mort avait commencé avant la mort corporelle... Nous parlons à leur place, par délégation [1]. » Mais ces terribles paroles
ne sont pas à prendre, je crois, au pied de la lettre : elles sont
un hommage aux « naufragés », et leur vérité coexiste avec
celles des rescapés, qui peuvent se faire témoins vivants.

Témoins vivants furent Irène, Ida, Yvette, Jules et Magda,
qui donnèrent par la suite au voyage la tonalité humaine
voulue par Émile. Magda exprime ainsi le parcours qui va
d'une vie détruite par la mort à une vie habitée par la vie :
« La mémoire, *ma* mémoire, c'est pour moi un mot lourd de
sens... Il enferme des blessures d'humiliation, de haine, de
culpabilité, et une peur viscérale. Comment libérer cette
mémoire encombrée, douloureuse, de cet arsenal destructeur,
pour retrouver en moi cette puissance de vie qui m'a permis
de survivre et d'être là, avec vous, aujourd'hui ? J'ai senti
que ma mémoire était longtemps encore sous l'emprise des
bourreaux nazis et ne pouvait être libérée que par un travail

---

1. *Les Naufragés et les Rescapés*, Gallimard, 1989, p. 82-83.

sur moi, en reconnaissant, en revivant les blessures absorbées par ma peau. Ce chemin de pacification vers ma vie me permet de me dégager d'un poids immense, de me restituer tout doucement à mon histoire personnelle, à mon identité, et de toucher en moi la vie que je suis. Aujourd'hui, je ne me sens pas une victime de la Shoah, mais un témoin de la Shoah. Si je me sentais victime de la Shoah, je revendiquerais ma vie au lieu de la vivre. La question est : comment transmettre une mémoire douloureuse de façon à mobiliser chez chacun un appel à la vie ? Le danger serait d'enfermer la génération montante dans une mémoire uniquement douloureuse. La transmission, pour moi, est un appel à la vie, c'est-à-dire un appel pour chacun à reconnaître en lui son indifférence, sa blessure, sa violence, pour retrouver en lui sa force de vie. C'est en reconnaissant en nous ces réalités, et pas en les niant, que nous pouvons devenir pacifiés et pacificateurs, c'est à cela que ce voyage nous appelle. C'est peut-être ce que le rabbin Niessenbaum de Varsovie appelait "sanctification de la vie". »

Témoin vivant fut aussi Schlomo Venezia, ami de Marcello Pezzetti, et dernier survivant en Europe des *Sonderkommandos* – ces « équipes spéciales » de déportés qui étaient obligés de travailler dans les usines de mort. « Avoir conçu et organisé les équipes spéciales a été le crime le plus démoniaque du national-socialisme, écrit Primo Levi dans *Les Naufragés et les Rescapés*. Au moyen de cette institution, on tentait de déplacer sur d'autres, et spécialement sur les victimes, le poids de la faute, de sorte que, pour les soulager, il ne leur restait même pas la conscience de leur innocence[1]. » Vider les chambres à gaz après la mise à mort et brûler les cadavres détruit *tout* dans un homme. Schlomo avait à peine vingt ans... Restait encore l'échappatoire du suicide, est-on tenté de penser ? Mais « le suicide est un acte humain, et non ani-

---

1. *Ibid.*, p. 53.

mal, c'est un acte médité, un choix non instinctif, pas naturel, et, dans un *Lager*, il y avait peu d'occasions de choisir, on vivait comme des animaux asservis, auxquels il arrive de se laisser mourir mais qui ne se tuent pas[1] ». Primo Levi a des pages d'une humanité profondément troublante sur les *Sonderkommandos*, dans ce livre écrit quarante ans après Auschwitz. Répétant que « personne n'est autorisé à les juger », il décrit leur expérience comme le paroxysme de cette réalité d'Auschwitz qui anéantit l'âme.

Schlomo est cependant une énigme vivante, car son âme est sans haine, présente, disponible pour témoigner. Disponible aux Arabes comme aux autres, sans la moindre réserve. Durant toute la durée du voyage, il arborera le foulard bleu des scouts musulmans. Pourtant, ses yeux ont vu ce que jamais yeux humains n'auraient dû voir... « Normalement », ils devraient être vides, vidés de toute vie pour toujours. Pourquoi, en vertu de quelle puissance sont-ils redevenus si pleins d'humanité ?

---

1. *Ibid.*, p. 74.

X

La Shoah n'est pas finie (2)

> *Nous ne pourrons parvenir au but que nous nous sommes proposé que grâce à une alliance entre peuple instaurant une humanité vraie et qui aura l'audace de fonder les rapports de réciprocité entre peuples simultanément sur la liberté et sur la justice (Tsédeq).*

Martin Buber, 1944

Au cours du printemps 2003, parallèlement au travail de préparation qui s'accomplit en France, Émile, Ruth, Salem, Nazir et la douzaine d'autres organisateurs israéliens du voyage rassemblent les futurs participants lors de deux séminaires qui se tiennent à Tel-Aviv. Ils sont des centaines, ils arrivent de tout le pays, en groupes ou solitaires, résolus à dire leurs interrogations mais aussi à entendre celles des autres. Et, pour la première fois, à parler d'eux-mêmes à cet Arabe ou à ce Juif qu'ils ont parfois côtoyé, dans la vie quotidienne ou dans des associations pour le dialogue et la paix, mais qui reste souvent pour eux un étranger. Ils se saluent avec chaleur même quand ils ne se connaissent pas : *Marhabane, Ahlane ouashlane, Barouk Haba...* comme si le ciel de leurs relations s'était éclairci par le simple fait qu'ils ont décidé de venir. En réalité – et cette constatation a bien sûr quelque chose de paradoxal, compte tenu du contexte –, il est indéniable qu'ils se ressemblent. Ils se ressemblent avant tout par l'immense lassitude qu'ils éprouvent, les uns et les autres, face à une histoire devenue invivable ; ils se ressemblent par l'amour qu'ils portent à cette terre, même si c'est elle qui est l'objet de toutes ces déchirures ; ils se ressemblent par l'admiration qu'ils portent à Émile Shoufani, que tous, Juifs comme Arabes, appellent « Abouna » ; ils se ressemblent par leur détermination à essayer, coûte que coûte, « autre chose », après tant d'échecs et d'espoirs déçus...

Pourtant, ces citoyens d'un même État viennent d'horizons sociaux et politiques très différents. J'ai dit la diversité des Arabes impliqués dans l'aventure. Celle des Juifs présents n'est pas moindre, tant s'en faut : ashkénazes, séfarades, sabras (nés en Israël) et même plusieurs Français installés dans le pays depuis plus ou moins longtemps, comme Michal Gans, responsable du département international du musée Lohamei Haghetaot, et Claude Sitbon, président de l'association Israël-France, qui a mobilisé tout son réseau d'amis dans les deux pays. Bien sûr, on trouve là une majorité de laïcs qui pensent que la religion a pris une place invraisemblable dans la société israélienne – mais l'on voit aussi ici et là une longue barbe, une kippa, et même deux ou trois rabbins. Bien sûr, beaucoup ont le cœur à gauche, avec une longue histoire de militantisme pour la paix – mais Émile a tenu à convaincre des dizaines de Juifs de droite, puisqu'une majorité s'est encore prononcée dans le pays en février 2003 pour le Likoud. C'est vers eux qu'il faut aller, car rien ne changera tant que l'opinion publique juive regardera les Arabes avec la même défiance. Les clivages politiques, en réalité, sont de moins en moins nets dans ce pays où la distinction droite/ gauche n'a à peu près rien à voir avec ce que ces mots signifient en Europe, et notamment en France.

Émile a même obtenu l'impossible, une participation qui

scandalise certains mais à laquelle il tient absolument : celle du rabbin de la colonie d'Ophra, dans les Territoires occupés. Que vient faire ici cet homme, Avi Guisser, qui déclare « voir en Eretz Israël l'accomplissement du destin du peuple juif, y compris les territoires conquis pendant la guerre des Six-Jours » ? Une bonne partie des autres participants juifs souscriraient certainement à ce qu'a écrit sur la « drogue des implantations » l'un des plus grands écrivains du pays, Avraham B. Yehoshua : « L'État d'Israël ressemble à un drogué incapable de se libérer de sa drogue... Le rôle de la communauté internationale est ici primordial. Elle devrait, sûrement et fermement, aider les drogués des implantations dans leur cure de désintoxication [1]. » Émile Shoufani rejoint cette analyse en forme de diagnostic d'une pathologie, mais pour lui, l'exclusion et les imprécations ne déboucheront jamais sur aucune solution. Attitude étonnante pour un patriote arabe comme lui. On pourrait penser que Ruth Bar Shalev, qui est son relais avec le monde juif d'Israël, n'est pas pour rien dans cette position d'ouverture. Son père Motta Gur, en effet, qui était vice-ministre travailliste de la Défense à l'époque des accords d'Oslo, avait alors tout fait pour éviter la rupture entre Rabin et les colons... en vain, comme la suite le montra. Mais Émile n'est pas homme à se laisser influencer sur des questions aussi cruciales. S'il a fait ce choix d'élargir le dialogue jusque-là, c'est par conviction profonde, et il répète inlassablement qu'il faut « rejoindre les gens là où ils sont », leur parler, les écouter. Même les colons ? « Même les colons ! confirme-t-il. La plupart ne sont pas des imbéciles, et beaucoup seront un jour capables de comprendre qu'il faut partir, si on va vers eux pour leur expliquer, et s'ils peuvent eux aussi s'expliquer. Sinon, ce sera la guerre civile ! Il faut s'intéresser aux êtres, leur parler comme tels jusqu'au bout du possible, même si l'on sait et si l'on revendique, comme moi,

---

1. *Le Nouvel Observateur*, 14-20 août 2003.

que la paix implique forcément la libération des Territoires. »
Décidément, dans son genre, le curé de Nazareth est un radical : il a décidé d'appliquer ses principes jusqu'à leurs extrê-
mes limites.

J'aurais voulu ici parler de tous les autres, de Benny Pearl
le rabbin, fils d'une déportée, résolument à gauche et pacifiste, qui s'est retrouvé dans le premier tank pénétrant dans
Jénine lors de l'opération Remparts ; de Benny Chvili, l'un
des « jeunes loups » de la poésie israélienne, amoureux des
poètes soufis de l'Andalousie, qui déclarait : « Nous occupons
une terre qui n'est pas la nôtre, nous opprimons un peuple,
et si le monde, constatant le déséquilibre des forces, nous
renvoie une mauvaise image de nous-mêmes, c'est peut-être
justifié » ; de Léa Yaakovi, dont la mère rescapée aurait voulu
qu'elle fasse son premier voyage à Auschwitz sans ces Arabes ;
d'Adina Bar-Shalom, la fille de l'ancien grand rabbin Ovadia
Yossef, celui-là même dont j'ai dit plus haut les dérives racistes ; de Yossi Klein Halevi, journaliste et écrivain qui fit partie de la droite religieuse dure dans sa jeunesse à New York,
et qui aujourd'hui va prier avec les Arabes dans les mosquées
et les églises, en Israël et dans les Territoires ; d'Esther Golan,
dont les parents ont disparu dans la Shoah, et dont le petit-
fils a été tué à Jénine... le jour du Yom HaShoah ; de Bambi
Sheleg, éditrice du magazine *Un autre pays* ; d'Aryeh Amit,
ancien chef de la police de Jérusalem, qui est venu ici « apprendre qui sont les Arabes » auxquels il a eu affaire si souvent sans les connaître ; de Schlomo Elbaz, militant de
toujours du rapprochement israélo-arabe ; de Judith Pasternak, ancienne directrice d'école qui s'est donnée tout entière
pendant des mois aux côtés de Ruth Bar Shalev... De tant
d'autres encore, aussi singuliers dans leurs parcours les uns
que les autres. Singuliers et complexes : tous déchirés intérieurement par les événements actuels, qu'ils soient hyper-

critiques vis-à-vis du gouvernement, ou qu'ils considèrent qu'« on ne peut pas faire autrement ». Tous profondément remis en question dans leur vision de ce que doit être Israël, dans leurs convictions sur l'éthique juive. Tous poussés par une même motivation pour se retrouver face à Salem, Nazir, Soad et les autres... ou plutôt *avec* eux, pour la première fois.

Double motivation au fond : d'une part connaître ces Arabes et se faire connaître d'eux, d'autre part nettoyer des blessures trop longtemps délaissées. Blessures toujours vives, car leurs confidences montrent qu'Émile Shoufani avait vu juste : *la Shoah n'est pas finie*, elle hante encore non seulement les rescapés, mais aussi leurs héritiers de la deuxième et de la troisième génération. Ce qui se manifeste par un manque profond de confiance vis-à-vis du monde... et vis-à-vis d'eux-mêmes. Selon Ruth, « l'immense majorité des Juifs ne se sentent pas aimés, ce qui, quoi qu'ils en disent, induit le fait qu'ils ne se sentent pas aimables ». La proportion des personnes touchées de près par la Shoah – et par les séquelles récurrentes du traumatisme – est telle qu'elle a forcément un impact sur les réactions de l'opinion publique devant les événements.

Mais la place me manque pour dire la diversité de ces Juifs d'Israël, pleins de contradictions et d'humanité, terriblement las et néanmoins toujours accessibles à l'espérance. Et qui ne sont pas, en tout cas, ce qu'on en dit trop souvent en Europe. Plutôt que de les mentionner tous en quelques lignes, je préfère donner ici le bref portrait de trois femmes remarquables, qui ont choisi d'emprunter ce chemin de fraternité proposé par Émile Shoufani.

Que vient faire une femme officier supérieur de Tsahal, l'armée israélienne, dans ce voyage pour la paix ? Est-elle venue espionner les participants juifs et arabes ? À l'évidence, les services secrets israéliens emploient en général des moyens plus subtils ! Est-elle sincère dans cette démarche qui l'obligera à côtoyer quotidiennement tant d'Arabes ? Veut-elle se donner bonne conscience, face à des actions militaires qui depuis deux ans la mettent mal à l'aise moralement ? Non, cette battante réputée pour son optimisme à tout crin est venue, elle aussi, dans l'espoir d'une guérison collective. Pour elle, il s'agit surtout de guérir de la Shoah.

C'est peut-être parce que son père avait été soldat dans l'armée américaine, au temps de la seconde guerre mondiale, que Timna Smuli a choisi la carrière militaire. Cette option n'était en tout cas pas dictée par une quelconque idéologie guerrière : elle n'est pas douée pour la haine, ne vibre pas particulièrement au son des fanfares ou à la vue des médailles. Pour elle, Tsahal devrait s'en tenir à la fonction que définit son nom, acronyme de *Tsva Haganah Le Israel*, « Force de défense israélienne », et Israël devra apprendre tôt ou tard à vivre avec ses voisins. Après son service militaire, Timna a longtemps hésité sur son orientation, elle a entamé successivement des études d'art et de géographie, avant de poursuivre en psychologie, pour se spécialiser dans les sciences du comportement social. Aucune vocation militaire particulière, donc. Finalement, avec une maîtrise en développement d'organisations, elle est entrée dans l'armée où elle dirige, avec le grade de lieutenant-colonel, l'école de cadres par laquelle doivent passer tous les gradés de Tsahal, du sergent au plus haut officier. Première femme à commander cette institution, venue elle-même d'une unité non combattante, elle se retrouve avec des stagiaires qui sont tous des hommes issus d'unités combattantes. On mesure les préjugés et les obstacles auxquels elle a dû faire face... Mais ces épreuves n'ont pas été les plus difficiles de sa vie. Derrière la femme volontaire, « libérée », avec une mentalité de gagneuse, se dissimule une souffrance intériorisée, l'immense nostalgie d'une enfance que la Shoah, qu'elle n'a évidemment pas connue directement, a pourtant irrémédiablement saccagée, comme une bombe à retardement.

Sa mère, Betty Cohen, est née en Hollande en 1931 ; son père, Raphy Smulinievitch – nom qu'il a écourté en Smuli –, est né en 1924 dans une famille d'immigrants russes qui se sont installés aux États-Unis. Ils se sont connus en Israël. Pendant la guerre, lui servait dans la Navy, et elle a vécu un peu la même histoire qu'Anne Frank : de l'âge de neuf ans à l'âge de onze ans et demi, elle a vécu avec ses parents et sa sœur cadette cachée dans un grenier. Son père – le grand-père maternel de Timna – était riche avant guerre, il possédait une usine métallurgique. Les nazis lui ont proposé de l'épargner contre son usine, il a alors demandé que toute sa famille soit sauvée, mais n'a obtenu un répit que pour sa femme et ses enfants, ce qui leur a laissé le temps de se cacher... Le reste de la famille a été assassiné.

Un drame dont la mère de Timna est restée profondément perturbée. Pendant très longtemps, elle n'a parlé de rien à ses filles, le sujet était tabou. « La télévision était éteinte pendant Yom HaShoah, raconte Timna, elle ne voulait pas entendre parler de "ces choses-là". Mais lorsqu'elle a commencé à parler, elle ne s'est plus arrêtée. Pour nous, enfants, nous subissions les contrecoups de son traumatisme. Ma mère n'a pas véritablement été une mère pour moi : elle ne savait pas ce que c'est qu'être mère, la sienne n'avait pas eu le temps de le lui transmettre. J'ai grandi dans une maison où, lorsqu'une voiture passait dans la rue durant la nuit, ma mère se réveillait en sursaut. Encore aujourd'hui, si je vais la voir le soir, il faut impérativement que je téléphone pour l'en avertir. Et lorsque je lui ai demandé récemment la liste des victimes de la famille (pour la lecture des noms qui devait avoir lieu à la fin du voyage), après m'avoir livré les premiers noms dont elle se souvenait immédiatement, elle a passé des jours et des jours à faire des recherches pour me trouver les autres : ce fut pour elle une véritable plongée en enfer. Elle est marquée à jamais, et elle ne peut en sortir. Mes parents, par exemple, n'ont jamais acheté de produits allemands. J'ai de très jolies serviettes de table fabriquées en Allemagne. Eh bien, lorsque mes parents viennent dîner chez moi le vendredi soir, machinalement, sans rien dire, ma mère les retourne sans arrêt sur son assiette pour voir l'étiquette...

« Quand je suis née, continue Timna, j'étais la première petite-fille de mon grand-père maternel, qui n'avait pas immigré en Israël après la guerre et se trouvait toujours en Hollande. Il était alors très malade et a insisté pour que ma mère fasse le voyage. Elle l'a fait, elle m'a présentée à lui à l'hôpital, il m'a embrassée et il est mort. » Lui dont toute la famille avait été annihilée voulait sûrement toucher des lèvres, avant de mourir, le signe vivant de sa descendance... Le signe de la vie qui avait vaincu malgré tout.

Le traumatisme de cette génération d'enfants des enfants cachés est d'une telle profondeur qu'il est difficile à déterminer. La sœur de Timna, par exemple, a rêvé d'endroits et de personnes qu'elle ne connaissait pas, même pas par ouï-dire, et lorsqu'elle les a décrits à leur mère, celle-ci les identifiait très précisément comme ceux de sa Hollande natale. Cette sœur, selon Timna, « vit au jour le jour avec la Shoah », elle est devenue une grande spécialiste de l'histoire de l'art juif (après la chute du Mur, elle a été demandée dans toute l'Europe de l'Est pour expertiser des synagogues), puis elle s'est reconvertie dans l'enseignement de l'hébreu aux étudiants venant de l'étranger. « Elle a réagi en se centrant sur la mémoire juive et le passé. Moi, la Shoah me pousse vers l'avant. »

À l'évidence, Timna a brillamment réussi socialement. Mais lorsqu'on lui demande pourquoi elle n'est toujours pas mariée, elle répond : « Une de mes sœurs non plus, celle qui s'est spécialisée dans l'histoire juive... C'est peut-être à cause de la Shoah... Je préfère ne pas m'étendre sur le sujet. » Pourtant, elle a une petite fille de six ans qu'elle élève seule, dont

184

elle avoue qu'elle ne l'avait pas « programmée », et elle ajoute sur un ton tout aussi énigmatique : « Lorsque je me suis retrouvée enceinte de cet homme que je ne voulais pas épouser, je me suis dit qu'il y avait peut-être là comme un signe du destin... » Et si l'on insiste sur cette idée, après un long silence, Timna avoue : « Notre famille est issue des marranes, notre arbre généalogique remonte à six cents ans. Après l'expulsion des Juifs d'Espagne en 1492, une partie s'est installée à Amsterdam, une autre en Indonésie. Nous avons traversé les guerres et les pires catastrophes, mais toujours, à chaque génération, quelqu'un a survécu pour continuer. En fait, poursuit-elle, je crois que mon parcours est très marqué par la Shoah, mais cela se manifeste par des attitudes dont moi seule connais la raison. Par exemple, je gagne bien ma vie mais je n'ai jamais été riche, je suis même toujours dans le rouge à la banque. Il faut que je dépense, que je profite de la vie, je multiplie les voyages et les fêtes, car au fond de moi, je ne sais pas de quoi demain sera fait, qui sait s'il n'y aura pas une autre Shoah ? Au contraire de ma mère, qui entassait des quantités démesurées de nourriture à la maison – ce qui rendait mon père fou car cela provoquait beaucoup de gâchis –, moi je n'ai pas de garde-manger, je vis au jour le jour. »

Qu'est-ce qui a conduit cette militaire de haut rang – fonction qui lui interdit toute adhésion politique – à s'investir dans le projet lancé par Émile Shoufani ? Sa première réponse spontanée est : « Ruthy est ma meilleure amie. » Elle veut parler bien sûr de Ruth Bar Shalev, dont le père Motta Gur lui a « appris à comprendre certaines choses », lorsqu'elle travaillait dans les unités Douvdevan. Une vision de la vie, une manière d'envisager l'avenir : « Nous sommes ici, en Israël, et nous allons y rester. Il nous faut donc apprendre à vivre avec les autres, et dans cette relation, même si ce qui nous est arrivé dans le passé n'a pas d'équivalent dans l'histoire de l'humanité, nous avons aujourd'hui notre part de responsabilité. » Le projet lui a parlé immédiatement parce qu'il était d'initiative arabe, et parce qu'il ne faisait aucune comparaison entre la Shoah et ce que vivent les Palestiniens. Sa sœur, très engagée à gauche, n'y a pas participé pour la raison exactement inverse : elle ne concevait pas qu'on n'y parle pas de Jénine.

La petite fille de Timna n'est pas non plus pour rien dans sa décision d'accompagner les Arabes à Auschwitz. À six ans, elle lui pose déjà beaucoup de questions pendant le Yom HaShoah, et le problème de la transmission de la mémoire va bientôt se poser à Timna dans toute son acuité. Mais quelle mémoire ? « Un jour, raconte-t-elle, je me trouvais à Jérusalem avec la petite, et nous allions vers le Kotel [le mur occidental, ainsi que le nomment les Israéliens, qui ne parlent jamais de mur des Lamentations]. Je lui montrais, au-dessus du mur, le dôme du Rocher, avec sa coupole dorée. "Pourquoi ils font les beaux avec leur or ? me demande-t-elle. Nous, on a un Kotel tout simple !" Et elle m'a demandé ensuite si les Allemands, comme les Palestiniens, voulaient s'emparer de notre terre... Vous voyez l'ampleur de la tâche ! »

Malgré sa détermination, Timna est « morte de peur à l'idée de ce voyage ». D'abord, bien sûr, parce qu'il va la plonger au cœur de cette tragédie familiale dont elle a tant de mal à parler. Et il y a cet étrange compagnonnage avec les Arabes. N'a-t-elle pas confiance en Émile Shoufani ? La question n'est pas là : « Il me semble simplement que, malgré toutes les bonnes volontés du monde, un étranger ne peut pas comprendre cela, Auschwitz... Voyez-vous, je suis allée voir la pièce *Un homme fils de chien* avec Ruthy et le père Émile. Devant moi, il y avait un groupe d'Arabes se préparant à participer au voyage. Adorables, au demeurant. Mais c'était plus fort que moi, je ne pouvais pas m'empêcher de penser : comment pourraient-ils comprendre ce que je ressens en ce moment ? Il y avait dans cette pièce une vieille femme qui s'en prenait avec démence à une poupée – on lui avait pris son bébé juste après l'accouchement, et on l'avait tué. Qui, sinon un Juif, pourrait saisir ce qui se passe en moi, qui ai vécu avec une mère dépressive passant ses journées au lit, éclatant en sanglots ou se mettant à hurler sans raisons apparentes ?... Moi, dans ces périodes de crises, je quittais la maison, j'allais dormir chez une copine. Aujourd'hui encore ma sœur me reproche parfois cette réaction de fuite, alors que j'aurais peut-être pu rester pour la protéger. Mais mon instinct de survie me disait qu'il fallait que je préserve ma propre santé mentale... Car j'étais dans l'impossibilité morale de lui en vouloir en raison de ce qu'elle avait vécu, mais justement, c'est bien cela le dilemme insupportable pour un enfant : souffrir, et être "obligé" de passer outre, à cause de cette excuse absolue qu'est la Shoah !.... J'ai tenté d'expliquer tout cela à Nazir, l'administrateur du groupe arabe, mais peut-il vraiment comprendre, ce qui s'appelle comprendre ? »

On est là dans le domaine de l'irrationnel, et le lieutenant-colonel s'étonne elle-même d'être impuissante face à ce « poids obscur » qu'elle porte en elle. Son travail consiste pourtant à aider ses stagiaires à verbaliser, à transformer leurs sentiments en concepts pour pouvoir garder la distance nécessaire à l'action... Mais quand il s'agit d'elle-même, de son intimité si bouleversée par l'idée même de ce voyage, le sol se dérobe sous ses pieds. La peur, cependant, n'entame pas son enthousiasme : « Je pense que nous nous engageons là dans un processus qui nous dépasse. Cette démarche conduira à coup sûr à des changements, mais je ne sais pas comment et je ne sais pas lesquels. Ce sera peut-être un pas vers la paix. »

La paix... Encore faudrait-il que les Juifs d'Israël y soient prêts. Et c'est là précisément ce qui fait douter Timna de l'avenir : « Je pense que les Arabes commencent tout juste à comprendre ce qui se passe chez nous. Quant aux Juifs d'ici, peut-être se feront-ils à l'idée qu'ils n'ont plus le choix, qu'ils doivent s'intégrer dans la région. Mais je continue de penser que nous n'avons pas encore acquis l'humilité suffisante pour vivre et partager un certain nombre de choses avec les peuples environnants. » L'humilité... Étrange vertu mise en avant par une militaire ! Mais Timna insiste : « Oui, je crois que nous manquons de modestie pour simplement accepter la paix. Peut-être faudra-t-il que nous souffrions encore plus, pour comprendre que nous n'avons pas le choix. Je parle sérieusement, je me prends parfois à penser qu'il nous faudra encore un désastre. Et si c'est le cas, je sais d'où il viendra : de nos religieux orthodoxes, qui prennent l'expression "peuple élu" au sens le plus arrogant du terme. J'en suis persuadée depuis vingt ans, depuis le jour où, me promenant en jupe dans Méa Shéarim [le quartier de Jérusalem qui est devenu le fief des orthodoxes], je me suis fait coincer tout d'un coup dans une ruelle par plusieurs jeunes hommes qui se sont mis à m'insulter et à me cracher dessus. Je n'ai dû mon salut qu'à un chauffeur de camion qui passait par là... Il n'y avait aucune provocation dans mon habillement, j'étais seulement une femme seule marchant dans la rue, en jupe et en chemisier – ce n'est d'ailleurs pas mon habitude, mais il se trouve que j'allais m'inscrire en fac au ministère de l'Éducation, et que le chauffeur de bus m'avait déposée une station trop tôt. Je suis encore hantée par ce souvenir, j'étais tétanisée... Dès que j'ai pu reparler, j'ai appelé ma mère et lui ai dit : "Maintenant, tu pourras me dire ce que tu voudras, mais je sais que nous sommes comme tous les autres peuples, et qu'il y a des fous dangereux parmi nous qui attirent la haine sur nous. Tu as fui la Shoah, tu es venue en Israël, tu as fondé une famille, et voilà comment on traite ta fille !" »

L'emprise du religieux sur la vie sociale et politique, tel est le danger primordial pour la paix, aux yeux de cette laïque modérée et tolérante, mais qui entend bien que l'on tolère sa sensibilité. « Je ne roulerais pas un jour de shabbat en voiture avec la radio à fond dans un quartier religieux, mais je veux que l'on me laisse libre de vivre selon mes convictions. Que l'on me laisse, même le shabbat, faire mes courses, aller au cinéma ou me bronzer sur la plage ! » Ici, la religion est trop souvent synonyme de haine et de guerre : guerre intestine en Israël où des religieux veulent imposer leur loi à tout le pays, et guerre contre les Arabes, eux-mêmes aux prises avec leurs fanatiques. La fin de cette seconde guerre, selon Timna, ne sera possible que lorsque cessera la première : « Si nous voulons être mûrs un jour pour la paix, conclut-elle, il faudrait d'abord qu'il y ait la paix entre nous. »

Liav Hertzman, elle, insiste sur le manque d'information des Juifs sur le monde et la culture arabes, lacune qui va de pair avec un clivage au sein même de la société israélienne, entre Juifs ashkénazes et Juifs séfarades. Cette jeune femme de vingt-trois ans à peine, qui vit à Tel-Aviv, mène un double cursus d'études en orientalisme et en communication, tout en travaillant dans une société israélienne de télévision par satellite. Elle y gère les achats de programmes, importe des films et des séries du monde entier. Sa préoccupation majeure, en tant que jeune citoyenne, c'est la communication entre les cultures, seule voie possible pour sortir du cycle infernal de la violence. Et puisqu'elle est juive, c'est la connaissance et la pénétration du monde arabe qui l'intéressent. Elle ne comprend d'ailleurs pas que les jeunes de son âge n'aient pas tous, loin s'en faut, le même désir de rencontrer ces Arabes avec lesquels les générations précédentes n'ont pas su s'entendre depuis maintenant un siècle. « Il faut être deux pour danser le tango, se plaît-elle à répéter. Il faudrait qu'un Juif israélien, à l'âge de dix-huit ans, ait vu d'autres Arabes israéliens que les ouvriers en bâtiment qui travaillent pour son père, d'autres Palestiniens que les terroristes dont on montre les portraits à la télé, après qu'ils se soient fait exploser dans une cafétéria pour tuer le plus possible de Juifs. »

Malgré son âge (elle sera la plus jeune participante israélienne au voyage), Liav n'en est pas à sa première expérience de rencontre avec cet Autre inconnu et inquiétant que la plupart des jeunes de sa génération continuent d'ignorer. À quatorze ans, déjà, elle faisait partie d'une délégation nommée Seeds of Peace (« Les semences de la paix »), un groupe de jeunes Juifs d'Israël qui étaient allés aux États-Unis pour y rencontrer des Arabes de leur âge. En 1996, le même groupe avait été reçu par le roi Hussein de Jordanie, et en 1998, une sorte de grande « négociation » israélo-palestinienne avait été organisée entre jeunes des deux bords. Au bout de plusieurs jours de réunions, ils avaient réussi à s'entendre autour d'un « accord de paix », qu'ils avaient ensuite présenté à leurs gouvernements respectifs. Sans suite politique, bien sûr... Les « semences de la paix », pour croître et devenir fécondes, ont besoin d'être nourries, protégées et entretenues. Et qui pourrait jouer ce rôle envers la jeunesse, quand les générations plus âgées et les responsables politiques semblent avoir définitivement démissionné de leur rôle d'éducation à la paix ?

Néanmoins, Liav ne regrette pas cette expérience qui fut pour elle cruciale. C'est d'ailleurs ce premier contact qui l'a déterminée à prendre, parallèlement à ses études en communication, et malgré la surcharge de travail, des cours d'orientalisme qui lui donneront accès à la langue arabe. Comment cultiver, en effet, une véritable relation d'échange quand les jeunes Arabes d'Israël parlent un hébreu souvent impeccable, alors que la quasi-totalité des jeunes Juifs est incapable d'aligner une seule phrase correcte en arabe ? Les conversations et les rencontres (comme celles qu'organise Émile Shoufani depuis quinze ans entre son école de Nazareth et l'école de Jérusalem) ont forcément lieu en hébreu. Mais qu'on le veuille ou non, il y a là un déséquilibre. Que l'idiome dominant de l'État hébreu soit employé par tous, au cours de ces débats trop rares encore qui peuvent avoir lieu dans le pays, cela n'est pas vraiment un sujet de polémique : après tout, ils sont tous, Juifs ou Arabes, des citoyens israéliens. Mais le problème de fond, c'est que ce fait dénote un manque d'intérêt pour la culture, pour l'être arabes. L'ignorance se double même souvent d'un manque de considération et de respect, contre lequel s'insurge Liav Hertzman : « Quand on pense qu'ici, entre deux Juifs parlant hébreu, la plupart des injures sont proférées en arabe ! C'est détestable. » Avec les Palestiniens des Territoires, les contacts ont lieu en anglais, mais cet usage d'une tierce langue n'est pas moins problématique sur le plan de la communication : comment avoir accès à la richesse, à la profondeur, à la singularité de l'autre, lorsque les mots employés sont des mots étrangers, qui ne valent que par leur utilité fonctionnelle ?

Pour Liav, qui a fait partie des Jeunesses du Parti travailliste avant de s'éloigner de tout engagement partisan (au point de ne pas avoir voté aux dernières élections), cette question culturelle est *la* question du pays, qu'aucun responsable politique n'a jamais prise au sérieux. Elle traverse même la société juive dans sa sociologie profonde, car malgré tous les discours et l'accès de nombreux Séfarades aux postes de responsabilité, la domination ashkénaze demeure dans la culture et les institutions. C'est une jeune Ashkénaze qui parle, et qui refuse cette amnésie officielle vis-à-vis des origines de toute une partie de la population juive d'Israël : « Dans mon lycée (et cela ne date pas d'il y a vingt ou trente ans, mais d'hier !) le yiddish était obligatoire, alors qu'une bonne moitié des élèves était séfarade. Pourquoi n'y enseignait-on pas le ladino, par exemple, et pourquoi en cours d'histoire ne nous parlait-on que des pogroms d'Europe et de la Shoah, jamais de la condition des Juifs séfarades ? » Toute la question est que l'histoire de ces communautés qui ont cohabité avec le monde musulman pendant au moins treize siècles renvoie forcément à des interrogations sur l'identité arabe et celle de l'islam. Et cette problématique, personne, ni les Ashkénazes ni même les Séfarades qui ont souvent quitté ces terres d'islam dans des circonstances douloureuses, ne tient à l'aborder de front. Elle remettrait peut-être en cause une certaine vision du monde en noir et blanc, dans laquelle l'Arabe joue le mauvais rôle. « Que savons-nous, interroge Liav, de l'Âge d'or de l'Espagne musulmane, de tous ces Juifs qui ont occupé les plus hautes fonctions auprès des sultans, de ces grands intellectuels, poètes ou philosophes comme Maïmonide, qui écrivaient en arabe avec des lettres hébraïques ? Que savons-nous de cet empire ottoman qui a pourtant régné ici durant des siècles, sur cette terre où nous vivons aujourd'hui ? Rien, nous ne voulons pas le savoir ! On a moins de problèmes avec les Turcs qu'avec les Arabes, mais on ne va surtout pas s'intéresser à eux sérieusement : si on va à Istanbul, c'est pour y faire du shopping ! » Or, si elle est persuadée qu'Israël pourrait énormément apporter à cette région du Proche-Orient par son savoir-faire économique, par son sens de la modernité et de la liberté : « Culturellement, affirme Liav, c'est nous qui avons beaucoup à apprendre. »

Liav est une révoltée, une militante résolue. Mais loin des grandes théories politiques auxquelles, à vingt-trois ans, elle ne croit déjà plus, elle cherche moins à changer le monde qu'à changer les mentalités dans son entourage quotidien. Ou plutôt, elle a compris que la première mutation, celle de la paix, ne pourra advenir que lorsque la deuxième aura eu lieu. L'échec de l'élan pacifiste des années quatre-vingt-dix est passé par là, il a marqué son adolescence au fer rouge, c'est à partir de lui qu'elle tente de reconstruire son action citoyenne de jeune adulte. « J'ai compris cela, explique-t-elle, le jour où, voulant retrouver un jeune Arabe qui vit à Jérusalem-Est et qui passait à Ramat-Gan, j'ai proposé à mon petit ami de l'époque de m'accompagner. Il n'avait *jamais* rencontré d'Arabe. Et il fallait voir comme il était dans tous ses états, angoissé à l'idée d'avoir à lui parler ! Nous, cela faisait plus d'un an que nous ne nous étions pas revus, alors c'étaient les grandes retrouvailles. Mais lui est resté figé pendant toute la rencontre, tétanisé, ne sachant quel sujet aborder... Le comble a été atteint lorsqu'il s'est agi d'aller ensemble acheter des cigarettes, dans la voiture de mon petit ami... Il a tout fait pour éviter ce moment de promiscuité ! Nous en sommes là, vraiment. À force d'être obsédés par les problèmes de sécurité, nous sommes devenus incapables d'avoir une conversation normale avec un Arabe, même si nous ne le soupçonnons d'aucune intention agressive. Et puis il y a ce complexe de supériorité vis-à-vis des autres, renforcé par notre amitié avec les Américains qui ont le même complexe, qui se prennent pour la lumière du monde et ne comprennent pas que d'autres cultures existent. Tant que nous persévérerons dans cette voie, nous demeurerons dans l'impasse. »

Mais une brèche s'est ouverte dans cet horizon désespérant, le jour où sa mère l'a amenée avec elle pour participer au premier séminaire de préparation du voyage. Liav a alors pris conscience de ce « point aveugle » qu'est la Shoah dans l'âme israélienne, et qui explique en partie ces attitudes qu'elle critique si sévèrement. Point aveugle, oui, car malgré tout ce que l'on a pu dire et écrire sur l'enseignement de la mémoire qui se pratique en Israël, voire sur la récupération nationaliste de cette mémoire par l'État hébreu, le fait est là : l'omniprésence de la Shoah dans l'aire publique n'empêche pas qu'elle soit encore souvent un sujet quasi tabou dans les familles. « Mes grands-parents, raconte Liav, ont survécu à la Shoah, mais toute leur famille a disparu dans la tourmente. Je l'ai toujours su, mais chez nous, on n'en parle jamais : la chose a eu lieu, inutile de s'étendre sur le sujet. Formée, si l'on peut dire, dans et par ce silence familial, j'ai toujours

cru qu'il fallait l'interpréter comme le résultat de notre victoire : depuis que nous avions un État à nous, nous devions
en conclure que le traumatisme était derrière nous, et ne pas
nous laisser aller à ressasser nos malheurs passés. Jusqu'au
jour où, à ce séminaire judéo-arabe, j'ai entendu ma mère
parler devant tous, pour la première fois, de son traumatisme
personnel. J'ai compris alors que, pour beaucoup d'Israéliens,
il ne s'agit pas d'un événement passé, mais d'une souffrance
du présent, qui influence leur vie de tous les jours. Tout ce
que je reprochais au militarisme israélien a pris ce jour-là
pour moi une autre tournure : je continuerai à le combattre,
mais j'ai pris conscience de ses racines profondes, qui vont
plonger jusque dans l'expérience de la terreur. »

Révélation pour la jeune militante : elle qui se dit patriote
tout en revendiquant le droit de critiquer les travers de son
pays, elle qui se vit « plus comme israélienne que comme
juive » parce qu'elle veut regarder vers l'avenir d'une nation
plus que vers son passé religieux ou traumatique, elle vient
de toucher du doigt une réalité dont elle ne soupçonnait pas
l'existence : décidément, ce passé ne passe pas, et les gens
autour d'elle, malgré la dureté de leurs discours, ont peur.
Plus encore, ils ont peur d'avoir peur : l'angoisse toujours
non dite qui les tient est celle de se retrouver un jour, comme
il y a soixante ans, en situation de faiblesse absolue, seuls face
à un danger pire que la mort : l'anéantissement.

Liav est ainsi venue à Mémoire pour la paix non par l'effet
du charisme personnel d'Abouna – elle ne le connaissait pas
et se souvient seulement de lui avoir un jour serré la main –,
mais tout naturellement, parce qu'elle a saisi le lien entre la
paix pour laquelle elle militait et le travail de mémoire très
original qu'il propose : un travail *collectif*, partagé avec ceux
qui, normalement, auraient dû être les derniers auxquels
auraient pu se confier des Juifs. « C'est la première fois que
je rencontre quelqu'un qui cherche à répondre à la racine du
mal : la peur. Il a fallu que ce soit un non-Juif, et qui plus

194

est un Arabe, qui nous mette le doigt sur cette plaie ! Cela donne toute la dimension de ce projet de voyage : ce mal nous mine, nous empêche d'avoir la force de vivre avec d'autres peuples. » Le pari, à l'évidence, n'est pas gagné d'avance : au cours de son expérience avec le groupe Seeds of Peace, une visite commune avait été organisée au musée de l'Holocauste de Washington. Elle se souvient : « J'ai vu de jeunes Palestiniens de quatorze ans comme moi, devant de grandes photos de la Shoah, qui ne comprenaient rien à ce qu'ils avaient sous les yeux... Par réaction, ils se sont mis à ricaner, et vraiment, j'en ai été très blessée. » Ces réactions dérisoires et insupportables montrent bien que tout tient dans la préparation d'une telle expérience. Précisément, la méthodologie conçue par Émile Shoufani tend à éviter ce danger de la pure émotivité, qui peut prendre des formes aussi paradoxales qu'outrageantes.

Jusqu'à l'Appel d'Émile Shoufani, Ruth Ben David faisait partie de ces rescapés qui ne sont *jamais* allés visiter Auschwitz. « Si loin que je me souvienne, témoigne son fils Yahel, elle était contre ce genre de voyages, elle ne comprenait pas pourquoi les jeunes générations devraient apprendre les faits au pied des fours crématoires. » Surtout, elle ne partage pas le culte de l'héroïsme, voire l'idéologie nationaliste qui accompagnent souvent ces voyages commémoratifs en Israël. « Il y a quelque chose de faux dans ces délégations », affirme-t-elle. Elle comprend bien qu'après des siècles de malheurs, l'État hébreu ait eu besoin de héros et de mythes, car « on ne pouvait pas se permettre de pleurnicher ». Mais, c'est plus fort qu'elle, elle ne peut que rester en retrait, elle tient à garder son esprit sceptique et critique vis-à-vis de toute exaltation collective. Même lorsqu'il s'agit, par exemple, de vanter la résistance des combattants du ghetto de Varsovie, dont l'importance a été, à ses yeux, « montée en épingle ». Elle a conscience, dit-elle, de faire partie de ceux que Ben Gourion appelait les « facteurs asociaux », ces Israéliens qui ne participaient pas aux grands élans de fierté nationale, qui demeuraient en marge de l'enthousiasme sioniste. Mais elle est comme ça, et ne peut s'empêcher de penser que toute politisation de la Shoah conduit inéluctablement à sa banalisation.

Pourtant, le jour où Ruth a pris connaissance dans le journal *Haaretz* du projet des Arabes israéliens, elle n'a pas hésité une seconde : « Avec eux, je veux y aller ! » Gabi, son mari, qui a été le premier à lire l'article sur Émile Shoufani, le lui a passé sans rien dire. « J'étais absolument sûr de sa réaction », dit-il. Elle a malgré tout pris l'avis d'un autre rescapé, qui comme elle n'était jamais retourné à Auschwitz, et lui a expliqué l'initiative du curé de Nazareth. Sa réaction l'a confortée : « Il a tapé du poing sur sa cuisse et s'est écrié : "Comme ça, oui ! Il faut y aller !" » D'où procède donc ce sentiment d'évidence ? Cette femme qui a longtemps milité dans le groupe de dialogue judéo-arabe Guesher (« Le pont »), qui rencontre encore des Palestiniennes de Ramallah au sein du groupe Bat Shalom (« Fille de la paix »), qui vote pour le Meretz – un parti réputé plus progressiste que le Parti travailliste –, cette femme qui croit encore dans la gauche « même si la gauche ne croit plus en elle-même », serait-elle sujette à un sursaut d'utopie ? Pense-t-elle vraiment qu'elle va contribuer à reconstruire les espérances du début des années quatre-vingt-dix ? Non, lorsqu'on lui demande ce qu'elle attend de ce voyage, sa réponse est sans équivoque : « *Gurnicht !* s'exclame-t-elle en yiddish. Rien ! Rien de rien ! » Et puis elle vous regarde droit dans les yeux et ajoute avec fermeté : « *Je tente ma chance.* J'avoue que j'ai en moi quelque chose comme une espérance qui s'est réveillée, mais je ne saurais mettre des mots sur ce sentiment inconnu. Voyez-vous, un ami arabe m'a raconté que depuis qu'il participe à ce projet, pour la première fois de sa vie, il a respecté la minute de silence quand toutes les sirènes du pays se sont mises à hurler le jour de Yom HaShoah. Moi, j'ai fait de même le jour de la Nakba. Comment vivre avec l'autre ? Voilà la seule question qui m'intéresse. Dans le cadre de la préparation du voyage, nous avons visité ensemble le site de Tsipori. J'ai observé les Arabes du groupe pique-niquer sur cette terre d'où les leurs ont été expulsés, et je me suis dis : "Tiens, ils aiment aussi cette terre." Il fallait que j'en sache plus, c'est ce qui me pousse à aller jusqu'au bout de ce projet. »

En réalité, Ruth Ben David n'est pas là par hasard, cela fait plusieurs années qu'elle s'est persuadée de l'importance de la mémoire de la Shoah dans le dialogue judéo-arabe. Cette nécessité lui est apparue précisément le jour où elle a participé à une manifestation arabe après le massacre de musulmans perpétré en 1994 à Hébron par l'extrémiste juif Baroukh Goldstein. « Le soir même, se rappelle-t-elle, nous sommes allés regarder ensemble ce qu'en disait la télévision. J'étais la seule Juive. Un député travailliste, Abraham Burg, racontait comment sa famille, lors du pogrom d'Hébron de 1939, où c'étaient des musulmans qui avaient massacré des Juifs, avait été sauvée par une famille arabe. Dans notre auditoire, tout le monde se félicita de ce témoignage qui rappelait la possibilité d'une solidarité entre nous, face aux extrémistes de tous bords. Et puis apparaît le président de la Knesset, Shevah' Weis (aujourd'hui ambassadeur d'Israël en Pologne), qui se met à évoquer la Shoah dont il est l'un des rescapés. Alors tous mes amis arabes commencent à s'énerver, en grommelant : "Mais qu'est-ce qu'il a, celui-là, à nous ramener encore la Shoah !" Je me suis levée et leur ai dit à tous : "Voyez-vous, si je suis là aujourd'hui, solidaire avec vous, c'est précisément parce que je suis une rescapée de la Shoah." J'ai compris ce jour-là que sans cette transmission de la mémoire, la paix n'avait pas la moindre chance d'advenir. »

Transmission à double sens, car Ruth s'est aussi mise depuis longtemps à l'écoute de la parole arabe sur la Nakba. Elle ne veut pas seulement lire les livres des « nouveaux historiens » israéliens, qui ont mis en évidence dans toute son ampleur la violence faite aux Palestiniens lors de la guerre de 1948, brisant les mythes nationaux et se permettant d'explorer certains faits jusque-là totalement tabous. Elle veut surtout connaître de la bouche des Arabes eux-mêmes leur mémoire et leur expérience. Car, répète-t-elle souvent, « pour nous, Juifs d'Israël, l'Arabe, c'est l'Autre de Lévinas ».

Le nom du grand philosophe français ne vient pas sur ses lèvres seulement pour sa pensée centrée sur la relation à l'Autre. Ruth Ben David a une autre raison d'être attachée à Lévinas : les parents du philosophe se trouvaient avec elle et sa famille dans le même ghetto de Kovno, en Lituanie. Elle n'était alors qu'une toute petite fille et ne les a même pas connus, mais cette proximité n'est pas pour elle théorique, elle la vit comme un legs, en même temps qu'une responsabilité. L'histoire de Ruth, comme de tout rescapé, est celle d'une « chance inouïe » – relativement, bien sûr, à l'énormité du nombre des victimes : la chance d'avoir pu être exfiltrée du ghetto deux semaines avant sa liquidation. Mais à l'origine, elle est aussi celle d'une malchance non moins inouïe : elle est née en 1936 à Tel-Aviv, et ce n'est que quelques mois plus tard que ses parents ont décidé de se rendre en Europe, d'où ils n'ont jamais pu revenir. « Ils me racontaient que nous étions partis momentanément d'Israël pour que mes grands-parents me connaissent, mais j'ai su ensuite qu'il s'agissait pour eux de trouver du travail, les conditions de vie en Palestine étant très difficiles. Tout cela devait être provisoire, mais les Russes ne nous ont pas laissés quitter la Lituanie. Puis les Allemands sont entrés dans Kovno le 22 juin 1941. Nous avions des papiers anglais, puisque la Palestine était sous mandat britannique, et mes parents ont couru de consulat en bureaux divers pour tenter de partir. Mais nous étions coincés ! Le pire, c'est qu'entre l'arrivée des Allemands et la fermeture du ghetto, le 15 août, les Lituaniens ont massacré les Juifs qui, comble de l'absurde, en étaient parfois réduits à supplier les soldats allemands de les sauver ! C'est ainsi que mon grand-père a été assassiné, et que trente mille Juifs sont entrés d'eux-mêmes dans le ghetto, croyant y être un peu plus en sécurité. » La Shoah n'est pas seulement l'histoire de la mise à mort d'un peuple, elle est aussi celle de son abandon *total* par les autres peuples. Le ghetto de Kovno a été liquidé par les nazis en juillet 1944, quinze jours seulement avant la libération de la ville. « Les nazis n'avaient plus d'argent pour faire la guerre, conclut Ruth, mais assez pour déporter les Juifs. »

Les membres de la famille de Ruth ont tous été assassinés, mais elle ne peut se résoudre à dire qu'ils sont morts : « Ils ont disparu », dit-elle. Elle vient juste d'apprendre la date du décès de son père, après l'avoir cherchée par tous les moyens et avoir finalement payé les services d'une enquêtrice. Cette date, qui lui permettra peut-être de faire le deuil, elle l'apprend donc au moment même où elle prépare ce voyage qu'elle avait toujours refusé, au moment où elle s'engage avec des Arabes dans un geste collectif dont elle pressent qu'il est digne de lui. L'humanisme de son père, qu'elle relie aujourd'hui à celui de Lévinas, tient tout entier dans cette histoire qui l'a poursuivie toute sa vie : « Tous ceux qui l'ont connu l'ont décrit comme un "prince". Il m'a prise avec lui un jour où il allait à une réunion des dirigeants du ghetto. Nous n'allions plus à l'école car les nazis, pour atteindre leurs quotas, déportaient des écoles entières. Je l'attendais donc dans la cour de l'immeuble, en jouant avec des vers. J'avais cinq ou six ans, c'était un jeu connu des enfants, on les coupait avec un couvercle de boîte de conserve, et ils continuaient de vivre et de se tortiller. Ça nous plaisait, car ça signifiait que la mort n'était pas forcément la fin... Je jouais donc, et soudain je ressens une présence derrière moi. Je me retourne, et

199

je vois mon père dans l'escalier. Son visage était blême : sa fille martyrisait des vers ! Il m'a dit : "Même les vers sont l'œuvre de Dieu." Il n'était pas croyant, pourtant... Mais ce respect absolu de la vie n'a pas cessé de me hanter, et je suis restée incapable de haïr. »

XI

Dans la « petite prairie aux bouleaux » [1]

> *Cela n'aurait jamais dû arriver. Et par là, je ne parle pas du nombre de victimes. Je parle de la fabrication systématique de cadavres... Auschwitz n'aurait pas dû se produire. Il s'est passé là quelque chose que nous n'arrivons toujours pas à maîtriser.*

> Hannah Arendt,
> entretien à la télévision allemande en 1964

Lundi 26 mai 2003, après-midi

Cracovie, ville de prestige et de culture. Cracovie, son château royal dominant la Vistule, sa cathédrale gothique du XVIᵉ siècle, dédiée à Stanislas, saint patron de la Pologne. Cracovie, sa place du Grand Marché, l'une des plus vastes et des plus belles de toute l'Europe... C'est dans ce joyau du sud de la Pologne, qui fut la capitale du pays durant trois siècles et abrite les tombeaux d'une foule de rois et de personnages célèbres, que les cinq cents participants arrivent par vagues successives, de Paris, Bruxelles et Tel-Aviv. Les cars

---

1. Titre du beau film de Marceline Loridan-Ivens (2003), ancienne déportée à Birkenau.

sillonnent les quartiers de la ville, chacun s'arrêtant au gré de l'inspiration de son guide. Dès notre arrivée, j'ai compris que je ne pourrais avoir qu'un aperçu parcellaire de cet événement. Car il se passe exactement ce que voulait Émile : depuis le voyage en avion déjà, les personnes se découvrent et se parlent, au-delà de leurs appartenances. Dans les interstices de notre programme, quelque chose d'essentiel se produit, et des dizaines de moments intenses m'échapperont forcément. Les groupes se croisent parfois autour du cimetière juif ou d'une ancienne synagogue, et l'on sent déjà qu'une solidarité les relie : leur tourisme passe délibérément à côté de « ce qu'il y a à voir » dans la ville pour se concentrer sur le vide qui l'habite, celui des dizaines de milliers de disparus qui constituaient plus du tiers de sa population avant guerre.

Il fallait avoir un aperçu de cette splendeur séculaire pour comprendre à quel point la Shoah est intrinsèquement liée à la culture européenne. Cracovie est bien une perle de *notre* civilisation, l'Europe orientale n'est pas l'Asie, et nous sommes ici chez nous, au pays de Copernic, de Chopin et de Jean-Paul II. Cette perle a été rendue *judenrein*, nettoyée de toute présence juive en l'espace de quelques mois, cataclysme qui ne fut pas le fait de barbares venus du bout du monde. Ici, les merveilles d'architecture, les chefs-d'œuvre des musées et les manuscrits enluminés des bibliothèques participent de notre pensée, de notre sens de la beauté. Ici, au moment même où s'imposent l'admiration et l'émotion esthétique, on comprend mieux qu'il y avait quelque chose de pourri dans la vision du monde dont nous avons hérité, puisqu'elle a permis *cela*.

Cela, c'est-à-dire ce ghetto dont certains d'entre nous vont visiter l'emplacement, à un kilomètre à peine de la place du Grand Marché, ce ghetto où fut regroupée toute la population juive de la ville à l'arrivée des nazis. Rien à voir avec les quartiers juifs que nous avons parcourus en centre-ville,

riches jadis de dizaines de synagogues, de commerces floris-
sants et d'une vie culturelle intense. Pourquoi ce déplacement
de seulement quelques centaines de mètres, alors que l'occupant aurait pu garder sous la main, en ville, des dizaines de
milliers de Juifs incapables de s'enfuir ? La réponse tient en
un mot : la gare. La création du ghetto est la première phase
de l'extermination. Séparer les Juifs du reste des Polonais,
qui dès lors pourront faire semblant de ne rien voir ; les affa-
mer dans un espace réduit à l'extrême ; les tenir à disposition
à proximité du réseau ferroviaire, comme un stock de mar-
chandise prêt au chargement.

Tandis qu'un car d'Israéliens visite une ancienne pharma-
cie transformée en musée, située aux limites du ghetto et
dont le gérant non juif aida de nombreux internés, nous nous
dirigeons vers le pied d'une grande falaise. Cet immense obstacle naturel est celui du haut duquel, dans le film *La Liste
de Schindler* de Spielberg, Arthur Schindler observe la liquidation du ghetto de Cracovie. Me reviennent en mémoire la
violence inouïe des images, et la petite fille au manteau rouge
qui marche dans les rues, seul repère de couleur dans une
scène d'horreur en noir et blanc. La Shoah n'est pas l'anéantissement de six millions de Juifs – cela, c'est la vision nazie
de l'événement. Elle est la transformation en choses, en
« morceaux » (*Stück*, dans la terminologie des assassins) destinés à la destruction, d'*un* vieux rabbin érudit, d'*une* mère de
famille, d'*une* jeune mariée, d'*un* bourgeois du centre-ville de
Cracovie, d'*une* vieille mendiante... six millions de fois. Six
millions de crimes singuliers, dont celui de cette petite fille
au manteau rouge. Elle a vécu ici, peut-être dans cette école
que l'on nous montre, et qui regroupait des centaines d'enfants du ghetto. Sur les murs de l'école, quelques graffitis
récents en polonais. Je me les fais traduire, l'un d'eux signifie : « Les Juifs, dehors ! »....

Pendant ce temps, en centre-ville, un groupe d'Israéliens
pénètre dans une ancienne synagogue où un film et une

exposition rappellent la vie des communautés d'autrefois. Cette synagogue fut jadis une importante *yeshiva* (école talmudique) sous la direction du Rema, acronyme de Rabbi Moshé Isserles, l'un des grands décisionnaires de la Loi. Un religieux, Ouriel, se met en tête d'apprendre à ce groupe le chant typiquement hassidique du rabbin Carlebach de Cracovie. Ibrahim, Lofti et deux Bédouins de la tribu de Azma dans le Néguev, tous musulmans, sont les plus enthousiastes pour chanter. Toute l'après-midi, dans le bus et dans les rues, Ibrahim continuera à murmurer cette mélodie.

Pendant ce temps, le car où se trouve Daniel Farhi, notre rabbin libéral, est parti visiter un « petit camp » de travail, Plaszow, aux portes de Cracovie. Aujourd'hui, il n'en reste qu'un site sur une colline engazonnée où, la chaleur aidant, des Polonais en maillots de bain et en tenues printanières prennent le soleil et pique-niquent. Ici périrent quinze mille Juifs, mais seuls un édicule et deux stèles, loin de la route et peu visibles du public, en rendent compte. Le guide polonais, lui, connaît bien le caractère particulier du lieu, puisque c'est la raison qui lui a fait conduire son groupe sur place. Cela ne l'empêche pas, en toute innocence, de proposer à ses « clients » de s'asseoir sur l'herbe verdoyante pour pique-niquer tranquillement. Évidemment, bien qu'assoiffés et affamés, les visiteurs refusent... On comprend bien qu'il soit difficile de vivre au quotidien dans un pays où chaque ville, chaque petit bourg est truffé des vestiges de l'horreur. Une population tout entière peut-elle supporter le poids d'un tel souvenir à chaque coin de rue ? Non, bien sûr, ce serait là une exigence inhumaine et mortifère, mais entre la nécessaire mise à distance du passé et son occultation mêlée de ressentiment, le pas est souvent vite franchi... Nous serions cependant mal placés, nous Français, pour faire la leçon aux Polonais : combien de temps avons-nous mis pour seulement signaler correctement aux passants l'emplacement des camps de Pithiviers, de Gurs et de tant d'autres lieux de la « France des camps [1] », combien de temps pour dire leur rôle et celui du Vél' d'Hiv dans l'histoire du génocide ? La Shoah n'est certes pas le crime collectif de l'Europe, elle est le crime de *certains*. Mais parce que ces certains furent extraordinairement nombreux – beaucoup plus nombreux qu'on ne l'a dit après guerre –, parce que l'idée d'en assumer une part de responsabilité est terrifiante pour tous, tous, ou presque, ont la tentation d'oublier. Les commémorations et les monuments n'y changent pas grand-chose, qui focalisent et circonscrivent l'émotion du souvenir pour mieux ménager la quiétude du quotidien.

Arrive le moment où tous les participants se regroupent dans la seule synagogue encore en activité de Cracovie. On la nomme le « Temple », et son aménagement intérieur la fait effectivement ressembler à un grand temple protestant, avec ses riches boiseries et son orgue superbe. La rigueur du lieu se marie à la magnificence, d'autant que sa rénovation est toute récente – au temps de l'occupation, les Allemands l'avaient transformée en écurie militaire. Pour un peu, on croirait que cet immense espace impeccable et sacré a été aménagé tout exprès à notre intention. Beaucoup d'entre nous, notamment parmi les musulmans, mettent pour la première fois les pieds dans une synagogue. Aucun ne se fait prier pour mettre la kippa que le gardien leur distribue à l'entrée, certains peinent à l'accrocher sur leur crâne, plaisantent entre eux en s'entraidant. La dextérité pour mettre la kippa, c'est un des rares signes qui permettent de distinguer, dans cette foule bigarrée, les Arabes des Juifs – encore le critère est-il aléatoire, certains Juifs non religieux étant particulièrement gauches à cet exercice... On parle français ou hébreu, et je prends la mesure de cette réalité de la langue qui nous fera forcément vivre, Israéliens et Européens, des

1. Cf. Denis Peschanski, *La France des camps. L'internement de 1938 à 1946*, Gallimard, 2002.

expériences différentes. Quelques jeunes Français maghrébins échangent avec les Arabes israéliens de chaleureux *Salamou alikoum*, mais rares sont ceux qui peuvent aller plus loin...

Avec les journalistes, nous sommes presque six cents personnes à nous presser sur les bancs et sur la coursive en hauteur. Les cameramen prennent leurs marques, un faisceau impressionnant de micros-perches entoure l'estrade où va intervenir celui que tous attendent. Dans un intense brouhaha, les discussions vont bon train. Abd al Malik, le rappeur des cités de Strasbourg, interroge deux jeunes Juifs avec lesquels il a sympathisé dans l'avion, à propos d'un renfoncement vitré qu'il a remarqué dans le mur du fond. Il apprend avec surprise que cette cavité indique la direction symbolique de Jérusalem, exactement comme dans une mosquée un renfoncement similaire indique la direction de La Mecque. Cette correspondance les réjouit, et il leur raconte alors que le premier jour où il a voulu se rendre à la mosquée de Strasbourg, avec son ami Majid qui est aussi parmi nous, ils s'étaient perdus dans les ruelles autour de la cathédrale, et avaient dû demander leur chemin à un passant : le premier qu'ils avaient rencontré était un Juif loubavitch, qui les avait regardés, interloqué, croyant à une plaisanterie. « Oui, conclut-il, c'est à un Juif que j'ai demandé le chemin qui m'a conduit à ma conversion à l'islam, cela me préparait peut-être à me retrouver aujourd'hui avec plus de deux cents musulmans dans une synagogue ! »

Le tonnerre d'applaudissements, lorsque Émile Shoufani monte sur l'estrade, semble parti pour durer une demi-heure... On crie de joie, on pleure, on veut célébrer la victoire inouïe que représente déjà le fait d'être réunis ici, dans ce lieu jadis souillé par les nazis et aujourd'hui rendu à sa dignité. À partir de cette minute, les Arabes qui sont venus de France, de Belgique et d'Israël ne sont plus seulement des Arabes, ni même les représentants du monde arabe dans son rapport avec les Juifs et le judaïsme, mais ils incarnent l'humanité entière réagissant à un crime contre elle-même dont les Juifs furent victimes. Les premières paroles d'Émile renforcent ce sentiment d'une union devenue indéfectible : « Soyez les bienvenus dans ce lieu de paix ! » C'est donc un Arabe et un prêtre qui accueille des juifs, des musulmans, des chrétiens et des non-croyants dans une synagogue devenue universelle : tous sont ici chez eux. Et pour faire bonne mesure, il traduit lui-même sa bienvenue en hébreu et en arabe, comme il le fera tout au long de ces quatre jours. Les participants entendant soit l'hébreu, soit le français, il aurait pu s'abstenir d'une traduction en arabe. Mais non, il tient absolument à ce que chaque parole résonne aussi dans la langue du Maghreb, des voisins d'Israël et du culte musulman.

Émile donne la parole à Marcello Pezzetti, pour qu'il explique à tous l'originalité du parcours qui sera le nôtre, et il le traduit. C'est alors qu'il appelle à lui, un à un, les rescapés d'Auschwitz. Certains de ces témoins ne connaissent pas encore Émile. Tel Schlomo Venezia, dont je n'oublierai jamais l'expression, au comble de l'émotion, lorsqu'il monte les quelques marches pour tomber dans les bras du prêtre. Schlomo a toujours dans le regard, même quand il sourit, un fond d'inextinguible tristesse. À bientôt quatre-vingts ans, en cet instant de fraternité, une fragile étincelle d'espérance s'est allumée dans ses yeux. Des amis juifs me diront plus tard qu'ils ont ressenti à cet instant la *Shekhina*, la présence divine...

« La mémoire blessée de "nos" témoins est une mémoire incroyablement vivante, tout orientée vers le partage, me dira Abd al Malik à la fin de la rencontre. Elle me renvoie irrésistiblement à la signification première du *dhikr*, la remémoration du nom de Dieu que nous pratiquons dans les confréries soufies. » L'ami juif qui nous écoute lui répond qu'on retrouve ce sens du « souvenir » de Dieu dans la racine hébraïque ZKR, proche du mot *dhikr*, qui revient très souvent dans la Torah. Et le jeune musulman d'enchaîner : « En nous souvenant ensemble de l'inhumanité absolue, nous nous souvenons ensemble de l'urgence de l'Amour. C'est comme cela que nous avons quelque chance de guérir. Notre sagesse nous dit : "Si tu se souviens de l'Amour, l'Amour se souviendra de toi." »

Mémoire et histoire : les témoins et l'historien seront les véritables guides de notre cheminement. La présence du curé de Nazareth, elle, se fera de plus en plus transparente : à partir de cette assemblée inaugurale dans la synagogue, on ne l'entendra plus très souvent, il fera plutôt parler les uns et autres en les traduisant lui-même. Les participants lui vouent une telle gratitude qu'il aurait pu monopoliser l'attention et la parole. Mais il a tout organisé pour éviter ce piège d'un vedettariat qui serait encore plus indécent en ces lieux. Après les interminables discussions que nous avons eues pendant des mois, en France et en Israël, pour faire en sorte de se retrouver ici tous ensemble, l'heure n'est plus aux discours, mais au silence et à l'écoute.

Mardi 27 mai, matin

« Nous sommes ici sur la *Judenrampe*, la rampe ferroviaire où sont arrivés tous les déportés depuis le début et jusqu'au printemps 1944, date à laquelle les nazis ont imaginé de faire une déviation qui pénétrait directement à l'intérieur de Birkenau, pour plus d'efficacité. La plupart des convois français vers Auschwitz, notamment, sont arrivés ici. » Marcello Pezzetti hurle presque, traduit par Émile en hébreu, il fait de grands gestes avec les mains pour se faire comprendre de la centaine de personnes qui les entourent – Français, Belges, Juifs et Arabes israéliens mêlés. Nos douze cars ne pouvant accéder à la petite route qui nous a menés ici, ils nous ont déposés à quelques centaines de mètres, et tout le long de la rampe, les guides de Yad Vashem répètent à d'autres groupes

208

ce que Marcello leur a appris. Car ces guides, spécialisés dans l'histoire d'Auschwitz et de la Shoah, connaissaient à peine l'existence de ce lieu, et n'y étaient *jamais* venus. « Cet endroit oublié de presque tous est pourtant le plus important dans la mémoire d'une grande majorité des rescapés, explique Marcello. C'est ici, sur ce quai qui longe la voie, qu'ils ont vu pour la dernière fois leurs proches. C'est ici que s'opérait la sélection : les jeunes, les bien portants, ceux qui étaient aptes au travail devaient rester sur place avant d'être conduits à pied au camp. Tous les autres, plus de 85 % de chaque convoi, femmes, malades, enfants et vieillards pour la plupart, montaient dans les camions soi-disant pour leur éviter de marcher. En fait, ils étaient directement menés aux chambres à gaz, et étaient assassinés dans les heures qui suivaient. Cette sélection concernait exclusivement les convois de Juifs, la sélection signe la spécificité de la Shoah. Et voyez l'état de ce lieu, qui est situé en dehors du périmètre protégé du camp ! »

En effet, l'endroit est dans un abandon total. De hautes herbes, de celles que l'on trouve dans les terrains vagues, ont envahi les voies. Des pilleurs ont descellé des rails et des traverses – savaient-ils à quoi cette rampe avait servi ? Ici, la nature a repris ses droits, selon l'expression courante... et ceux des victimes sont oubliés. Pendant que parle Marcello, à une cinquantaine de mètres, passe en grinçant horriblement un long et vieux train de marchandises. Il ressemble à s'y méprendre à ceux dans lesquels furent entassés des millions d'êtres humains, la seule différence est qu'il est tracté par une locomotive électrique. Il n'en finit pas de passer et me rappelle cette nuit infernale que j'ai vécue, il y a quelques semaines, lors de notre voyage de préparation avec Émile, Marcello et le Dr Richard Prasquier. Nous étions logés dans le seul hôtel correct de la ville d'Oswiecim (nom polonais d'Auschwitz), le Globo, sinistre bâtiment de facture soviétique situé tout près de la gare. De la fenêtre de ma chambre, j'avais longuement observé, dans la nuit et le brouillard, un défilé incessant de wagons dont les roues crissaient lugubrement sur les rails. Aujourd'hui, le train tente de se faire discret pendant que notre foule recueillie écoute les explications de l'historien. Mais il est là et ne peut pas ne pas glacer le sang de ceux qui l'ont vu. Les corbeaux en rajoutent avec leurs croassements irrespectueux...

« Les rescapés à qui on présente la rampe centrale de Birkenau, celle que l'on voit sur toutes les photos d'Auschwitz, sont souvent perdus, continue Marcello. Ils croient que leur mémoire leur fait défaut, car beaucoup se souviennent qu'en sortant des wagons ils devaient sauter de haut, ou bien ils tombaient. Dans le camp, effectivement, les wagons débouchent de plain-pied sur le quai, alors qu'ici, voyez, il y a un grand talus. Considérez le trouble que provoque depuis soixante ans, chez les victimes qui s'en rendent compte, ce mépris de l'histoire. C'est que le plus souvent on s'est peu intéressé aux faits. Les hommes, les lieux et les traces ont eu moins d'importance que le mythe et les discours stéréotypés, ce qui est grave pour l'avenir... »

Ida Grinspan boit les paroles de Marcello. Oui, c'est bien ici qu'elle est arrivée... et depuis qu'elle accompagne des voyages à Auschwitz, c'est la première fois qu'on lui donne à voir ce lieu. Elle ne reconnaît rien, car le 13 février 1944, jour de son arrivée, tout était sous la neige, et elle n'a pas eu le temps de prendre ses repères, tout s'est passé si vite sous les hurlements des SS... *J'ai pas pleuré*, tel est le titre du récit qu'elle a écrit, il y a peu, avec Bertrand Poirot-Delpech[1]. Aujourd'hui, Ida peut s'autoriser à pleurer. « Ma mère m'a donné deux fois la vie, raconte-t-elle au petit groupe qui s'est formé autour d'elle. C'est maman qui m'a sauvée de la mort sans le savoir, car j'étais venue la voir à Paris pendant les

---

1. Ida Grinspan et Bertrand Poirot-Delpech, *J'ai pas pleuré*, Robert Laffont, 2002.

vacances de Pâques 42, et elle m'avait fait faire une coiffure à la mode, un peu bouffante sur le dessus. Comme ça, j'avais l'air d'avoir seize ans, alors que j'en avais quatorze. Sur cette rampe, au moment de la sélection, c'est ce détail qui m'a sauvée. Une autre chose aussi : beaucoup ne comprenaient strictement rien aux hurlements des nazis, mais nous, un SS nous a parlé en français – un mauvais français mais on a très bien compris. Celles qui sont fatiguées, disait-il, devaient monter dans les camions, celles qui pouvaient marcher devaient rester sur place. Et moi, je me suis dit que je n'étais pas fatiguée... Mais pourquoi je me suis dit ça, pourquoi ? Est-ce qu'on me l'a soufflé, est-ce mon instinct ? Pourquoi j'ai fait partie des soixante et une femmes sélectionnées pour entrer dans le camp ? Les sept cent cinquante-quatre qui ont pris les camions ont été gazées tout de suite... Par la suite, j'ai toujours dit que j'avais seize ans. Je n'ai jamais eu quinze ans. »

Bichara Khader a retenu de ce récit une date : le 13 février 1944 est... le jour de sa naissance en terre de Palestine. C'est un pur hasard, bien sûr, mais un hasard qui, révélé ici et dans ces circonstances, jette entre la rescapée juive et le professeur belgo-palestinien des liens de solidarité indéfectibles.

Les différents groupes répartis tout le long de la voie se rejoignent, puis, après un moment de silence, se mettent en marche vers l'entrée de Birkenau. Nous refaisons ainsi le chemin qu'empruntèrent les Juives et les Juifs qui avaient échappé à la sélection – 10 à 15 % de chaque convoi – et qui étaient destinés à une mort plus lente après un travail d'esclaves à Birkenau ou dans les usines environnantes. Mettre nos pas ainsi dans les leurs, à soixante ans de distance, est un geste symbolique sans précédent à Auschwitz.

La densité de ce moment épuise Michal Gans, israélienne d'origine française qui est l'une des responsables du musée Lohamei Haghetaot – un lieu de mémoire lié au kibboutz du même nom, dans le nord d'Israël, et fondé par des resca-

211

pés du ghetto de Varsovie. Michal, excellente interprète improvisée, ne cesse depuis ce matin de répondre aux sollicitations : tel journaliste israélien veut interviewer un jeune scout musulman français, elle traduit questions et réponses ; deux jeunes Arabes veulent communiquer, l'un venu d'Israël, l'autre de France, ce dernier ne maniant pas assez la langue arabe : elle leur permet d'échanger par le biais de l'hébreu... Mais, sans rien en montrer, elle est déchirée intérieurement par ce lieu, celui où est arrivé son père en 1942, puis, un an plus tard, toute sa famille paternelle. Aucun n'est revenu. Les précisions qu'elle vient d'entendre de Marcello résonnent en elle, elle sent ses forces flancher, elle va tomber... quand un bras secourable la rattrape et l'éloigne doucement des autres. L'homme lui parle hébreu, lui dit son nom, Khatib, sa profession, professeur d'histoire dans un collège, il lui promet qu'il transmettra « tout cela » à ses élèves en revenant. L'Arabe israélien la soutiendra ensuite en silence jusqu'à ce qu'elle puisse marcher seule.

Un scénario semblable se reproduit quelques minutes plus tard. Complètement en nage, essoufflé de façon inquiétante, le rabbin Daniel Farhi s'arrête discrètement sur le bord de la route, tandis que nous continuons de défiler. Un homme sort de la foule, se dirige vers lui, le questionne en hébreu. Cardiologue et arabe, il s'assure qu'il ne s'agit que d'une fatigue passagère, demeure à ses côtés le temps qu'il reprenne son souffle, lui parle avec le sourire de cette rencontre judéo-arabe inédite. Lui et les cent cinquante Palestiniens d'Israël qui se sont lancés dans cette démarche, explique-t-il, ont complètement étonné leurs compatriotes, certains parlent d'eux en disant : *Shéhème lo beséder !*, « Ils ne sont pas normaux ! »

En chemin, nous croisons quelques Polonais, car notre procession suit une route en partie bordée de pavillons. Ils ne nous regardent pas avec un regard très amical, et lorsqu'un sourire se devine au coin de leurs lèvres, on peut se demander ce qu'il signifie. Nous non plus, d'ailleurs, ne sommes pas très avenants à leur égard, car spontanément, presque malgré nous, malgré notre morale qui nous dicte de ne pas généraliser, des questions nous traversent l'esprit : comment peuvent-ils vivre tranquillement, regarder la télé, s'occuper de leur jardin, faire l'amour ou la fête en un tel lieu ? Peut-être ne savent-ils pas ce qui s'est passé ici ? Est-ce vraiment possible ? Sinon, pensent-ils que tout cela a été exagéré, qu'on occulte le martyre polonais au profit des Juifs ? Devant certains de nos observateurs plus âgés que les autres, une autre interrogation s'impose à nous : qu'étaient-ils, à l'époque ? Se sont-ils contentés de faire aux Juifs, aperçus à travers l'ouverture grillagée des wagons, ce geste sordide qui revient plusieurs fois dans le film *Shoah* de Claude Lanzmann : une main qui fait mine de trancher la gorge, pour signifier leur destin aux condamnés à mort ? Un cycliste tente de se frayer un chemin à contre-courant dans le flot des marcheurs, l'air contrarié. Arrivé à la hauteur d'Ida, il marmonne quelque chose entre ses dents, et celle-ci lui rétorque : « *Kourva* toi-même. » Daniel Farhi lui demande ce que signifie ce mot. Elle lui répond : « Putain »... Toute l'ambiguïté du rapport entre le peuple polonais et la mémoire des Juifs transparaît dans les regards qui nous scrutent, avec en plus une pointe d'étonnement. Étonnement devant ces vêtements orientaux, ces foulards et ces coiffes musulmanes. Étonnement aussi devant cette foule nombreuse, mêlé d'un certain agacement : la *Judenrampe* les avait laissés tranquilles jusqu'à présent, puisqu'elle semblait vouée aux oubliettes de l'histoire, voilà qu'elle est redécouverte et que les commémorations, circonscrites depuis toujours dans l'enceinte officielle du camp, risquent de déborder jusqu'au seuil de leurs maisons...

Arrivés devant l'entrée monumentale de Birkenau, nous reprenons les cars et contournons tout le périmètre du camp. Nouvelles précisions de Marcello Pezzetti sur les dérélictions de la mémoire, lorsque nous passons devant le bâtiment de la Kommandantur, juste en face du camp, qui a été transformée... en église, après avoir longtemps hébergé le siège local du Parti communiste ; ou lorsque nous ralentissons devant une ancienne fermette récemment rasée, elle aussi à l'extérieur du périmètre officiel, qui avait été construite sur l'emplacement de la première chambre à gaz ! Reconstruite, plutôt, nous explique l'historien qui fut à l'origine de sa découverte avec le Dr Richard Prasquier : les paysans polonais, ayant été expropriés par les nazis pour l'installation de ce Bunker I, avaient tout naturellement réclamé leur dû après la guerre, et avaient réaménagé à l'endroit précis où avaient été assassinées plus de cent mille personnes...

Nous pénétrons maintenant dans le camp officiel par une barrière dérobée ouverte exprès pour nous, et marchons sur un petit chemin à travers bois et pelouses, en direction du Bunker II. Nous sommes dans la « prairie aux bouleaux » qui a donné son nom à Birkenau. Il y a du soleil, une lumière tremblée sur les arbres, un souffle très léger parcourt les vastes étendues d'herbe tendre. Sous cette terre paisible, les cendres et les ossements de centaines de milliers de Juifs. On ressent le beau temps comme une offense du ciel aux morts, et on ne peut pas s'empêcher de s'en vouloir en tournant le visage pour recevoir la douceur d'un rayon... « Ayant beaucoup vu, beaucoup entendu auparavant sur la Shoah, et tant attendu de ce voyage, je n'arrivais pas à ressentir l'horreur absolue du lieu, j'étais mal à l'aise de ne pas être mal à l'aise », écrira à son retour, avec franchise, Stéphane Garros, responsable régional des scouts musulmans de Toulouse. « Sentiment bizarre, ajoute-t-il. J'espère seulement que personne n'est jamais reparti d'une visite en ce lieu avec l'impression qui fut la mienne à l'arrivée. »

Au début, explique Marcello Pezzetti, les corps des gazés ont été enfouis tels quels dans d'immenses fosses. Mais cette méthode posait des problèmes pratiques – oui, les assassins d'Auschwitz avaient beaucoup de problèmes pratiques, ils n'avaient d'ailleurs *que* des problèmes pratiques, des problèmes de gestion du temps, d'espace disponible, de personnel, de rentabilité, de performances. Et leur souci majeur n'était pas la mise à mort, la fabrication industrielle de cadavres – pour laquelle les moyens ont été de plus en plus efficaces –, mais leur traitement ultérieur qui posait des difficultés d'intendance. Au début donc, ils ont enterré les corps, et puis ils se sont aperçus que la masse en était trop gigantesque : ordre a été donné de rouvrir les fosses, de les vider et de reprendre tout le travail en faisant brûler les cadavres. « Très vite, dit Marcello, le feu s'entretenait presque tout seul, jour et nuit, avec les nouveaux cadavres. Vous avez peut-être du mal à vous l'imaginer, mais la matière humaine est un très bon combustible... Ce n'est qu'ensuite que les quatre grands complexes chambres à gaz-crématoires ont été construits, et là, les foules d'êtres humains pouvaient être réduites en cendres en quelques heures. La direction du camp était très fière de cette innovation moderne, d'une rentabilité jamais atteinte. »

La crémation, y compris celle des premières fosses qui a dû représenter un travail énorme, correspondait aussi à un autre objectif : celui de réduire et d'effacer les traces du crime. Tout au long de la visite, cette volonté d'annihilation des traces nous apparaîtra comme récurrente. Non seulement, bien sûr, pour supprimer les preuves du crime – objectif qui prendra de plus en plus d'importance avec l'avancement de la guerre et la perspective de la défaite allemande. Mais surtout parce qu'il était essentiel, au moment où l'on détruisait le peuple juif, de détruire les traces mêmes de cette destruction. L'empreinte du massacre eût été encore la signature d'une existence passée. Or il fallait que les Juifs fussent réduits à rien, et que rien ne permît de s'en souvenir. « La Shoah, c'est ça », conclut Marcello. Je pense encore à certains plans du film *Shoah* : un homme parle, décrit les opérations de crémation et d'ensevelissement. « C'était ici », dit-il. Et l'on ne voit *rien*. Rien qu'un champ bordé de forêts, propre, vert, nu. Contraste avec les images du film qui a marqué toute une génération, *Nuit et Brouillard* d'Alain Resnais, où l'on voit des bulldozers pousser des montagnes de cadavres : les historiens montrèrent par la suite que ces morts étaient, pour la plupart, ceux des épidémies qui décimèrent les rescapés dans les semaines qui suivirent la libération des camps. De l'immense majorité des morts de la Shoah nous n'avons pas de traces, ni même d'images.

Nous arrivons aux restes d'une petite ferme rasée, qui fut le Bunker II, l'un des lieux du calvaire de Schlomo Venezia. On imaginait une vision d'horreur, on est abasourdi par l'exiguïté des lieux. Schlomo parle en français, avec une voix cassée, il faut tendre l'oreille, on se presse autour de lui. Son fort accent italien et ses tournures de phrases malhabiles ajoutent quelque chose de bouleversant à son témoignage – mais je ne veux pas les reproduire ici, par respect pour un récit qui se passe de toute mise en scène.

« Je suis arrivé le 11 avril 1944. Après la quarantaine [période de mise à l'écart qui tenait lieu de seconde sélection], on nous a demandé notre métier, j'ai dit que j'étais coiffeur, je pensais qu'au moins je pourrais travailler à l'intérieur, ce serait moins pénible. [Je pense au coiffeur de Treblinka, Abraham Bomber, survivant lui aussi des *Sonderkommandos*, et personnage majeur du film *Shoah*.] Un Juif polonais m'a alors demandé si je connaissais le travail auquel étaient destinés ceux de mon baraquement. Je n'en savais rien, la seule chose qui m'intéressait, c'était la nourriture, on avait tellement faim... Il m'a rassuré là-dessus, mais il m'a alors expliqué ce "travail". La première fois, c'était en début d'après-midi. On nous a amenés, une trentaine d'hommes, au crématoire II [l'un des quatre grands complexes chambres à gaz-fours crématoires, que nous visiterons plus tard]. On nous a ordonné de descendre par un escalier dans une immense salle où des tonnes de vêtements étaient accrochés

216

aux murs ou gisaient par terre. On a dû les mettre en ballots et les charger dans des camions qui les ont emmenés vers le *Kommando* Canada [lieu où l'on triait les effets des victimes pour les récupérer]. En fin d'après-midi, on nous a emmenés ici au Bunker II. C'était une petite ferme aménagée en chambre à gaz, il y rentrait six cents personnes. »

Regards étonnés des auditeurs, devant ces ruines arasées dont le périmètre est incroyablement petit. Marcello précise : « Si, si, on a vérifié, c'est possible en se serrant très fort. »

« Les gens couraient nus depuis les vestiaires, poursuit Schlomo en nous montrant, à trente mètres, cet espace dont il ne reste aussi que les fondations. L'Allemand disait de ne pas oublier le numéro sous lequel ils avaient laissé leurs vêtements, pour les retrouver après la douche. Ils y croyaient vraiment, ils se frottaient les bras et le torse en attendant que l'eau arrive [il mime le geste]. Quand on a eu fermé les portes, on a attendu quelques minutes, et puis une camionnette est arrivée, avec les insignes de la Croix-Rouge. Un SS en est sorti, il portait une petite boîte, il l'a vidée dans une ouverture du mur, il a refermé. C'était le gaz, le Zyklon B. L'Allemand a joué avec l'interrupteur, on a entendu tout le monde crier. Après dix ou douze minutes, plus de bruit. On a ouvert les portes, les corps étaient entassés sur plus d'un mètre de haut... L'un a vomi, l'autre a les yeux qui sortent de son visage, d'autres sont pleins de sang. Comme à l'abattoir. Je n'avais jamais vu de mort, à part mon père. »

L'assemblée est figée, ne sent plus le souffle tiède de ce matin de printemps, n'entend plus les quelques oiseaux qui osent chanter. Il n'y a plus le moindre décalage, dans cette écoute, entre Arabes et Juifs, jeunes et personnes âgées, athées et religieux...

« L'Allemand criait : *Los, los, arbeit Juden* ["Allez ouste, au travail les Juifs"] et il nous a dit d'emmener les corps à quelques dizaines de mètres, là-bas, vous voyez [il montre les immenses pelouses que nous avons longées tout à l'heure].

Avant de les traîner, moi je devais couper les cheveux des femmes et les mettre dans un sac, et un autre, qui s'était déclaré dentiste mais qui était employé de banque, devait enlever les dents en or... Il fallait bien répartir les corps entre les différentes fosses. Ça brûlait en permanence, nuit et jour, et quand on jetait une personne les flammes augmentaient. Travail très dur, l'Allemand hurlait si on se mettait à deux pour tirer un corps. À un moment, un camarade du *Sonder-kommando* s'arrête, reste debout, figé. L'Allemand arrive, c'était Moll, l'"ange de la mort". *Los, los, schweine Jude!* ["Allez, allez, cochon de Juif!"]. L'autre ne bougeait pas. Furieux, l'Allemand l'a abattu, mais il a dû s'y prendre à trois fois avant qu'il ne tombe... Alors il nous a hurlé dessus en nous menaçant, et j'ai dû tirer le corps avec les autres dans les fosses. Peut-être qu'il n'était pas mort? Je le connaissais, c'était un Grec comme moi. Je me suis dit qu'il avait plus de chance que nous, il avait fini de vivre. Je me suis dit aussi: Pourquoi pas moi? Ce que j'ai vu, ce n'est pas facile de le croire. Parfois, moi-même je me demande si c'est vrai, ce que j'ai vu, et je comprends alors ceux qui refusent de le croire... Mais voilà, c'est comme ça, ça a été... J'avais dix-neuf ans. Le soir, on disait le *kaddish*, la prière pour les morts... »

Mardi 27 mai, après-midi

Marchant en direction du monument international de Birkenau, nous passons devant les ruines des crématoriums, immenses usines à moitié enterrées que les nazis ont dynamitées avant de partir, et qui sont restées en l'état. Vestiaires, chambres à gaz, crématoires, tout est intégré dans ces complexes, on est là devant le summum de l'efficacité moderne dans la folie exterminatrice. Je repense aux paroles de l'historien Georges Bensoussan lors de notre séminaire de préparation : « Une chaîne de meurtres où l'on fait entrer des personnes vivantes à 14 heures pour les faire sortir sous forme de cadavres à 16 heures et de cendres à 18 heures. Une chaîne industrielle qui montre qu'Auschwitz est l'accord terriblement efficace de la rationalité des moyens et de l'irrationalité des fins du massacre. »

Nous voilà rendus au monument. Pavés gris, très larges escaliers, gigantisme caractéristique du style soviétique. Ce monstre de froideur est dédié aux « victimes du fascisme ». Pourquoi pas le nazisme ? La terminologie communiste noyait la spécificité du nazisme allemand dans le terme générique de « fascisme », à la fois pour ménager le « peuple frère » de la RDA et pour suggérer l'amalgame avec les régimes autoritaires du monde capitaliste. Dominant toutes les autres, une inscription inaugurée en 1967 rend hommage « aux héros d'Auschwitz qui sont morts ici en luttant contre le génocide hitlérien, pour la liberté et la dignité de l'homme, pour la paix et la fraternité des peuples ». Héros, vraiment ? Décidément, il est bien difficile de laisser la Shoah à sa réalité impensable, celle du « mort pour rien ». Lévinas parle de la Shoah comme « paradigme de cette souffrance humaine gratuite où le mal apparut dans son horreur diabolique[1] ». Il écrit aussi : « Douleur dans sa malignité sans mélange, souffrance pour rien[2]. » Mais non, les idéologues ne peuvent que nier ce vertige, il faut toujours pour eux que les victimes aient été assassinées « en luttant ». Il est inimaginable pour eux qu'elles aient pu, par millions, entrer dans les vestiaires puis les chambres à gaz sans savoir, pour la plupart, ce qui les attendait, tétanisées par l'épuisement et la peur, avec pour seul secours la résistance spirituelle – dans laquelle certaines se montrèrent admirables. Avec cette incantation à la « lutte », on est là, en fait, en plein négationnisme. À deux

1. *Entre nous*, Grasset, 1991, p. 114.
2. *Ibid.*, p. 116.

pas des crématoriums qui contredisent par eux-mêmes la rhétorique soviétique.

Pourtant, l'inscription parle bien de génocide... mais où sont les Juifs et les Tziganes ? Ils ont leur plaque à côté des autres nations. Ce qui occulte le fait que 90 % des victimes d'Auschwitz, quelle que soit leur nationalité, sont juives. En 1967, lors de l'inauguration du monument, le mot « juif » ne figurait même nulle part, ce qui avait amené le président du comité international, Robert Waitz, à démissionner. Il faut dire que le contexte ne se prêtait pas à une reconnaissance de la Shoah pour ce qu'elle est : sur le plan international, guerre des Six-Jours où le bloc communiste prenait parti contre Israël, et sur le plan national, violente campagne antisémite orchestrée par le ministre de l'Intérieur Moczar, dans une Pologne... alors pratiquement vidée de ses Juifs.

Les cinq cents participants se réunissent près de ce monument et s'assoient dans un grand espace nu destiné aux cérémonies. Nous ne ferons pas de cérémonie, mais, après un nouveau témoignage de Schlomo Venezia, nous écouterons simplement Victor Malka réciter le *El malè ra'hamim* (invocaton pour le repos des âmes des disparus), puis le Dr Prasquier dira le *kaddish*. Ce seront les seules prières collectives de ce séjour, exception à la règle selon laquelle il n'est pas un pèlerinage religieux : pour la plupart des Juifs, même lorsqu'ils ne sont pas pratiquants, il serait impensable de venir en ce lieu sans dire ces prières traditionnelles. L'idée s'est imposée d'elle-même d'y associer l'ensemble des participants : notre unité est telle qu'elle le permet, et chacun, explique Émile, peut vivre ce moment de recueillement comme il le souhaite. Victor cantile la première prière à la manière séfarade, avec des intonations orientales qui, devant cette assemblée comprenant plus d'Arabes que de Juifs, prennent tout d'un coup une densité singulière. Réminiscence du vécu historique commun, du temps d'Al-Andalous, ce temps où Juifs et Arabes partageaient, dans l'Espagne musulmane, tout ce qui fait une civilisation, musique et poésie, sciences et philosophie, arts décoratifs et culinaire... Depuis cette époque qui ne fut peut-être pas un « âge d'or », mais qui représente sept siècles de rencontres et de proximité, la liturgie séfarade est restée imprégnée d'une rythmique et d'une tonalité proprement arabisantes. La voix chaude et le chant plein d'émotion de Victor Malka ne peuvent que parler aux Arabes présents.

Les mots hébreux de la prière qui suit, le *kaddish*, parlent aussi aux chrétiens, du moins à ceux qui les comprennent comme Émile et ses coreligionnaires arabes : *Yitgadal veyitkadash shemeh raba. Amen. Bealma divera khirouté...*, « Que le Nom sublime [de l'Éternel] soit exalté et sanctifié en ce monde qu'il a créé selon sa volonté. Que son Règne soit établi... » On sait que les premières paroles du *Notre Père* que Jésus a appris aux apôtres (Matthieu, 6, 9-10) procèdent de la même inspiration.

Durant cette récitation, où le temps demeure comme suspendu au-dessus des cinq cents personnes présentes, je ne peux m'empêcher de penser au sens de cette étrange prière toujours associée au deuil, et qui ne parle aucunement des défunts. Le *kaddish* est une simple sanctification du Nom divin, qui exalte l'espérance de son Règne sur terre : « Que des cieux se répande une plénitude de paix... » Aucune évocation de la mort, aucun discours sur le mal et son origine[1]. En ce moment précis, j'apprécie cette absence au cœur du texte. J'aurais eu du mal à supporter qu'en ce moment-ci soient prononcés des sermons, même juifs, plaquant un sens religieux à *cela* qui eut lieu à Auschwitz. Pour se permettre de proférer ici une parole qui ne soit pas indécente, il faudrait

---

1. Cf. Rivon Krygier, « La responsabilité : le sens du *Kaddich Yatom* », in Colloque des intellectuels juifs, *La Responsabilité,* Albin Michel, 2003, p. 49-63.

auparavant la dénuder, la dépouiller jusqu'à ce qu'elle soit aussi respectueuse que le silence. Me vient à l'esprit un proverbe arabe qui prend ici toute sa valeur : « Si ce que tu as à dire n'est pas meilleur que le silence, alors tais-toi. » Devant l'effroi glacial qui saisit tout visiteur en ce lieu, les prêches et les interprétations religieuses ont pour moi quelque chose de blasphématoire. Vouloir réinjecter du sacré là où l'humanité de l'homme a été à ce point profanée revient à relativiser la profondeur du désastre, à en nier le caractère abyssal. Je ne crois pas que toute foi soit forcément rendue illégitime après Auschwitz, et je sais que si beaucoup ont rompu avec Dieu dans les camps, d'autres n'ont cessé d'y prier, sans que l'on puisse élaborer à ce sujet ni statistiques ni règle générale. Mais, précisément, le fait que le degré de ferveur croyante des uns et des autres (chez les bourreaux comme chez les victimes, chez les Justes comme chez les indifférents qui ont laissé faire le crime) n'ait eu aucune corrélation simple et constante, aucun lien de nécessité évident avec leur attitude éthique, nous appelle à essayer de penser Auschwitz en dehors des catégories du religieux. Ici, plus encore qu'ailleurs, Lévinas a raison, qui réclame « une foi sans théodicée [1] », et qui replace la foi elle-même à sa juste place, seconde par rapport à l'éthique : « Ce qui importe, ce n'est pas la foi, c'est le faire [2]. »

Beaucoup, surtout dans les milieux chrétiens qui me sont proches, n'ont pas compris ce nécessaire abandon de toute théodicée. Pourtant, le fait que *cela* ait pu avoir lieu dans une Europe presque entièrement « chrétienne » aurait pu les guérir de leur besoin compulsif d'habiller le mal avec un vocabulaire religieux. Mais non, ils parlent encore d'Auschwitz comme s'ils n'avaient rien compris à la leçon : mystère, martyre, sacrement, sacrifice... jusqu'à ce sidérant « Golgotha de

1. *Entre nous*, p. 117.
2. *À l'heure des nations*, Minuit, 1988, p. 192.

l'humanité » de Jean-Paul II, qui provoqua tant de réactions dans le monde juif. Il y avait dans cette expression une mise en relation des souffrances juives avec celles du Christ, qui ne pouvait être comprise par les Juifs vivants que comme une inacceptable assimilation. Pour le pape, bien sûr, il ne s'agissait pas de nier la spécificité du désastre de la Shoah – honnêtement, on ne peut le soupçonner d'une telle intention réductrice –, mais seulement de rappeler une théologie de la Croix dans laquelle la souffrance innocente de l'humanité a été récapitulée sur le mont Golgotha, prise en charge par le Crucifié pour être transmutée dans la Résurrection. On peut penser ce que l'on veut d'une telle conviction, elle est la sienne et celle de toute une tradition. Mais la faute n'en est pas moins évidente : la sensibilité juive ne pouvait recevoir cette « récapitulation », profondément étrangère à ses catégories, que comme une pure et simple « récupération ». Oui, vraiment, ici il faut se taire...

Au moment où s'arrêtent les prières, long et grand silence. Peu après, je rencontre Benny Chvili, l'écrivain israélien, qui a passé trois mois seul en Pologne pour écrire son dernier livre. Fasciné par la mystique de l'islam, il aurait voulu échanger avec des musulmans sur la faille qu'introduit dans la foi le non-sens absolu de ce lieu. Il semble un peu déçu que de telles questions n'aient pas fait l'objet de débats : « Nous aurions eu tant à nous dire... mais je comprends que c'est peut-être un sujet trop dangereux. » Il me raconte en anglais un passage du Talmud, Traité Berah'ot : lorsque Moïse monte sur le Sinaï pour y recevoir la Torah, Dieu lui donne à voir le monde et toute son histoire, du commencement à la fin des temps. Moïse aperçoit alors Rabbi Akiva en train de souffrir sous la torture que lui infligent les Romains. Profondément troublé, il interroge son Seigneur : « C'est donc là toute la récompense que tu offres à celui qui observe la Torah ? » Dieu lui répond alors : « Tais-toi ! Cette pensée, je viens de l'avoir à l'instant [littéralement : *devant moi*]. »

Les hassidim de Braslav, disciples de Rabbi Nahman, expliquent ainsi cette étrange réponse : si Dieu a eu besoin de dire à Moïse. « Tais-toi » avant de lui répondre, c'est que, s'il ne lui avait pas imposé silence, Moïse aurait vite rétorqué : Pourquoi cette pensée *devant toi*, n'es-tu donc pas le premier ? « Oui, conclut Benny, ce qui s'est passé ici remet tout en cause. Peut-être Dieu n'est-il pas le Tout-Puissant mais le Tout-Faible, peut-être a-t-il été brisé ici et a-t-il besoin des hommes pour se reconstruire... » La famille de sa femme – la poétesse Nadia Houly – a été complètement anéantie par la Shoah. Elle a assisté à plusieurs réunions de préparation du voyage, mais elle n'a jamais pu se résoudre à venir en Pologne. « Ça ne fait rien, me dit-il, c'est comme si elle était avec moi ici, car nous sommes en plein accord sur cette nécessité de partager tout cela avec les Arabes. »

Un autre écrivain juif discute avec des Arabes israéliens. Mais lui n'a besoin, pour partager « tout cela » avec eux, ni de l'anglais ni de l'hébreu : il leur parle en arabe, sa langue maternelle. Juif d'Irak, Naïm Kattan est l'héritier d'une communauté établie en Babylonie depuis plus de vingt-cinq siècles, et au temps de son adolescence, il était tout autant épris de patriotisme irakien que ses amis musulmans. Comme beaucoup de Juifs de Bagdad, il a dû s'exiler après la seconde guerre mondiale et vit depuis longtemps au Québec, où il est devenu l'un des intellectuels les plus brillants de la francophonie. Aujourd'hui, en attendant de revoir peut-être un jour Bagdad, il a un peu bouclé par cette rencontre la boucle de son exil[1]...

Nous revenons vers les cars qui nous attendent hors du camp, en longeant d'un côté les baraquements de Birkenau,

1. *Adieu, Babylone. Mémoires d'un Juif d'Irak*, préface de Michel Tournier, Julliard, 1975, rééd. Albin Michel, 2003.

de l'autre la voie ferrée construite en 1944 pour recevoir notamment les Juifs hongrois – deux cent mille furent gazés en quelques semaines. Irène Hajos, quatre-vingt ans, marche sur cette rampe, entourée de jeunes musulmans. Elle avait leur âge lorsqu'elle est arrivée ici, dans l'un de ces convois hongrois, avec sa mère, sa tante, son père, son jeune frère et son petit cousin. Soixante ans après, explique-t-elle aux jeunes, elle est encore meurtrie de reproches à l'idée d'avoir, dans leur wagon à bestiaux, empêché son frère de manger pour économiser la nourriture : croyant être réinstallés dans un camp, ils avaient embarqué des vivres pour trois semaines, mais, comme tout le reste, ceux-ci leur furent arrachés dès leur arrivée. Sa mère et sa tante ont tout de suite disparu au moment de la sélection : « Je ne les ai même pas vues partir », dit-elle. Elle a travaillé comme esclave dans l'usine Union Werke. « On était habillés comme des clowns : les petites avaient une robe trop grande, les grandes des vêtements trop petits. Moi, j'avais la robe d'une Belge gazée. On riait parfois à se voir, mais vous savez, il y a des rires d'où ne sort aucune joie... Le dimanche, en allant à l'usine, on passait devant les Polonais qui se reposaient au bord de l'eau. Voyez-vous, aujourd'hui, j'ai du mal à voir ce fleuve et ses promeneurs. » Son père a survécu quelques mois à l'enfer de Monowitz, non loin d'ici – « quand je pense à lui, j'ai les mains qui tremblent. » Son frère et son cousin ont été abattus pendant la « marche de la mort » en janvier 1945 – « moi, pour cette marche, je n'avais pas de chaussures, j'ai mis des chiffons. Au fond, c'était mieux, je ne glissais pas dans la neige. » Quant aux autres membres de sa famille disparus dans la Shoah, elle ne les compte pas... Elle raconte, et les jeunes Arabes qui l'entourent l'écoutent religieusement. Elle raconte, elle qui n'a pas pu raconter à ses quatre enfants – « ils prenaient des livres dans la bibliothèque sans me le dire, pour savoir. »

Je croiserai encore maintes fois Irène dans la foule, toujours entourée de jeunes. Ses yeux, rendus transparents par l'âge, se perdent parfois dans le vide, un vide habité par on ne sait quels fantômes... Mais ils reprennent vie dès qu'elle dit l'émotion qu'elle a ressentie en voyant un jeune musulman se précipiter pour lui apporter le verre d'eau dont elle avait besoin pour prendre ses médicaments. Ou lorsqu'elle évoque ces Arabes israéliens qui l'ont aidée à marcher sur la terre de son calvaire...

Dans les cars qui nous ramènent à Cracovie, les discussions vont bon train. Oppressés par la visite, quelques-uns demeurent silencieux en regardant défiler le paysage polonais à travers la vitre. Mais d'autres, surtout parmi les jeunes Juifs et Arabes, ont un besoin irrépressible de parler, de *se* parler, de leur langue, de leurs pratiques, de leur culture, et même de cuisine... de tout ce qui fait la vie, leur vie. Un éclaireur israélite : « On a des contacts réguliers entre scouts juifs et musulmans, mais on n'avait jamais pu aborder l'essentiel, on en restait au partage sur la pédagogie, sur les principes du scoutisme... On n'évoquait pas ce qui nous constitue, ni cette Shoah qui est un sujet incontournable pour nous, et dont nous ne pensions pas du tout qu'il leur paraîtrait aussi important. Oser toucher à ce sujet nous a libérés, pour la première fois, on a osé parler de nous. »

Le soir, rencontre entre Français et Israéliens, toutes origines confondues : déjà se pose la question du « voyage retour », que les Arabes n'ont pas demandé mais qui va devenir une obsession chez certains Juifs israéliens... Beckie Freistadt, qui fut conseillère de Shimon Peres, abonde en ce sens : « Je comprends qu'on ne me demande pas de réciprocité, mais si je ressens le besoin de comprendre la douleur du peuple palestinien ? Je considère que les Arabes sont nos égaux. Je voudrais que de cet endroit sorte un appel aux grands rabbins d'Israël, demandant aux Juifs d'aller dans tous les villages arabes pour apprendre, comprendre quelle est la souffrance de nos concitoyens arabes israéliens. » Non loin de là s'exprime Almaza Jbara, institutrice du village musulman de Taïbe, au sud de la Galilée. Elle reconnaît : « Jusqu'à présent, je n'avais pu m'unir à vos douleurs parce que vous les instrumentalisiez. Je suis venue à Auschwitz parce que c'était pour la première fois une initiative arabe. Durant des années, je n'ai jamais participé aux cérémonies du Yom HaShoah, parce que vous n'êtes préoccupés que par la souffrance juive. Hier encore je craignais d'être prise dans une grande manipulation sentimentale. Mais aujourd'hui je me suis permis de faire ce que je n'avais jamais pu faire : j'ai décidé de souffrir de votre souffrance. Je communie, mais je ne suis pas venue ici pour perdre ma spécificité. »

Émile passe d'un groupe à l'autre, il ne cesse d'être abordé par ceux qui veulent lui dire leur gratitude. Il salue en souriant, épuisé mais heureux. Les Français interviennent peu, leurs prises de parole sont rendues laborieuses par la nécessité d'une traduction. Ils se mettent plutôt à l'écoute de cette ambiance très israélienne, un peu désordonnée, et où l'on parle fort. Des groupes se sont même formés spontanément entre Israéliens : « On a besoin de se parler simplement entre nous, dit la rescapée Ruth Ben David, on a besoin de cette intimité. » Intimité ! Un mot qu'on n'aurait jamais cru possible entre ces Juifs et ces Arabes, même s'ils sont citoyens du même pays. Ruth s'est liée avec Nazir Mjally, elle lui raconte qu'elle n'avait jamais eu auparavant la moindre affinité avec le christianisme, qu'elle a été élevée dans la peur des chrétiens. Et qu'en tant que militante de gauche, ce mot de « compassion » qu'emploie souvent Émile Shoufani ne lui parlait pas du tout. Mais cette laïque a découvert qu'une notion très proche existe dans le judaïsme sous le nom de *hessed*. Alors elle a fait ce qu'elle n'avait jamais fait, elle a ouvert le Nouveau Testament au hasard. Elle est tombée sur un passage fulgurant de l'Apocalypse, qui l'appelait à laisser tomber la partie morte en elle, pour devenir véritablement vivante. Elle l'a noté et l'introduira sûrement, dit-elle, dans le poème qu'elle écrira à partir de ce voyage. Ruth explique aussi à son nouvel ami musulman qu'elle s'est mise à lire le Coran... Mais Nazir l'arrête alors en s'exclamant : *Oï va voï*, expression yiddish qui peut, dans ce contexte, se rendre par : « Malheur de malheur ! », ou : « Que Dieu nous en préserve ! ». *Et ils rient ensemble.*

XII

Noms juifs, voix arabes

C'est arrivé, cela peut donc arriver de nouveau :
tel est le noyau de ce que nous avons à dire.

Primo Levi, *Les Naufragés et les Rescapés*

Mercredi 28 mai, matin

Dans le car qui nous reconduit de Cracovie à Auschwitz,
Khalifa, étudiante française en psychologie et scoute musulmane, prend le micro pour s'adresser aux rescapées : « Je vous
trouve très belles. Comment se fait-il que ce sont les personnes qui ont vécu le pire qui sont les plus rayonnantes ? Est-
ce une revanche ? » Magda lui répond : « Ils nous ont humi-
liées dans notre humanité, notre féminité. Je ne me suis pratiquement pas lavée pendant un an, tu comprends ça ? J'ai mis
longtemps à m'identifier de nouveau à un être vivant... » Ce
n'est pas une réponse à la question posée, mais les yeux lumineux de Magda sont la réponse : elle est au-delà de la revanche sur soi-même ou sur l'autre.

Visite du camp et du musée d'Auschwitz. Je ne m'étendrai
pas sur ce sujet connu : *Arbeit macht frei*, bâtiments sinistres,
lieux de tortures, mur des fusillés, montagnes de cheveux, de

lunettes et de chaussures d'enfants... En parlant de « pitoyables vestiges », agencés selon une logique qui avait à ses yeux « quelque chose de figé, de réordonné, d'artificiel », Primo Levi a été très sévère. Il y a, malgré la pédagogie de style toujours très soviétique, une vérité qui passe à travers ces objets quotidiens et ces cheveux, une vérité qui bouleverse beaucoup d'entre nous. Lorsque Judith Pasternak découvre, au milieu d'un énorme amoncellement de valises, que l'une d'entre elles porte l'inscription « Pasternak », elle ne peut qu'en être retournée. Ce voyage, qu'elle a largement contribué à organiser en Israël, devient, à cet instant, un tournant dans sa vie familiale : son mari, dont toute la famille a disparu dans la Shoah, est « comme un autiste » depuis des décennies, dit-elle. Voir son nom ici lui fait porter un autre regard sur cet homme qui ne parle jamais.

Mais il est vrai qu'en revenant sur les lieux pour la première fois en 1965, Primo Levi ne pouvait qu'être heurté par une mise en scène qui passe sous silence l'importance de la population juive dans l'ensemble des victimes : chaque nation a ici son pavillon, et les Juifs ont le leur, parmi les autres peuples, entretenu par Israël ; de même, comme Marcello Pezzetti nous aide à le décrypter, les Juifs sont seulement une des catégories sociales mentionnées parmi d'autres dans l'exposition photographique... Logique d'un camp-musée qualifié, lors de son inauguration en 1947, de « monument du martyre du peuple polonais et des autres peuples » – le peuple juif n'y étant inclus qu'implicitement, alors qu'il représente 90 % des disparus, toutes nations confondues. Voilà pourquoi nous avons tenu à avoir à nos côtés, durant toute cette journée, Stefan Wilkanowitz, qui fit jadis partie des chrétiens polonais opposés à l'installation des carmélites sur le site et chargés ensuite de négocier leur départ. Il est maintenant vice-président du Conseil international du musée d'Auschwitz. Peut-être parviendra-t-il à le faire rompre avec une historiographie polonaise pour le moins déficiente...

De toutes façons, il y aura toujours une part d'inadéquation entre ce qui est donné à voir dans un musée et le crime incommensurable, voulu et rendu en partie invisible par les assassins. Adrien Le Bihan, dans sa recension d'une quarantaine d'inscriptions, d'auteurs anonymes ou célèbres, qu'il a trouvées dans le Livre du souvenir d'Auschwitz, relève celle de Kurt Waldheim. Ce président de la République autrichienne, qui avait été pendant dix ans secrétaire général des Nations unies et pouvait se glorifier de maintes distinctions internationales (dont la Légion d'honneur française), fut finalement convaincu, à la fin des années quatre-vingt, d'avoir menti effrontément sur son appartenance aux SA et sur sa connaissance des déportations, alors qu'il était officier d'état-major en Yougoslavie dans les années 1942-1943. Voici ce que ce respectable monsieur écrivait dans le Livre du souvenir d'Auschwitz en 1972 : « Profondément ému par ce que j'ai vu ! » Et Le Bihan d'ajouter ce commentaire acide : « Le soupçonneux traduira : "Je n'ai pas été ému par ce que je n'ai pas vu." Or, à Auschwitz, point n'est besoin d'être historien pour comprendre qu'il y a beaucoup de choses qu'on ne voit pas, et qu'il ne peut en être autrement[1]. »

À côté des bâtiments, nous rentrons *dans* la toute première chambre à gaz, qui a été transformée en dépôt dès que le Bunker I a été fonctionnel à Birkenau. Leçon d'histoire de Marcello Pezzetti, qui connaît les moindres recoins d'Auschwitz-Birkenau, ce qui est authentique et ce qui a été mis en scène pour les besoins du public : « À la fin de la guerre, les Russes ont voulu reconstituer la chambre à gaz pour en faire un lieu de la mémoire. Mais ils ont fait ça en dépit du bon sens, enlevé des parois, une porte, des ouvertures... Ce qui leur importait, ce n'était pas la vérité, mais l'"éducation" du peuple. Or, pour que le souvenir serve à quelque chose, il

---

1. *Auschwitz Graffiti*, préface de Pierre Vidal-Naquet, Librio, 2000, p. 44-46.

faut comprendre la logique des nazis et la mécanique précise de cette entreprise de mort. La mémoire sans l'histoire est sujette à toutes les manipulations. Et il y a un autre danger : les négationnistes se sont emparés des erreurs faites par les Russes et n'ont pas eu de mal à démontrer le non-sens de ce lieu. Et vous connaissez leur logique : si un seul témoignage ou élément matériel est faux, alors tout est mensonge ! C'est leur méthode, et c'est une raison de plus pour redoubler de vigilance quant à l'exactitude historique. »

Mercredi 28 mai, après-midi

À nouveau Birkenau. Par petits groupes, visite des baraques. Du moins de celles qui demeurent, puisque de la plupart il ne reste qu'une simple cheminée au milieu d'un rectangle de pelouse : les paysans de la région, juste après guerre, sont venus ici se fournir en bois de chauffage.

Tel est l'emplacement de la baraque 8 du *Lager* C, que Magda a pu repérer pour la première fois depuis qu'elle revient sur les lieux. « Je vais essayer de retrouver la mémoire de cet endroit, dit-elle à la jeune musulmane qui la tient par le bras... Je ne comprenais pas... On n'avait rien à manger, on recevait un grand pain fait en partie avec des sciures de bois, avec un petit peu de margarine, et on coupait ça en huit. Tu vois, tu mangeais ça comme si tu mangeais des étoiles ! Mais moi, j'avais tellement faim que j'avais tout de suite tout fini. Alors je suis devenue une voleuse performante. Être blanc comme neige, tu sais, c'était impossible ici... nous tombions les unes sur les autres, nous nous déchirions comme ils nous déchiraient. Vraiment, je ne peux pas dire que j'ai été un ange ! C'était d'ailleurs ce que voulaient les nazis, faire de nous des sous-hommes. Moi, j'avais la rage au cœur et je me disais : "Non, vous ne m'aurez jamais !" »

Puis le groupe se met à marcher lentement dans les allées.

Une journaliste tend un micro au cheikh Saïd Ali Koussay, tente de l'interviewer, mais sa voix se noie dans les larmes, elle a le timbre d'une voix d'enfant irrépressiblement écrasé par la tristesse. Depuis hier, il pleure, répétant la question de Schlomo Venezia entendue sur l'emplacement du Bunker I : « Pourquoi pas moi ? » Cette question de rescapé, cette question oppressante de culpabilité et de sidération devant l'absurde, il l'a prise pour lui, qui est né en 1942. « Pourquoi pas moi ? » Le rabbin Daniel Farhi s'approche de lui, essaie de le consoler en lui rappelant que la Mosquée de Paris a caché et sauvé des Juifs pendant la guerre... Rien n'y fait, l'imam veut rester à côté de Magda, et ne cesse de pleurer en l'écoutant.

« C'était le mois d'août, il faisait une chaleur torride, et pas une ombre... Les nazis ont sélectionné les meilleurs musiciens de Hongrie qui étaient arrivés, ils les ont placés sur une estrade pour les rendre encore plus ridicules. On nous a alors fait sortir des baraquements en nous disant qu'on allait entendre un concert. Je dois dire que j'étais extraordinairement heureuse d'écouter de la musique, cela faisait tellement longtemps... Alors je me suis mise le plus près possible des planches. Après le troisième morceau, ce sont mes voisines qui m'ont dit qu'il s'agissait de Brahms, je ne l'avais pas reconnu. Alors j'ai vu les musiciens tomber l'un après l'autre, tués par ce soleil mortel comme des dards de serpent. J'ai regardé autour de moi, à perte de vue des corps étaient à terre, comme si une bourrasque était passée qui nous avait décimés. Ceux qui ont eu la force de rester debout ont pu rentrer dans leurs baraques, les autres sont restés là, morts... Dix-huit ans plus tard, je vais assister à un concert de Yehudi Menuhin... et là, dès les premières mesures, je le reconnais : *mon* concerto de Brahms ! C'était... je ne peux pas vous dire... Et à partir de ce jour, tout m'est revenu comme du fond des âges, j'ai pu me remémorer tout ce que j'avais enfoui. »

De l'autre côté de la rampe centrale, Ida Grinspan entre avec un groupe dans une baraque de latrines. Elle d'habitude si vive, si enjouée, a la gorge serrée, elle en a presque perdu son intonation de titi parisien : « Vous voyez, des dizaines de trous côte à côte dans le béton, des trous souillés car on a tout le temps la diarrhée. À ça, on ne s'habitue jamais, jamais... » Puis elle raconte comment elle allait aux lavabos avec deux amies, le soir après le couvre-feu, car avant il y avait trop de bousculade. Risquer la mort pour se laver... « Mais il fallait absolument ne pas avoir de boutons, sinon on était sûr de partir quand il y avait une sélection. »

Fatima, quarante-trois ans, aînée de douze enfants et fille de harki, éclate en sanglots. Ses parents lui ont parlé des camps qu'ils ont connus à leur arrivée en France, des massacres et des exactions commises contre les leurs en Algérie. Sûrement revit-elle cette mémoire personnelle dans sa chair à cet instant, en même temps qu'elle mesure la distance qui existe entre cette ignominie qui a frappé les siens et ce qui s'est passé ici... Sentiments mêlés dont le résultat est une irrépressible nausée, qui la pousse à aller se cacher derrière une baraque pour vomir.

Nous avons beaucoup de retard sur notre programme, car les cinq cents visiteurs sont complètement dispersés dans cet immense espace, parfois en groupes de deux ou trois, certains isolés et prostrés le long de la rampe. Juifs et Arabes se tiennent par la main, par le bras. Un Arabe israélien s'approche d'Irène Hajos, il a deviné qu'elle est une rescapée. Doucement, il lui demande s'il peut l'étreindre, car, dit-il, il est venu pour cela... On ne parle pas beaucoup, mais la fraternité a franchi un seuil : maintenant, on ose *se toucher*, s'embrasser, pleurer ensemble.

Beaucoup de larmes, oui. Et un regard extérieur pourrait craindre une dérive vers la sensiblerie, une fusion émotionnelle dans laquelle disparaîtrait toute pensée politique, toute analyse historique, toute maîtrise de la nécessaire distance de

soi à l'autre. Mais les historiens, les philosophes et les religieux ont parlé, leur enseignement a été reçu, indispensable
à l'approche des faits. Est venu le temps de l'approche des
êtres, qui sont aussi des corps, des yeux, des mains. Ils doivent – ils peuvent, plutôt, car certains y sont réfractaires, et
chacun suit son chemin –, ils peuvent se rejoindre, toutes
prudences évanouies, et toucher à travers la peau de l'autre
un certain fonds humain universel. « L'émotion est une
manière de se tenir en perdant sa base », écrit Lévinas, et
Catherine Chalier prolonge cette pensée : « Elle introduit le
vertige dans l'existence, elle brouille les limites et incite à "*se*
reprendre*", selon une expression courante et profonde. Mais
vouloir garder l'œil impassible en toutes circonstances, veiller
sur la lucidité et traquer l'émotion comme ce qui rend incertaine, ne serait-ce qu'un instant, la distinction entre soi et
l'altérité, ne risque-t-il pas aussi, paradoxalement, d'aveugler
sur soi, sur l'altérité et sur la signification de leur relation ?
Inversement, la défaillance des larmes ne peut-elle être considérée comme une grâce qui éclaire et parfois dénoue la
complexité de leurs liens ? » Les larmes du cheikh aux paroles
de Magda ne s'arrêteront plus jusqu'aux derniers moments
du voyage, elles ouvrent une porte sur une autre dimension
de la relation : à partir de ce seuil, le respect des différences
peut se refonder sur l'expérience physique de l'unité. Unité
d'humains faits de chair et de sang. Danièle Parda, juive française qui a décidé de participer à ce voyage après avoir rencontré Émile Shoufani à Jérusalem, au cours du pèlerinage
interreligieux de *Témoignage chrétien*, écrira à notre retour :
« Le but n'était pas de pleurer ensemble. Mais parce que nous
avons pleuré ensemble, Juifs et Arabes à Auschwitz, nous
avons pris conscience que nous sommes UN, dans notre faiblesse et notre grandeur, dans notre responsabilité aussi. »
Émile ne renierait pas ces mots, qui prend souvent les mains
de ses interlocuteurs dans les siennes, et ne craint pas de les
embrasser ni de partager leurs larmes.

Très en retard sur l'horaire annoncé, donc – ce qui empê-chera malheureusement notre ami le rabbin Michel Serfaty de nous rejoindre avec une centaine de lycéens français –, nous nous regroupons au pied du bâtiment d'entrée de Birke-nau, par où la voie ferrée pénètre dans l'enceinte du camp. Un homme à la peau foncée, immense et très noble dans sa démarche, domine toute la foule. Je le prenais naïvement pour un Bédouin d'Israël à cause de son grand turban blanc, on me dit que c'est en fait un Soudanais, haut fonctionnaire à l'ONU, qui est venu par ses propres moyens de Genève en apprenant par la presse l'initiative d'Émile. Les gens ont les traits marqués par l'émotion de la visite, mais le fait de se retrouver tous ensemble délie les langues. Nassia discute avec une amie des moyens de revenir ici avec des jeunes juifs et musulmans de Marseille. Mais son entourage est fermé à toute idée d'échange. Mohammed Abdul, lui, va vers les uns et les autres avec son appareil photo. Il veut faire un album pour, dit-il, « faire partager à ma classe ce que j'ai vécu ».

Des Israéliens se font connaître au dernier moment pour donner la liste des personnes de leur famille qui furent victi-mes de la Shoah, afin de les ajouter aux listes déjà préparées pour être lues sur la rampe. Les organisateurs en Israël avaient pourtant sollicité chaque participant juif pour élaborer ces listes plusieurs semaines avant le départ. Alors pourquoi réa-gissent-ils si tard ? Avaient-ils oublié ? Certes non, impossible de passer à côté d'une demande aussi singulière... Simple-ment, il leur fallait attendre la dernière minute de la dernière heure du dernier jour du voyage, après des mois de prépara-tion en Israël, pour enfin se résoudre à ce qui leur était apparu trop dangereux : donner les noms de *leurs* disparus pour les entendre récités, ici, sur le lieu du massacre, par des voix arabes. Jusqu'à cet ultime moment, ils n'avaient pas voulu franchir le pas, de peur que ce geste de partage bascule dans la profanation. Non pas qu'ils fussent observateurs non impliqués, certains d'entre eux avaient été des « piliers » du

236

mouvement. Mais engager ainsi le nom de leur père ou de leur grand-mère serait revenu à compromettre la personne même de ces êtres chers dans une aventure qui, jusqu'à la fin, pouvait se révéler un piège. La moindre défaillance dans le parcours collectif, et ils auraient eu alors l'impression de livrer en pâture leur douleur intime à des étrangers incapables de la comprendre. S'apercevant du geste de ces retardataires, Émile prend acte à la fois de la victoire qu'il représente pour lui et de cette résistance incroyablement enracinée qui a été vaincue. Résistance dont il avait deviné l'existence, mais dont il ne pouvait pas mesurer l'ampleur.

Le texte que nous avons préparé avec Émile est maintenant lu au micro en français, en arabe et en hébreu.

Hommes, femmes, bébés, enfants, adolescents, adultes ou personnes âgées, assassinés par la barbarie nazie uniquement parce que vous étiez juifs, nous allons dire maintenant vos noms, dont beaucoup parleront aux personnes ici présentes, parce que vous apparteniez à leurs familles.

Mais ces noms qui disent le scandale de votre mort odieuse nous appellent tous à la mémoire, nous interpellent tous, Juifs et non-Juifs, qui que nous soyons et d'où que nous venions, dans notre dimension fondamentale d'êtres humains. C'est pourquoi vos noms seront prononcés ici alternativement par une voix juive et par une voix arabe, car la voix de tout citoyen de ce monde doit s'élever contre le sort qui a été le vôtre : à travers vous, c'est l'idée même d'humanité que l'on a voulu anéantir.

Commence la longue récitation des noms : une quinzaine de lecteurs, Français, Belges et Israéliens, surtout non-Juifs, se tiennent à mi-chemin de la rampe centrale menant aux crématoires et au monument. Des haut-parleurs amplifient la lecture tout le long de la rampe. Les participants marchent lentement et en silence en direction des lecteurs. Arrivés à leur hauteur, ils forment un immense cercle en continuant à écouter les noms.

DREYFUS *Fernand,*
DREYFUS *Odette-Henriette,*
DREYFUS *Robert,*
DREYFUS *Marguerite, née Weyl,*
WEYL *Charlotte...*

Je me souviens des paroles de l'historien Georges Bensoussan à notre séminaire de Paris : « À Auschwitz, on n'a pas seulement tué des individus, on a également tué la mort. La mort est morte à Auschwitz. Dans toutes les civilisations, la mort est un processus fondamentalement humain avec un rituel très fort et très prégnant. Ici il n'y a plus rien, aucune trace, la mort elle-même a été détruite. » C'est précisément ce que nous combattons, en citant un à un les noms propres de ces *personnes.*

FAINZANG *Mailech,*
FAINZANG *Idès,*
OLER *Schaya,*
OLER *Dvorah...*

Un Arabe israélien tient dans ses mains une liste de noms écrits en hébreu. Mais ces noms d'Europe orientale sont très difficile à prononcer pour qui n'y est pas habitué. Pour être sûr de ne pas les écorcher, par respect pour les victimes, il a donc demandé leur prononciation exacte à Daniel Farhi. Et afin de s'en souvenir, il les a transcrits en arabe. Le rabbin en est bouleversé : « Des Arabes musulmans et chrétiens égrenant les noms de victimes juives de la Shoah écrits en hébreu et retranscrits en caractères arabes ! S'il fallait un seul symbole à notre rencontre, je choisirais celui-là. »

FENSTERZAB *Jankiel,*
FENSTERZAB *Chana,*
TENENBAUM *Laja et un enfant,*
TENENBAUM *Chana,*
SIERPINSKI *Henri,*
TEITPFER *Jacob, 11 ans,*
TEITPFER *Irma, 7 ans,*
TEITPFER *Léa, 5 ans,*
TEITPFER *Israël, 3 ans...*

Les haut-parleurs installés pour que chacun dans cette foule puisse entendre et participer ont un effet inattendu : on ne peut pas s'empêcher de penser à ces interminables appels qui ponctuaient les journées au camp et qui constituaient une torture de plus, à laquelle beaucoup ont succombé. Daniel Farhi écrira plus tard qu'en cet instant, au fond de lui, il s'entendait répondre à chaque nom : « Présent. »

KLUGER *Simon,*
KLUGER *Gisèle, née Umgar,*
KLUGER *Joseph,*
KLUGER *Tibor...*

Au moment de prendre le relais, Wafa, scoute musulmane de vingt ans, prononce le traditionnel : « *Bismi-lah al-rahmane al-rahmine* », « Au nom de Dieu, le Clément, le Miséricordieux ». Elle a assimilé cette litanie des noms à une tâche sacrée et commence naturellement par cette exergue qui correspond à la première phrase du Coran.

SACHS *Anna,*
BORENSTEIN *Abel,*
BORENSTEIN *Maria,*
LIPSZYC *Marie, 18 ans...*

Leiky Yaakovi, Israélienne fille de déportée, a soigneusement fait le compte des disparus de la famille avec sa mère, en se basant sur le mémoire que celle-ci avait écrit pour Yad Vashem : soixante-quatre personnes. « Mais surtout, je veux que ce soit des Juifs qui lisent leurs noms ! » lui a dit sa mère. Il a fallu longuement parlementer pour qu'elle accepte la règle annoncée du voyage. Finalement, le dernier jour, elle lui a même apporté une vingtaine de petites bougies, que Leiky a partagées aujourd'hui avec des Arabes pour les déposer tout à l'heure sur la voie ferrée... « Ici, en cet instant, me dira-t-elle, pour la première fois le père de ma mère est devenu *mon* grand-père, la mère de ma mère est devenue *ma* grand-mère... »

GLIEKLICH *Rachel,*
GLIEKLICH *Salomon, 12 ans,*
GLIEKLICH *Joseph, 8 ans,*
GLIEKLICH *Léa, 5 ans...*

Voilà, la liste est arrivée à son terme. *Notre* liste, car l'intervalle silencieux qui suit le dernier nom est peuplé de millions d'âmes. Nous avons voulu le dire :

Nous savons que si nous devions vous citer un à un, une à une, par ce nom et ce prénom dont vos bourreaux ont voulu effacer pour toujours la mémoire, par ce nom et ce prénom qui pour beaucoup d'entre vous se sont effectivement perdus dans la Nuit et le Brouillard, nous savons qu'il nous faudrait alors réciter et réciter encore ces listes interminables pendant quarante jours et quarante nuits sans interruption pour dire seulement l'ensemble des victimes juives d'Auschwitz ; pendant deux cents jours et deux cents nuits pour dire l'ensemble des six millions de victimes juives de la Shoah.
Et, nous en avons conscience, bien que cette récitation soit

déjà inaccessible à l'imagination par son ampleur, elle ne dirait pas encore l'essentiel.

Elle ne dirait pas l'incompréhension des enfants qui se voient du jour au lendemain stigmatisés par l'imposition d'une étoile d'infamie.

Elle ne dirait pas la sidération des hommes qui se voient d'un coup rejetés, insultés, méprisés par le pays qu'ils avaient aimé, dans lequel ils se croyaient définitivement intégrés, et qu'ils avaient parfois défendu au prix de leur sang.

Elle ne dirait pas le désespoir des femmes qui n'ont plus rien pour nourrir leurs enfants, parce que leurs maris ont été exclus de toutes les professions, parce que tous les magasins juifs ont été saccagés, parce qu'elles n'ont plus le droit aux transports publics, parce qu'elles ont deux heures par jour pour faire leurs courses sans ressources.

Elle ne dirait pas la douleur des familles que l'on est allé capturer jusque dans les moindres recoins des villes et des campagnes, que l'on a parquées comme des animaux dans des camps et des ghettos, que l'on a embarquées vers une destination inconnue, transportées dans des conditions effroyables vers ces lieux coupés du monde, oubliés du monde, abandonnés par le monde, qui se sont multipliés dans une Europe soumise à l'idolâtrie du sang.

Elle ne dirait pas l'aboiement terrifiant des chiens et celui des nazis, la sélection pour la mort immédiate ou pour une mort plus lente, sélection faite par des hommes a priori ordinaires qui s'étaient arrogé le droit absolu de décider de tuer qui bon leur semblait, au moment où ils le voudraient et comme il leur plairait.

Elle ne dirait pas la honte du déshabillage, l'ignominie infinie du tatouage, la flétrissure des corps et des âmes condamnés aux coups, à l'épuisement, à la crasse la plus abjecte, à l'esclavage.

Elle ne dirait pas ce qui demeurera à jamais indicible : le silence monstrueux sur lequel s'ouvre la porte blindée de la chambre à gaz, le silence monstrueux de la fumée puante qui s'échappe d'une cheminée de crématoire.

241

Ce silence assourdissant résonnera à jamais dans le monde, mais le monde ne l'a pas encore entendu. Le monde a refusé de l'écouter vraiment, l'humanité a refusé d'avouer à quel point elle avait été capable d'inhumanité.

C'est pourquoi nous sommes là, en ce lieu où l'humanité a été déclarée inutile, en ce lieu où des êtres humains ont été réduits à l'état de Stück, *de « morceaux », de choses plus insignifiantes que des animaux.*

Fils et filles du peuple juif, la rage haineuse des nazis les avait poursuivis jusqu'au fin fond de l'Europe, elle les aurait poursuivis jusqu'au bout de la terre si elle en avait eu les moyens. Car pour elle, c'est ce peuple en tant que tel qui devait être rayé de l'humanité, jusqu'au plus petit enfant, afin que l'existence juive disparaisse de la généalogie humaine, que sa mémoire elle-même soit abolie à jamais.

À cet instant, une compagnie de policiers israéliens à l'allure martiale, chemises bleu ciel, pas cadencé et immenses drapeaux blancs frappés du Magen David, longe la voie ferrée sur laquelle nous sommes rassemblés. Cela fait une heure qu'on les aperçoit passant entre les baraques dans les allées du camp, sûrement les ont-ils toutes parcourues... Étrange impression que cette démonstration de force à côté de notre rassemblement pour la paix. Darawsheh et certains Arabes israéliens ne peuvent s'empêcher de leur jeter un regard méfiant : depuis les événements tragiques d'octobre 2000, ils n'apprécient pas la vue de cet uniforme... D'autres ont la réaction inverse, comme Ali Bashir : « Ici, je me sens un citoyen respecté à égalité – contrairement à ce que je ressens en Israël. Et puis, ajoute-t-il, ils ont au moins quelque chose en commun avec nous, en ce moment, ils portent le deuil des victimes. » En fait, me dis-je, ils portent moins le deuil qu'ils n'affirment la victoire du peuple que le nazisme a voulu anéantir. Je les comprends, je dois avouer que je suis même fier pour eux, cette marche symbolique a de la prestance, qui

242

souligne l'échec du projet nazi, mais... est-ce cela, la mémoire ? « Je ne suis pas d'accord, ce n'est pas le lieu... », a dit tout à l'heure Ida la rescapée, qui sait de quoi elle parle.

Mais ces questions trop complexes demeurent en nous en suspens, nous n'avons pas le temps d'y répondre car Rachid Benzine a pris le relais de la lecture :

Nous, Juifs et non-Juifs ici présents, au-delà de nos origines diverses, au-delà des croyances, de la non-croyance ou des options philosophiques des uns et des autres, nous affirmons que la mémoire de ce crime devra entrer dans la pensée et dans la culture qu'ensemble nous serons capables de créer, afin de rejeter le spectre de l'inhumanité.

Ensemble, nous affirmons que tout homme et toute femme, aussi longtemps qu'il vit sur cette terre, de l'enfance à la vieillesse, porte en lui une étincelle sacrée digne du plus haut respect.

Ensemble, nous affirmons que cette étincelle demeure comme un trésor en chaque être humain, même si les autres ne la lui reconnaissent pas, même si elle semble occultée par la maladie, les handicaps physiques ou mentaux, la souffrance, même si elle semble altérée par l'ignorance, le manque de culture, la misère, et même si celui qui la porte l'a lui-même oubliée. Tout être humain doit être respecté pour cette étincelle sacrée dont il est un des visages unique et irremplaçable.

Ensemble, nous affirmons que ce respect sacré doit être le principe fondateur de toute justice, de toute politique, de toute morale religieuse, et que tous ceux qui tentent d'appliquer ce principe quotidiennement participent à l'élévation de l'humanité.

Ensemble, nous affirmons que la fraternité ne se divise pas : elle est universelle ou elle n'est pas, elle ne mérite pas le nom de fraternité si elle se limite à un clan, à une nation, à une catégorie d'hommes et de femmes, elle ne trouve sa vraie dimension que lorsqu'elle s'étend à l'étranger, à l'être différent, à celui ou celle dont l'approche nous semble le plus difficile.

243

Ensemble, nous affirmons que le contraire de la fraternité n'est pas seulement la haine, mais aussi l'indifférence ; que le crime contre la fraternité ne consiste pas seulement à tuer l'autre, mais aussi à laisser tuer l'autre en silence.

Ensemble, nous nous engageons à porter la mémoire de la Shoah, et à faire le travail commun qui, à partir des enseignements de cette mémoire, nous permettra d'explorer ensemble un horizon de paix.

Les Arabes et Juifs israéliens lisent maintenant un texte très proche de celui que nous venons de dire en français, mais au style différent. Ils ont voulu, avec leurs poètes et leurs écrivains, faire chanter les mots dans la tonalité propre à l'arabe et à l'hébreu, à partir de la même affirmation d'une fraternité universelle. De ce texte, je sais seulement qu'au contraire du nôtre, il contient le mot « amour » : Émile m'a expliqué que tous en ressentaient le besoin, que ce mot n'avait pas dans leurs langues cette pointe de sentimentalisme que nous voulions à tout prix éviter en France. Peut-être sommes-nous un peu trop « cartésiens », obsédés par la précision et la logique des termes employés, et méfiants vis-à-vis des élans du cœur ? Ou bien sont-ils dans une démarche plus émotionnelle que la nôtre, en raison du poids traumatique des événements du Proche-Orient ?.... Peu importe, l'essentiel était que chacun puisse entendre la même volonté collective avec son oreille européenne ou orientale. Il n'y a donc pas eu traduction, mais transposition d'un univers culturel à un autre. Nous ne comprenons pas leurs mots, mais nous sentons la ferveur des lecteurs. Et surtout, avec le long texte en arabe, encore plus qu'avec toutes les traductions entendues au cours de ces trois jours, nous prenons conscience de cette nouveauté extraordinaire à laquelle nous assistons : *la langue arabe résonne dans Auschwitz-Birkenau.* Nos amis arabes sont sûrement minoritaires dans leur démarche, mais ici ils sont majoritaires dans notre assemblée, ils y font vibrer la fraternité dans la langue du Coran, et l'écho symbolique de cette vibration est incalculable.

Abdelwahab Meddeb s'avance ensuite pour lire son poème. Il est arrivé de Barcelone le mardi, tard, seul, épuisé par les tribulations d'un voyage qui fut plein de contretemps. Mais lui n'est pas à contretemps, il a attendu d'être sur place pour rédiger le texte qu'on lui avait demandé, il a saisi immédiatement et en tremblant l'horreur des lieux. Il dédie ce poème à son frère en poésie Paul Celan, qu'il lit et relit depuis toujours. Juif roumain, Celan, explique-t-il, « décida après le désastre de réinvestir la langue des bourreaux, l'allemand, pour y inventer sa propre langue, avec les scansions qui accompagnent l'infini labeur du deuil. Celan éprouvera l'acte poétique comme impossible, face à l'ampleur d'un crime inouï ». Il mettra fin à ses jours à Paris en 1970. Chacun le sent ici, répondre aujourd'hui à Celan sur la rampe de Birkenau, ce n'est pas contredire son expérience de l'indicible, c'est au contraire la prolonger, se faire solidaire d'une tentative désespérée de redonner à la parole sa hauteur humaine. Et les mots du poète, « portés par l'obscur » selon son expression, résonnent dans le silence comme autant de réfutations de l'inhumain.

> *La litanie des coucous*
> *rien ne transpire ni de l'herbe*
> *ni de la terre ni des fleurs*
> *lignes de briques murs effondrés*
> *seules les fondations répartissent les carrés*
> *hermétiques les images*
> *où bourdonnent les insectes*
> *la blancheur des arbres fusent*
> *vers un ciel voilé*
> *qui filtre la chaleur*
> *césure du chant*

non, les merles n'ont pas déserté
où l'infâme
ni le soleil
et la nature indifférente
    au malheur
ne porte pas le deuil

à l'interstice des pavés la mousse
    sèche
là courent les fourmis
actives
dans le lieu qui a connu
la mort absolue usine
    de la mort
vestiges de notre temps
les lieux ont-ils une mémoire ?
par le corps qui balance
au rythme de la voix
par le souffle qui ouvre
l'œil du cœur
donner au lieu
    sa mémoire
par le silence l'entretenir

ici fin mai
où l'infâme
retrouver un signe de l'enfance
touffes blanches qui voltigent
poils arrachés à la barbe de Satan, dit-on
accrochés aux cils voilà douze ans
    à Florence
en chemin vers l'ultime Cène
du sacrifice au plus barbare
où commence où finit le siècle

ferme les yeux juif ferme les yeux
sous le regard qui bondit de la dalle
béton arraché fendu brisé
par le séisme de mains d'homme
à vif le rêve noir de l'enfant
traverse le doute où le dieu se retire
dans le poids du jour
lévite à l'ombre du miroir
qui reflète un doigt
haut levé d'où la fumée
disparaît dans les cieux

Nous terminons par la lecture d'un message de Simone Veil. Sans elle, et sans la Fondation pour la mémoire de la Shoah qu'elle préside, nous n'aurions pas eu les moyens d'organiser le séminaire de Paris et la partie française du voyage, de nombreux jeunes ne pouvant assumer la totalité des frais. Mais son appui avait une autre valeur que cette indispensable aide matérielle. Aux yeux d'Émile Shoufani, la personne de Simone Veil représentait aussi tout un humanisme français et européen qu'il voulait absolument interpeller et impliquer dans cette aventure – d'autant qu'elle est une rescapée d'Auschwitz où elle est arrivée à l'âge de seize ans. Sa réponse a été à la hauteur de l'interpellation, et il était même prévu qu'elle nous rejoigne, mais à la dernière minute la chose n'a pas été possible. C'est donc le Dr Richard Prasquier qui nous lit la communication qu'elle nous a faxée.

Je pense aux doutes dont elle nous avait fait part quant à l'utilité pédagogique, pour les jeunes, des voyages à Auschwitz, tels qu'ils sont menés en général, pour une véritable transmission de la mémoire. Et j'aurais voulu qu'elle fût là pour voir de ses yeux la haute tenue de cette assemblée, conçue par un Arabe qui n'était pourtant pas rodé à ce genre d'entreprise. Je pense aussi à ce jour où, il y a longtemps, elle m'avait dit la révolte qui l'habite devant l'effarante indifférence générale face à cette rupture de civilisation que représente Auschwitz. Sur le coup, je n'avais su que répondre. Car c'est un fait : même si la chose n'est jamais dite, tout se passe comme si l'événement Shoah n'était que d'ordre historique, ne concernait que les victimes et leurs familles, les bourreaux et leurs complices. Aujourd'hui, j'ai l'impression qu'une bribe de réponse, différée, est apportée à cette angoisse exprimée par Simone Veil. Les Arabes qui sont ici ne représentent pas seulement le monde arabe et musulman dans ce qu'il a de plus noble. Parce que ce monde n'a pas été partie prenante, ni d'un côté ni de l'autre, à cette tragédie, il représente un peu l'humanité entière qui vient tirer la Shoah du passé pour l'introduire comme question au cœur même du présent. Et le fait que ses relations avec le monde juif sont actuellement difficiles ou conflictuelles ne fait que renforcer le symbole.

Les mots de Simone Veil expriment ce que chacun peut ressentir, après ce parcours collectif de trois jours : « Aucun de ceux qui viennent ici n'en repart indemne. Ils ne peuvent qu'être accablés par ce que des hommes, apparemment "ordinaires", ont été capables et sont sans doute toujours capables de faire à des êtres humains, des femmes, des hommes, des bébés, simplement parce qu'ils étaient nés juifs... Vous savez maintenant que tout est, hélas, possible. Au-delà de l'effroi, de l'angoisse, de la douleur ou de la compassion, ce que je souhaite que vous reteniez – et c'est une grande exigence –, c'est le courage de résister aux endoctrinements et de faire preuve de tolérance, de respect de l'autre quelles que soient sa race, sa croyance, sa culture et ses traditions. C'est aussi de faire en sorte que chacun puisse vivre en paix dans une patrie où les droits humains lui soient reconnus, où il puisse voir grandir ses enfants sans redouter le lendemain. »

Son message n'est pas seulement celui d'une présidente d'institution ou d'un personnage public, il est aussi le témoignage d'une femme dont l'adolescence a été brisée ici : « De la baraque où j'étais moi-même à Birkenau au printemps 1944, j'ai vu arriver sur la rampe des dizaines de milliers de déportés, conduits directement à la chambre à gaz. J'aimerais que vous compreniez pourquoi nous pensons sans cesse à tous ceux et celles qui ont été gazés, et surtout à tous les enfants dans les bras de leur mère ou leur donnant la main... Lorsque nous, les derniers survivants d'Auschwitz, nous parlons de la mémoire de la Shoah que nous voulons transmettre, nous ne pensons pas à nos propres souffrances, ni aux humiliations que nous avons eu à subir, mais à l'extermination de six millions d'êtres humains. C'est cela que nous ne pouvons, ni ne voulons oublier. »

Ce soir, l'artiste Nja Mahdaoui, venu tout exprès de Tunis, remettra à Émile, pour qu'il l'offre à Simone Veil, une magnifique œuvre calligraphique où les lettres arabes de *Salam* dansent avec celles, hébraïques, de *Shalom*.

Avant de se séparer, chaque participant dépose une bougie le long des rails. Cinq cents bougies qui signifient l'affirmation de la vie face à la mort mécanique à laquelle menèrent ces mêmes rails. « Elles ont fait de nous des sentinelles débutantes », écrira Martine Le Coz au retour du voyage.

En déposant ma bougie, je ne peux m'empêcher de songer à ceux de mes amis juifs qui ne nous ont pas suivis à Auschwitz. « Les absents ont eu tort », a lancé Victor Malka. Pas tous. Il désignait sûrement ceux qui lui avaient parlé de risque déraisonnable ou de manipulation, mais ceux auxquels je pense ne se sont pas abstenus en raison d'une opposition, ni même d'une quelconque suspicion. Ils se sentaient tout simplement incapables d'affronter ce lieu. Trop dur, trop mortifiant, trop éprouvant, au point qu'ils pressentaient un danger réel pour leur santé. « Auschwitz atterre et met à nu, toutes étoiles abattues, écrit encore Martine Le Coz. Auschwitz écrase toute défense individuelle et toute dialectique.

Comprime, choque et déforme. » Je n'ai rien eu à répondre à cet ami journaliste qui avait fait beaucoup pour tisser le réseau de relations nécessaire au projet, qui s'était impliqué personnellement pour défendre l'initiative d'Émile dans la communauté juive, qui lui avait fait rencontrer des personnalités importantes... et qui, au moment décisif, ne put franchir le pas. Le respect s'imposait de lui-même le jour où il m'avoua – lui qui sait tout ce qu'un responsable connu dans la communauté peut savoir de la Shoah – n'avoir jamais pu se forcer à entrer dans ce territoire du Néant. Il était allé une fois jusqu'à Cracovie avec son épouse, à une heure de route d'Auschwitz, mais après trois jours de tergiversations dans la ville, il avait renoncé...

Il y eut aussi Frank Lalou, fier de se dire « Juif arabe », calligraphe qui plus d'une fois travailla avec des artistes musulmans, créateur d'un spectacle où la musique andalouse se marie à ses œuvres picturales et se conjugue à des chants juifs et arabes ; Frank qui a lu l'Appel d'Émile, et qui s'écroule en larmes dans mon bureau au bout de cinq minutes de conversation. Comment pouvais-je imaginer, après tant d'années de fraternité et de travail commun, que les nuits de mon ami séfarade étaient hantées depuis toujours par le sort des dix-sept disparus de sa famille ? La convivialité joyeuse des Juifs d'Afrique du Nord fait parfois oublier qu'ils avaient de nombreux liens avec la métropole, et qu'ils n'ont pas toujours été épargnés par des deuils personnels. Frank, que d'autres paris n'ont pourtant jamais effrayé, restera écartelé des jours entiers entre son désir de nous suivre et son angoisse paralysante d'Auschwitz. Au-delà de son histoire familiale, c'est le risque de perdre toute foi en l'homme qui l'empêche de s'approcher de trop près du « trou noir ». Il sollicitera l'avis de sa femme et de son entourage, pleurera encore et fera des cauchemars, pour finalement, lui aussi, renoncer, par crainte de sombrer.

Pendant que la foule commence lentement, très lentement à se diriger vers les cars, une dizaine d'hommes et de femmes se regroupent en cercle sur la rampe, debout, les bras croisés en se tenant par la main : ce sont des francs-maçons de diverses obédiences françaises, qui ont participé individuellement à tout le processus de préparation du voyage, et qui ont décidé de ne pas repartir sans faire ensemble une « chaîne d'union ». Ils ne s'affichent pas, ils ne se cachent pas, à la fois discrets et bien visibles dans la nudité absolue de cet espace – mais en fait, personne ne les remarque. Certains d'entre eux sont croyants, d'autres athées convaincus, mais tous se reconnaissent dans cette démarche dont la méthodologie – imaginée par un prêtre ! – possède d'étonnants points communs, disent-ils, avec celle de la franc-maçonnerie. « Lorsque nous nous réunissons pour mener nos travaux, m'expliquera plus tard l'un d'eux, nous nous défaisons symboliquement de nos "métaux", bijoux, montres, etc., avant d'entrer dans le temple. Nous signifions par là notre volonté de nous départir de tous nos préjugés, de tout ce qui fait notre identité sociale, de tous nos partis pris religieux ou politiques, pour nous retrouver, dans un espace et un lieu donné, simplement entre êtres humains, dans une fraternité fondamentale. C'est exactement ce qui vient de se passer dans ce voyage. J'ai l'impression d'avoir participé à la plus belle "tenue" initiatique de ma vie ! » La veille au soir, j'avais vu deux de ces francs-maçons, juifs d'origine, s'échapper du groupe au moment du repas pour emmener Abdelwahab Meddeb dans un restaurant de Cracovie : fascinés par l'intelligence et la sensibilité du poète tunisien, ils tenaient à vivre quelques heures privilégiées en tête à tête avec lui. Nul doute, me dis-je, que ces moments de fraternité animés par un prêtre auront aussi un écho dans les loges...

XIII

La Shoah n'est pas finie (3)

> *Au lieu de maudire l'obscurité,*
> *allume une bougie.*

Proverbe arabe[1]

À l'aéroport de Tel-Aviv, Ruth Ben David, la rescapée du ghetto de Kovno, a téléphoné à sa petite-fille pour qu'elle vienne la chercher. Avant d'entrer dans la voiture, elle s'est entièrement changée et a mis tous ses habits souillés par la poussière d'Auschwitz dans un sac en plastique, y compris ses chaussures. Ensuite, elle n'a pas pu dire un mot pendant plusieurs jours... Au séminaire qui s'est tenu entre les participants israéliens deux semaines après le retour, elle a enfin repris la parole pour dire aux Arabes : « Maintenant, vous pourrez me dire tout ce que vous voudrez, même si c'est dur, même si ça me heurte, je vous annonce d'avance que je l'accepterai de vous. » Puis elle s'est mise à témoigner tout autour d'elle de cette expérience. « Seulement devant des groupes, précise-t-elle, car ça me coûte beaucoup d'énergie.

---

1. L'origine de ce proverbe est sûrement chinoise... illustration parmi d'autres du creuset culturel qu'a été la civilisation arabe.

253

Et j'ai compris ce que m'a dit Abouna, ajoute-t-elle, je ne vais pas voir mes amis de gauche ! Ceux-là sont convaincus sur l'essentiel, c'est vers les autres qu'il faut aller, ceux qui ont toujours appris de leurs parents qu'il ne faut jamais faire confiance aux Arabes. » Ruth s'est aussi mise à écrire son poème *Avec des Arabes à Auschwitz*, mais elle a du mal à le conclure. Peut-être ne le terminera-t-elle jamais, dit-elle, aussi pense-t-elle le publier inachevé, pour dire l'espérance avec des points de suspension...

Hyam Tannous, l'Arabe chrétienne qui a fait se rencontrer Émile et Ruth Bar Shalev, a connu aussi un retour éprouvant. Elle a vécu « deux semaines d'enfer, léthargique, comme morte ». Puis elle est remontée un jour à la surface, transformée, pleine d'une énergie nouvelle qui à son tour transforme la famille et toutes ses relations. Elle n'a pas pour autant réussi à convaincre son mari ni ses deux fils, qui s'étaient opposés à son départ. Du moins restent-ils en apparence sur leurs positions : « Alors, qu'est-ce que tu as obtenu de plus des Juifs ? » En réalité, pour employer un mot un peu trivial mais qui dit bien leur surprise mêlée d'une pointe d'admiration : elle les a épatés. Ils ne veulent pas l'avouer, mais ils se précipitent sur la télévision dès qu'une émission sur le voyage est annoncée, et il lui est arrivé de tomber sur des conversations téléphoniques où l'un des fils, ne se sachant pas écouté, annonçait fièrement à un ami : « Oui, ma mère en était ! »

Liav, la benjamine du groupe israélien, est revenue encore plus militante du dialogue, elle jure qu'elle ne va pas cesser de parler de son expérience à des amis qui n'ont jamais rencontré d'Arabes. Des jeunes, surtout, car elle reconnaît que sans Ruth Bar Shalev, elle aurait eu beaucoup de mal à s'intégrer à ce groupe judéo-arabe dont les participants israéliens avaient au moins l'âge de sa mère, soit vingt ans de plus qu'elle. Mais son action consistera notamment à élargir le champ de ces rencontres, elle voudrait que d'autres jeunes continuent à leur manière cette démarche initiée par leurs aînés. Pour ce faire, elle voudrait lancer des projets de rencontres plus divers. « Car peu de gens de mon âge, dit-elle, sont prêts à participer à de longs séminaires sur des sujets aussi lourds. Il faudrait pouvoir se retrouver aussi autour d'une conférence sur le feng shui, autour d'une sortie au cinéma ou au théâtre... ou tout simplement pour danser la salsa ! » Qu'on ne s'y trompe pas : au-delà de la futilité apparente de ces sujets, c'est toute une vision de l'échange qui se dit à travers une voix juvénile. La danse est ici le symbole du contact physique de personne à personne, qui a été si oublié dans les relations entre les deux peuples, peut-être parce qu'il est celui qui demande le plus d'engagement, de remise en question de soi-même. Ce qui importe, aux yeux de Liav, c'est de « créer une interaction, pour que le jeune Juif de vingt-cinq ans, lorsque dans dix ou quinze ans il aura à louer son appartement, ne réponde pas au premier Arabe qui se présentera : "Désolé, c'est déjà pris." Et pour qu'avant de mettre un bulletin dans l'urne les jours d'élection, il ait pu expérimenter autre chose que l'indifférence ou la peur vis-à-vis des Arabes israéliens ou des Palestiniens ».

Salem Joubran, je l'ai dit, était déjà venu à Auschwitz avec des Arabes et des Juifs, dans le cadre des voyages qu'il organisait comme secrétaire général du Parti communiste israélien. Mais l'expérience collective qu'il vient de vivre est pour lui unique : « Nous avons inauguré, je crois, une nouvelle phase dans l'histoire de la mémoire de la Shoah, et nous avons en tout cas franchi un cap historique dans les relations judéo-arabes. L'approche des événements que j'avais connue jusque-là, et que je m'étais efforcé d'enseigner aux Arabes d'Israël, se situait sur le plan de la connaissance historique et de l'analyse politique de l'idéologie nazie. Sur les lieux du génocide, cette approche se manifestait par un rituel somme toute assez pauvre, couronnes de fleurs et grandes déclarations. Mais ce qu'Abouna a su créer, c'est une qualité de relation qui nous a permis de considérer ensemble ce que *nous* avions perdu ici – pas seulement les Juifs. À partir de cette communion dans la perte, il est possible d'envisager un futur commun. »

Bichara Khader, le professeur de l'université de Louvain-la-Neuve, a eu la même impression : « C'est en observant l'émotion de mes frères arabes et palestiniens à Birkenau, recueillis devant les vestiges de l'horreur absolue, que j'ai pris la mesure du miracle de l'empathie. » Gabriel Ringlet, prorecteur de la même université, renchérit : « J'ai pensé à cette phrase de Noa, la chanteuse israélienne d'origine yéménite qui fait travailler ensemble des artistes juifs et arabes, et porte la paix dans son nom comme dans ses chansons. Elle avait dit, à la naissance de son fils : "Aujourd'hui, il y a de l'espoir là où je n'en ai jamais espéré." » C'est bien l'histoire d'une naissance que tous pensent avoir vécue. Mohammed, ami d'Abd al Malik, du groupe de rap NAP : « Nous avons créé une oasis d'humanité dans un désert d'indifférence et de haine, maintenant il va falloir arroser. » Fatilia : « L'appartenance à une communauté n'est qu'un élément de notre personnalité. Je suis arabe, mais je ne me résume pas à cela. » Stéphane, responsable régional des scouts musulmans de France : « Notre action a participé de cette éducation d'éveil dont nous parle le cheikh Bentounès, et qu'il base sur trois principes : sacralité de la vie, épanouissement de la raison et éducation spirituelle. C'est précisément ce que nous avons vécu. Parti pour avoir des réponses, me voilà avec des questions, mais ces questions me poussent vers l'avenir, me poussent à construire moi-même des réponses dans un engagement tourné vers l'humain, vers le vivant. » Les jeunes Juifs français sont au diapason de cette prise de conscience : « Avant, dit un éclaireur israélite, je pensais que la Shoah était quelque chose à moi et à tous les Juifs, que ça n'intéressait pas les autres, et que d'ailleurs ça ne les regardait pas. Mon père a été un enfant caché, et cette histoire est tellement profonde qu'on ne peut pas en parler comme ça... Maintenant, tout a changé. Je pensais qu'après la disparition des rescapés, c'était à moi d'être le témoin des témoins. Eh bien non ! Ce ne sera plus seulement à moi, mais à tous ceux qui le souhaitent, tous ceux qui ont compris qu'ils sont concernés. » Même universalisme chez Jérémie, petit-fils de déporté : « L'inhumanité que renvoie ce lieu gomme les différences entre nos religions. » Si le Dr Prasquier, qui a participé à des centaines de rencontres pour la mémoire de la Shoah, parle d'une « manifestation de solidarité humaine telle qu'elle restera comme un événement extraordinairement fort », c'est qu'il s'est vraiment passé quelque chose de neuf.

Et tous, aussi bien en Israël qu'en France ou en Belgique, n'ont pour Émile et les organisateurs qu'un seul mot à la bouche : merci, *toda*, *choukran*.

Pourquoi ce merci, alors que nous étions tous ensemble glacés, sidérés par le degré absolu d'inhumanité dont témoigne ce lieu ? Parce que cette expérience, au-delà de la connaissance de l'histoire et au-delà même de l'émotion, a eu l'effet d'un baume de fraternité sur une plaie toujours vive. Nous avions ressenti, dans le même temps que nous suffoquions de tristesse, quelque chose qui ressemblait à une réparation. J'ai osé employer ce mot à mon retour, et même un mot équivalent dans la tradition juive, mais plus fort encore, *tikkoun*, qui dit cette vocation de l'homme à réparer les déchirures, à recoller en quelque sorte les morceaux de l'humanité éclatée. Ce qui m'avait poussé à cette audace, c'étaient les rescapés qui nous avaient accompagnés et nous avaient dit que jamais ils n'avaient eu à ce point l'impression d'être reconnus comme témoins d'un désastre qui concerne l'humanité entière, et pas seulement les Juifs. Pour moi, la plus grande victoire était l'étincelle que j'avais vue dans les yeux de Schlomo Venezia, et qui en disait long sur la « réparation » qu'il venait de vivre.

Et puis, peu de temps après, j'ai lu le sermon qu'avait prononcé le rabbin Farhi pour le Yom HaShoah de 2001 : « La mémoire, pas plus que les êtres, ne peut être réparée, disait-il. Notre humanité est en état d'"irréparation". Pardonnez ce néologisme : il veut désigner un état dans lequel nous a plongés la Shoah et qu'aucune initiative, si louable soit-elle, ne pourra modifier... L'air pollué par les cheminées des crématoires est resté pollué depuis lors... Ce discours vous semble triste, désespéré, indigne d'un homme de foi et de religion ? Je vous répondrai que Dieu ne peut habiter cette terre que si l'homme Lui prépare une demeure. Et cette demeure, ce ne sont ni les temples, ni les cathédrales, ni les pagodes, ni les mosquées, ni même les synagogues, c'est le cœur des hommes. Tout simplement ce modeste et si durable édifice que nous construisons jour après jour en essayant de faire de nos vies une œuvre de patience, de bonté, de joie reçue et partagée, d'amour et de lumière. Il faut savoir, il faut admettre qu'il est des choses irréparables. Mais il faut également comprendre que la vie doit reprendre et se perpétuer. Peut-être est-ce même la seule façon que nous avons, non de réparer, mais de prolonger l'existence amputée de toutes ces victimes [1]... »

En lisant ces mots, j'ai eu honte de ma légèreté... Non, aucune initiative humaine, « si louable soit-elle », ne peut réparer *cela*. Lorsque André Néher se penche sur le « silence d'Auschwitz », il ne peut que constater : « Jusqu'au XXᵉ siècle, une telle mort était im-pensable. Et elle restera indéfiniment in-compensable [2]. » Quelques jours plus tard, je lisais cependant le texte du sermon prononcé par le même Daniel Farhi à son retour d'Auschwitz, et il commençait ainsi : « Com-

---

1. *Le Mouvement*, n° 98, juin 2001, texte repris dans *Sens*, n° 261, septembre 2001.
2. *L'Exil de la parole. Du silence biblique au silence d'Auschwitz*, Seuil, 1970, p. 155.

ment rendre compte de ces journées que je qualifierais volontiers de prémessianiques dans la mesure où ce qui s'y est passé est de nature à hâter la venue du Messie ? » Alors je me suis dit qu'il valait mieux laisser tout jugement en suspens et travailler.

Ce qui est sûr, par contre, c'est qu'Émile Shoufani a su rendre possible ce que beaucoup avaient cru impossible.

Il en a été félicité, applaudi, remercié, y compris par ceux-là mêmes qui haussaient les épaules quelques mois auparavant. Il n'en est pas dupe. « Mais enfin, pourquoi ne m'avez-vous pas tenu au courant des dernières précisions concernant ce voyage ? Je serais venu avec vous, je ne demandais que cela ! » Combien de fois, depuis notre retour, n'a-t-il pas entendu ce refrain en forme de regret étonné, en France aussi bien qu'en Israël ? Le regret est toujours sincère, mais l'étonnement, lui, n'est justifié que dans quelques cas – ceux des personnes qui avaient manifesté dès le début une ferme volonté de participer, mais qui en ont été empêchées par un imprévu majeur, comme Jean Lacouture ou Mohammed Arkoun, ou par les défauts d'une organisation un peu précipitée. En dehors de ces exceptions malheureuses, Émile avait souvent reçu, du côté arabe comme du côté juif, des soutiens qui n'en étaient pas : paroles de sympathie, d'encouragement parfois, mais au moment crucial, prudence et discrétion. On a jugé qu'il valait mieux se préparer à chanter les louanges du prophète *après coup*, tout en gardant au feu le fer rusé de la « sagesse », toujours prêt à servir en cas d'échec : « Je vous avais averti, vous vous êtes fait manipuler, vous voyez bien qu'il ne fallait pas leur faire confiance ! » Dans un contexte où chaque mot et chaque geste sont tous les jours pesés, mesurés à l'aune de la méfiance, on a considéré que seul un naïf pouvait se laisser embarquer dans une aventure aussi dangereuse.

259

Seulement voilà : le naïf est allé jusqu'au bout, il en a entraîné d'autres, ils ont cheminé ensemble entre les ravins des multiples récupérations possibles, et *aucun* d'entre eux n'a fait le faux pas que tout le monde attendait. Les voilà de retour, il faut bien admettre que le curé était plus réaliste qu'il ne paraissait. Dès lors, il peut être proclamé héros de la paix et de la réconciliation. Jusque-là, il n'était qu'un héraut appelant dans le désert, le voici maintenant congratulé par tous. L'homme sourit, mais ce sourire énigmatique n'a rien à voir avec le rictus de la revanche. Il s'amuse peut-être de certaines conversions tardives, mais s'il garde la tête froide devant l'afflux soudain des éloges, son cœur, lui, reste chaud devant ses interlocuteurs, quels qu'ils soient. Il n'en veut à personne. Il n'est pas du genre à savourer en vainqueur les enthousiasmes un peu ridicules de ceux qui, hier encore, le considéraient avec un mélange d'admiration et de circonspection, voire prêtaient complaisamment l'oreille à des rumeurs douteuses. Ces réserves qui faillirent empêcher d'éclore sa folle initiative, il préfère les mettre au compte de l'impuissance plutôt que de l'hypocrisie. Impuissance à franchir les obstacles mentaux accumulés par des décennies de malheurs, impuissance à briser le carcan de la peur.

Il a raison, au fond : la vraie malveillance est relativement rare en ce monde, et si la vraie bienveillance y est encore plus rare, c'est surtout parce que la peur de perdre nous tient au ventre comme une maladie paralysante. Nous croyons souvent nous en tirer par cette somme de petits arrangements quotidiens qui nous assurent une vie tranquille. Mais en réalité, même si nous refusons de nous l'avouer, nous dépérissons sous le poids de notre propre ruse. Émile Shoufani ne cherche jamais à pointer du doigt ces misérables stratagèmes que les hommes s'inventent pour faire taire leur sincérité afin de rester « forts ». Il préfère considérer en l'autre la souffrance secrète que produit cet épuisant camouflage des sentiments. Une fois qu'il l'a trouvée, tout redevient possible : il dit à son interlocuteur : « J'ai confiance en toi, plus que toi-même. » Il y a là un levier capable de bouleverser une vie. « Je ne cherche jamais à "coincer" les gens, dit-il. À quoi cela servirait-il de les pousser dans leurs retranchements, de leur démontrer à tout prix leurs erreurs ? L'expérience montre que ce n'est jamais cela qui les fait changer et s'ouvrir à l'autre. Au contraire, car ils en sont blessés. Or, il faut savoir quel est l'objectif du combat : le mien n'est pas de blesser, d'enfoncer l'autre par une dialectique subtile afin qu'il rende gorge, qu'il avoue enfin son hypocrisie ou ses fautes. Mon seul objectif est de guérir, que nous guérissions ensemble. Il me faut donc rejoindre la personne dans sa réalité profonde, sans m'attacher à ses réactions de surface, qu'elle me loue ou qu'elle m'attaque. Rien ne changera par la dialectique, rien ne changera si *nous* ne changeons pas, et nous ne pouvons changer qu'*ensemble*. » Stratégie typique de la non-violence, que l'on trouvait déjà chez des Gandhi ou des Martin Luther King, et qui interdit au combattant de la paix, lorsqu'il a gagné son pari, d'en tirer gloire ou de se comporter avec morgue.

Le pari a donc été tenu. Mais quel pari ?

Il s'agissait tout d'abord de porter une parole arabe et musulmane sur la Shoah. Et une parole *collective*. Car si des intellectuels ou des personnalités isolées avaient déjà, pour leur plus grand honneur, abordé publiquement la question ou posé des gestes symboliques, jamais on n'avait vu une telle mobilisation sur ce sujet : les deux cent cinquante Arabes et musulmans participant au voyage en représentaient en effet beaucoup plus, notamment en Israël. Mohammed Arkoun analyse ainsi l'attitude du monde musulman : « Depuis soixante ans, la Shoah a été réduite à une affaire euro-chrétienne face à la "question juive". La conscience chrétienne de culpabilité s'est soulagée par le geste spirituel de la demande de pardon. La conscience républicaine laïque, humaniste, a reconnu sa responsabilité politique dans une démarche analogue à celle de la repentance religieuse. La conscience islamique, elle, est demeurée à l'écart des leçons à tirer de la Shoah, et ce pour deux raisons. Premièrement : jamais, depuis les grands exégètes médiévaux, ce que j'appelle la "raison islamique" n'a réouvert l'immense dossier des contentieux théologiques entre les "peuples du Livre" (*ahl al-kitâb*), contentieux qui sont donc demeurés figés dans leurs formulations coraniques lapidaires. Deuxièmement : totalement accaparée par les luttes de libération depuis 1945, la conscience musulmane a basculé très vite, après les indépendances, dans l'instrumentalisation et l'étatisation de l'islam pour "résister" aux forces internes et externes de désintégration. Dans ce contexte de rupture des sociétés dites musulmanes avec elles-mêmes et avec l'environnement international, la question Israël-Palestine vient exercer ses effets multiplicateurs sur les effervescences idéologiques. »

C'est précisément ce contexte paralysant qui a été dépassé lors de ce voyage.

Mais ce dépassement, marquant la victoire d'hommes et de femmes arabes et musulmans sur tant de déterminismes historiques, a eu un autre effet. L'idée qu'un monde et une culture étrangers à l'événement historique puissent se déclarer concernés par lui impliquait celle d'un « passage à l'universel » de toute la problématique de la Shoah. C'est ce qu'Émile Shoufani avait exprimé dans son Appel, puis, au fur et à mesure de la réflexion, ce que lui et quelques amis ont tenté de traduire dans le texte lu à Birkenau. Il y avait longtemps que le grand penseur israélien Yehoshua Leibowitz avait, dans son style vigoureux habituel, clamé que « la Shoah n'est pas l'affaire des Juifs, mais celle des Nations ! ». Et Simone Veil, en octobre 2002, avait déclaré devant les ministres de l'Éducation européens : « L'affirmation de la singularité de la Shoah ne correspond en rien à une démonstration de la différence juive, du destin juif, de l'exception d'un peuple qu'on dit élu. Cet événement dépasse de loin les seuls Juifs et Tziganes. Reflétant l'image du dénuement absolu, d'un processus de déshumanisation mené à son terme, la Shoah inspire une réflexion inépuisable sur la conscience et la dignité des hommes[1]. »

C'est peut-être aussi ce qu'a voulu exprimer le président Chirac dans l'inscription qu'il a laissée sur le Livre du souvenir d'Auschwitz, lors de sa visite en 1996. Il avait repris en l'adaptant une citation célèbre du philosophe juif Vladimir Jankélévitch, qui avait jadis écrit : « Ces innombrables morts, ces massacrés, ces torturés, ces piétinés, ces offensés sont *notre affaire à nous*. Qui en parlerait si nous n'en parlions pas ? Qui même y penserait ? Dans l'universelle amnistie morale depuis longtemps accordée aux assassins, les déportés, les fusillés, les massacrés n'ont plus que nous pour penser à eux. Si nous cessions d'y penser, nous achèverions de les exterminer, et ils seraient anéantis définitivement[2]... » Sous la plume du président, la phrase est devenue : « Les innombrables morts sont *notre affaire à tous*. Si nous cessions d'y penser, nous achèverions de les exterminer[3]. » La distorsion des mots, voulue par lui ou par un de ses conseillers, peut être critiquée comme citation tronquée et déformée d'un grand philosophe. Mais elle donne à penser : elle affirme la prise en charge de cette mémoire par l'humanité entière, et elle répond indirectement aux questions : « Qui en parlerait si nous n'en parlions pas ? Qui même y penserait ? »

À cette interpellation, des Arabes et des musulmans ont répondu : « Présents. »

Ils l'ont fait pour la seule raison qu'ils sont hommes et femmes. Mais cette universalisation de la question implique une autre pédagogie concernant la Shoah. Paul Thibaud, pré-

---

1. Discours publié dans *Le Mouvement*, n° 106, avril-juin 2003.
2. « Pardonner ? », *L'Imprescriptible*, Seuil, 1986.
3. *Auschwitz Graffiti*, p. 107-108.

sident de l'Amitié judéo-chrétienne de France, l'expliquait ainsi à notre retour, dans un article précisément intitulé « Désoccidentalisation de la Shoah [1] », et que je veux citer ici longuement, tant il rejoint la réflexion sous-jacente à l'action d'Émile Shoufani :

« Ce désenclavement, cette extension du champ de la signification impliquent un changement dans la nature de la signification, une nouvelle réflexion sur le crime et sur la manière dont la conscience collective ne cesse de protester contre lui. Dans le cadre de l'Occident, on s'est interrogé essentiellement... sur les racines de l'antisémitisme exterminateur. Quelle part de responsabilité (directe, indirecte, active, passive...) attribuer aux différents États, peuples, confessions, partis, idéologies, écoles de pensée ? Question adressée à toutes les appartenances qui constituent le socle de l'Occident. Effet de ces examens de conscience, s'est imposée en Europe une culture des droits de l'homme, c'est-à-dire du contrôle des États. Mais on est resté dans le négatif... La réflexion européenne sur la Shoah s'est enfermée dans la seule considération du couple victimes/responsables, réduisant l'événement à être un paradigme de la méchanceté humaine, qui nous oblige à une méfiance incessante envers nos mauvaises tendances. Quel effet peut produire chez ceux qui, comme les musulmans, n'ont participé à la Shoah ni comme victimes ni comme bourreaux l'introjection de ce questionnement ? »

L'auteur évoque ici les risques de confusions aboutissant à un rejet de l'Occident ou à une « concurrence des victimes ». Et il poursuit : « Par rapport à cela, la réponse donnée jusqu'à présent à un événement proprement "apocalyptique", c'est-à-dire révélateur, apparaît insuffisante et non universalisable... Notre crainte que ne s'efface la mémoire des faits révèle [cette] insuffisance de la réponse à l'événement, notre vigilance à dénoncer trahit notre impuissance à imaginer, nous

---

1. *Information juive*, n° 229, juin 2003.

nous accrochons à la mémoire parce que nous n'avons pas compris la leçon... Le texte lu à Birkenau au nom de Mémoire pour la paix se conclut par un appel à la fraternité universelle. En effet, la désoccidentalisation de la Shoah ne peut réussir que dans l'espérance d'une communauté éthique réunissant toute l'humanité selon une formule ancienne : tu aimeras ton prochain comme toi-même... Affirmer la signification universelle de la Shoah n'est pas affaire de commémorations mais de créativité collective... La mondialisation qui est notre condition actuelle – et dont cette confluence inédite à Auschwitz fut une illustration – semble exiger de notre conscience collective un approfondissement dont la Shoah serait la pierre de touche, le critère. »

Et Paul Thibaud de conclure par cette interpellation : « Serons-nous capables d'ambition morale, au lieu de nous répéter en maudissant les nazis qu'au moins ils étaient pires que nous ? Dans un monde uni par le commerce et l'information, mais perclus d'inégalités, de défiances, de ressentiments, hanté par le mal, saurons-nous comprendre que l'acharnement des nazis visait l'éthique qui nous fait défaut[1] ? »

Dans la même perspective, de nombreux auteurs, depuis quelques années, s'attachent à donner à la mémoire de la Shoah le sens d'une critique créatrice de nos éthiques individuelles et de nos comportements collectifs. Yannis Thanassekos, par exemple, président de la Fondation Auschwitz de Bruxelles : « Éduquer après Auschwitz serait donc dépister en nous-mêmes et dans toutes les pratiques sociales – y compris dans le champ de l'enseignement – les multiples manifestations et infiltrations de cette conscience mutilée qui nous ravale au statut de moyens et de choses. Dans une telle approche, l'"événement Auschwitz" cesse d'être la négativité absolue qui paralyse la conscience pour devenir le moment

---

1. *Ibid.*

possible d'une critique radicale et positive du présent[1]. »
Beaucoup d'autres réflexions de ce type seraient à mentionner, à commencer par celles de Georges Bensoussan, auteur
notamment de *Auschwitz en héritage ?*, qui nous en présenta
une synthèse dans notre séminaire de Paris. Mais je me
contenterai de citer un musulman, Mohammed Arkoun, qui,
dans son texte écrit pour la préparation de notre voyage,
demandait à ce que l'enquête sur la spécificité de la Shoah
débouche sur un « travail de soi sur soi qui s'impose à chaque
sujet individuel et à chaque mémoire collective dans ce tournant majeur de notre histoire interdépendante ». « Par travail
de soi sur soi, précisait-il, j'entends un engagement de chaque
peuple, donc de l'État qui le gouverne, de chaque citoyen
dans sa cité et à l'échelle mondiale : un engagement à prati-
quer l'autocritique permanente dans la production de son
histoire, en relation pacifique avec celle des autres. Je sais
bien que ce programme est une utopie. Mais je l'énonce précisément pour réfléchir à la question suivante : pourquoi la
Shoah, qui aurait pu nourrir la conscience universelle d'un
même combat contre le retour de la barbarie, où que ce soit
et contre qui que ce soit, pourquoi cet événement a-t-il laissé
indifférent non seulement le monde extra-européen, mais de
larges parties de l'opinion à l'intérieur de l'Europe elle-
même ? »

Attention cependant à ce que cette universalisation des
questions posées au monde d'aujourd'hui par la Shoah ne
soit le prétexte à une banalisation. Dans le discours cité de
Simone Veil, elle précisait : « Ce n'est pas parce que la Shoah
reste le symbole du désespoir absolu que toutes les interprétations, tous les amalgames sont permis. Ce n'est pas parce que
l'ombre des déportés juifs et tziganes plane toujours au-dessus
de nous que toute violation des droits de l'homme entraînant

---

1. *Le Nouvel Observateur*, hors-série sur la mémoire de la Shoah,
décembre 2003.

mort d'hommes doit être qualifiée de nouvel Auschwitz. L'histoire de la Shoah se suffit à elle-même. Elle n'a pas à être la bannière de tous les combats. Ne faisons pas de la rhétorique avec la mémoire de la Shoah. » Et à propos de la première Journée de la mémoire de la Shoah dans les établissements scolaires, elle insistait : « Saddam Hussein est-il un nouveau Hitler ? La politique israélienne est-elle comparable au nazisme ? Si tout le monde est victime, si tout le monde est coupable, plus personne ne l'est vraiment ! Il faut que la spécificité de la Shoah ne soit jamais banalisée[1]. »

Un tel écueil, à mon sens, ne peut être évité qu'à la condition de se pencher non seulement sur le comment de la Shoah, mais aussi sur le pourquoi de l'antisémitisme exterminateur des nazis. Oui, le nazisme nie l'humanité parce qu'il nie l'universalité et veut retrancher un peuple entier de la terre... mais pourquoi ce peuple-là ? Pour Mohammed Arkoun, l'extermination de ce « peuple exceptionnel » a été voulue « *en raison de cette exception même* » : « Il faut bien reconnaître, dit-il, une spécificité du destin historique du peuple juif... Accepter de passer par les victimes juives de l'Holocauste, c'est approfondir les significations spécifiques de la rencontre entre deux cheminements historiques de la condition humaine, incarnés par deux peuples, le peuple juif et le peuple allemand. Rencontre entre le paradigme prophétique et le paradigme prométhéen des volontés de puissance qui excluent l'"autre", défini arbitrairement comme l'incarnation du Mal absolu. »

L'Autre juif est défini ainsi parce que, précisément, le prophétisme introduit dans les cultures humaines l'idée de liberté. Telle était l'intuition philosophique de Lévinas dès 1934 : le nazisme en veut au peuple de la Bible, écrivait-il dans la revue *Esprit*, parce qu'avec le prophétisme biblique « le temps perd son irréversibilité même. Il s'affaisse énervé

---

1. *Le Monde*, 22 octobre 2002.

aux pieds de l'homme comme une bête blessée. Et il le libère... Cette liberté infinie à l'égard de tout attachement, par laquelle en somme aucun attachement n'est définitif, est à la base de la notion chrétienne de l'âme... La dignité égale de toutes les âmes, indépendamment de la condition matérielle ou sociale des personnes... est due au pouvoir donné à l'âme de se libérer de ce *qui a été*, de tout ce qui l'a liée, de tout ce qui l'a engagée – pour retrouver sa virginité première[1] ». Parce que le leitmotiv de la liberté la pénètre de part en part, c'est cette vision judéo-chrétienne, laïcisée dans la démocratie moderne, qui est l'ennemie à abattre pour le nazisme. Elle s'incarne pour lui dans le peuple héritier de la Bible.

« S'il en est ainsi, suggère Paul Thibaud qui suit un raisonnement semblable dans son article cité, il ne suffit pas de rappeler et de dénoncer les crimes, on ne répond vraiment à la Shoah qu'en se mettant (fût-on incroyant ou croyant d'une autre foi) ensemble à l'écoute du message éthique de la Bible. »

---

1. Article paru chez Fata Morgana et réédité par Payot-Rivages en 1997.

XIV

« *Si tu veux la paix, prépare la paix* »

*Il y a violence dès lors que je ne fais pas participer
l'autre à l'élaboration de mon propre discours.*

Éric Weil

Est-ce une victoire ? Le mot serait un peu vite lâché. Certes, l'événement n'est pas passé inaperçu dans la presse internationale, il a été suivi en France et en Belgique de nombreuses rencontres [1]. En Israël lui ont été consacrées des heures de radio et de télévision, des doubles pages entières dans les journaux. L'opinion publique israélienne a largement été informée, un vrai débat public a eu lieu, et dans les semaines suivantes, l'association Mémoire pour la paix a reçu sur son site internet des dizaines de milliers de messages, plus que louangeurs dans la quasi-totalité des cas. Mais Émile Shoufani prend avec vigilance ce succès flamboyant... qui pourrait n'être qu'un feu de paille. Surtout, il veut être compris et s'inquiète de l'impatience de tous ceux qui, dès l'été suivant, tant du côté juif que du côté arabe, réclament à cor et à cri des « suites concrètes ». « Pourquoi cette volonté

---

1. Voir page 291.

269

angoissée de produire immédiatement des résultats ? Du calme, ai-je répondu, n'ayez pas peur que "tout tombe à l'eau" ! Prenez le temps d'intégrer vraiment cet événement dans vos vies. Le résultat, ce sera vous ! »

Qu'est-ce à dire ? Que son exigence essentielle concerne la conversion du regard de chacun sur l'autre, seule capable de fonder une paix durable. Et qu'il n'a que faire de profiter de la « mobilisation des troupes » pour les lancer sur des objectifs à court terme. Pour lui il n'y a pas de « troupes », il préfère s'adresser à des personnes en leur demandant d'approfondir ces questions : « Qu'avons-nous fait là ? Que nous est-il arrivé ? En quoi cela *nous* change-t-il ? » Seule la qualité de la réponse permettra cette contagion positive qu'il appelle de ses vœux. Il a rejeté l'idée, par exemple, d'organiser ou de prendre sous sa direction d'autres voyages à Auschwitz : il ne sera pas l'« Arabe spécialiste de la Shoah » que certains voulaient qu'il devienne, et sa réponse est ferme : « Ce n'est pas mon travail, et notre association n'a pas vocation à se transformer en agence de voyages. » Il est question, par contre, qu'elle travaille en relation avec Yad Vashem, pour une meilleure préparation des voyages à Auschwitz : les guides de l'institut se sont en effet aperçus qu'une pédagogie plus universelle était nécessaire pour toucher la population arabe, et qu'ils n'avaient pas assez intégré, dans leur façon de transmettre la mémoire, la question des séquelles de l'événement sur les générations présentes. Trois de ces guides, d'ailleurs, ont carrément décidé de participer aux activités de Mémoire pour la paix. Avec le soutien du directeur de Yad Vashem, Avner Shalev, c'est une petite révolution culturelle dans cet institut fondé en 1953 qu'a provoquée le voyage.

Mais la principale demande à laquelle Émile a été confronté dès le retour a été celle d'une sorte d'action symétrique des Juifs vis-à-vis des Arabes. Rares sont les participants arabes au voyage à avoir réclamé une telle initiative. Quelques-uns, c'est vrai, étaient si fiers d'avoir réussi cette opération a priori impossible qu'ils ne purent résister à la tentation du défi. Défi face à l'opinion publique juive dont ils voyaient bien qu'ils l'avaient sidérée. « Oui, nous avons été capables de ce geste malgré tout notre contentieux, malgré tous les obstacles psychologiques, politiques, etc. Et maintenant, vous, qu'allez-vous faire ? » Mais la pression est surtout venue du côté juif. « Ceux qui m'ont compliqué un peu la vie, raconte Émile, ce sont des amis comme le professeur Gabi Solomon, de l'université de Haïfa, qui a depuis longtemps milité pour la paix, ici et à l'étranger, comme en Afrique du Sud. Lui et d'autres personnalités avaient tellement été bouleversés par ce voyage qu'ils insistaient pour faire une sorte de "voyage retour" en Palestine ou dans les villages arabes d'Israël. J'ai été obligé de les arrêter. "Je ne vous ai rien demandé", leur disais-je, et eux me répondaient : "Nous avons bien entendu, mais si c'est nous qui décidons d'en prendre l'initiative ? Tu ne peux pas nous empêcher de vous rendre la pareille, tout de même !" Eh bien non, même s'il est délicat de freiner ainsi leur enthousiasme, je ne veux pas de cette réciprocité. Non pas qu'il soit inutile que la population juive prenne conscience de la souffrance historique du peuple palestinien. Je me suis battu toute ma vie pour nos droits et ceux de nos frères des Territoires, je ne vais pas aujourd'hui renier cet engagement et faire comme s'il n'y avait pas de problème ! Mais notre action était foncièrement unilatérale, il faut qu'elle le demeure : ce que je cherchais, c'était précisément à casser le cercle du donnant-donnant, qui s'est révélé un cercle vicieux. »

Étrange refus... Pourquoi donc récuser une proposition aussi sincère, spontanée, qui pourrait apporter une réponse différée à tous les Arabes qui lui demandaient « ce que feraient les Juifs en retour » ? Proposition qui, de surcroît, vient essentiellement de ses amis juifs les plus proches, de gauche et pacifistes ? Mais, outre le fait qu'il s'était engagé sur un principe de gratuité, Émile est profondément réfractaire à

271

la symétrie habituelle des rapports sociaux : « Il y a des gens qui sont incapables d'accepter un geste désintéressé, qui ne peuvent recevoir une invitation à dîner sans vous gratifier à leur tour d'une contre-invitation. Sous-entendu : vous viendrez chez nous et, comme ça, nous serons quittes ! Cela vaut certainement mieux que l'absence de relations, mais cette réciprocité du geste reste extérieure et tourne trop souvent au rituel. Il faut savoir recevoir si l'on veut qu'il y ait rencontre des personnes, au-delà de la figure sociale de chacun. » Enfin, s'il consentait à organiser des visites sur le site de villages détruits en 1948, par exemple, comme certains le lui ont demandé, le parallélisme apparent avec notre voyage serait totalement faussé : « D'une part, tous les participants l'ont compris, il n'y a aucune commune mesure entre Auschwitz et les exactions terribles qui ont eu lieu ici en 1948 ou plus tard. D'autre part et surtout, en tant que peuple, nous n'étions pas du tout responsables de la Shoah, alors que les forces israéliennes sont directement impliquées dans ces événements. Nous focaliser sur ces contentieux historiques nous enfermerait dans ce cercle vicieux des négociations bilatérales que nous avons toujours voulu éviter. »

Émile l'Arabe affranchirait donc ses interlocuteurs juifs de toute dette ? « Pas du tout ! s'insurge-t-il. Ce à quoi je les appelle est au contraire beaucoup plus exigeant que ces propositions de "voyage retour" ! Se contenter de vouloir nous "rendre la pareille" en allant sur les lieux de notre souffrance historique, villages détruits en Israël ou villes des Territoires, c'est gentil, mais c'est facile, d'ailleurs cela s'est déjà fait. Ce que je demande, pour établir une véritable rencontre fondatrice de paix, c'est que le monde juif fasse l'effort de s'intéresser pour de bon au monde arabe, cherche vraiment à comprendre à qui il a affaire, nous prenne sérieusement comme des partenaires au plein sens du terme. Nous n'avons pas spécialement besoin qu'on se penche sur notre souffrance, disons que c'est nécessaire mais radicalement insuffi-

sant. Et cela peut même se révéler dangereux en nous
enfonçant dans une victimisation dont nous vivons déjà les
effets pervers. Par contre, nous avons besoin d'un changement de regard du monde juif et de l'Occident sur nous :
c'est cela qui pourrait nous aider à rompre avec cette "haine
de soi" qui fait notre malheur, et qui est bien réelle, malgré
les rodomontades des leaders arabes, malgré la fierté affichée
des foules lorsqu'elles se sentent agressées. Or, ce programme,
qui consiste à explorer les valeurs *positives* du monde arabe,
et dont je ne connais pas encore les formes qu'il pourra prendre, ce programme ambitieux, c'est cela qui va demander un
effort à nos amis juifs. Et même à ceux de gauche, partisans
du dialogue, pacifistes, prêts à libérer demain les Territoires !
Souvent, ils ne savent pas qui nous sommes, et pire : ça ne
les intéresse pas vraiment. »

Non, décidément, on ne pourra pas qualifier le curé de
Nazareth d'angélique, et avec un tel langage, ceux qui voudraient l'enfermer dans le rôle de l'Arabe « bien avec les Juifs
et qui prend toujours leur défense » en seront pour leurs frais.
Il est plus difficile, en effet, d'aller découvrir et d'intégrer les
valeurs propres de l'autre que de « dialoguer » avec lui sans
jamais lui faire une place en soi. J'avais vu un document
de l'association d'Émile en Israël, qui faisait référence à la
« grandeur » (en français dans le texte) du monde et de la
culture arabes. Je l'ai interrogé sur ce mot étonnant : « C'est,
m'a-t-il expliqué, la reconnaissance de cette richesse humaine
qui manque de la part de nombreux Juifs... et qui fait défaut
aux Arabes eux-mêmes ! ajouta-t-il. Voilà pourquoi il nous
faut explorer ensemble ce qui nous fonde comme Arabes,
avec nos souffrances historiques, certes, mais aussi avec notre
sens de la famille, de la solidarité, de l'hospitalité, avec la
sagesse de notre tradition orale, avec la beauté de notre
culture, avec tous ces éléments lumineux qui constituent
notre personnalité. Avec l'islam aussi, bien sûr, qui est majo-
ritaire chez nous – et je suis le premier à dire que les Arabes

chrétiens participent de ce fonds civilisationnel de l'islam. Mais, attention, on a trop tendance à nous réduire à cette dimension. Or, même les musulmans de chez nous ne sont pas seulement des musulmans, ils ont d'autres appartenances, et leur arabité n'est pas entièrement équivalente à leur foi. La meilleure preuve, c'est que l'Occident a beaucoup moins de difficultés à s'entendre avec les musulmans asiatiques qu'avec ceux de la sphère arabe, et qu'Israël entretient de bonnes relations avec la Turquie, musulmane mais non arabe. Faut-il rappeler que les musulmans arabes ne représentent que le cinquième de l'islam dans le monde, en termes de population ? Il y a donc nécessité d'une véritable reconnaissance des Arabes en tant que tels, qui passe par un effort d'approche culturelle, historique, et surtout humaine. »

Ce n'est pas que le débat sur la « question arabe » ne soit pas riche et constant dans la société israélienne, mais Émile Shoufani l'interpelle pour aller plus loin : « Oui, il y a ici une grande liberté d'opinion et d'expression, et je ne cesse de dire à mes amis arabes de France et d'ailleurs qu'Israël n'est pas d'un bloc, que les gens ne marchent pas tous au pas comme un seul homme derrière Sharon, que le pluralisme y règne comme nulle part ailleurs au Proche-Orient. Il y a par exemple à la Knesset une liberté de ton qu'on trouve rarement dans les parlements occidentaux, et il en est de même pour la presse. Cette habitude du débat est profondément enracinée, elle provient en fait de la tradition rabbinique qui depuis des siècles admet, voire cultive la controverse entre des interprétations divergentes du texte biblique : c'est la fameuse *makhloket* (discussion) qui fait toute la saveur de l'esprit talmudique. Mais d'un autre côté, on peut discuter toute sa vie sans rencontrer l'autre, sans s'enrichir de son altérité ! On peut réfléchir ensemble, parlementer, ergoter sans que rien ne change en profondeur dans l'existence ! Et c'est ce qui se passe la plupart du temps dans le dialogue avec les Arabes. Ce que je voudrais, c'est un vrai changement de regard, une autre façon de penser l'autre. Et cela nous est nécessaire à tous, Juifs comme Arabes, notre voyage s'en voulait l'illustration. On peut reconnaître mutuellement les droits de l'autre, parler d'égalité, de respect, etc., sans jamais se rencontrer, si l'on n'a pas osé cette conversion de la pensée. »

Qu'on ne s'y trompe pas : ce discours qui pourrait sembler trop apolitique et limité à l'ordre interpersonnel – un « discours de curé », diraient certains – est aussi celui d'un citoyen. Il s'agit pour le curé de Nazareth de transformer les instances de l'État lui-même, notamment dans le domaine de l'éducation.

L'éducation, c'est sa grande affaire. En toute occasion, il ne cesse de penser à la jeunesse juive et arabe du pays. Entouré de jeunes, et se souvenant de ses propres révoltes d'adolescent, il tente toujours de se mettre à leur place. Les jeunes d'Israël subissent au jour le jour l'insécurité chronique. Comment se construire un avenir lorsque régulièrement, dès qu'un attentat est annoncé à la radio, la vie s'interrompt brusquement, chacun demeure suspendu à son téléphone portable pour prendre des nouvelles de ses proches, en imaginant le pire ? Comment se forger des modèles lorsque est si patent l'échec de la génération précédente, qui n'a pas été capable d'assurer pour elle-même et ses enfants le minimum vital de sécurité et de sérénité ? Les jeunes Juifs vivent dans l'angoisse du jour où ils devront partir pour trois ans de service militaire, avec la perspective de défendre des colonies dans les Territoires occupés au prix de leur vie ou de celle de gosses de leur âge – car les uns comme les autres sont souvent des gosses dont on tue la jeunesse ; et les jeunes Arabes savent bien que, dans un pays en guerre, ils ont encore moins de chances de se faire une place dans cette société de plus en plus en crise.

Les élèves de l'école Al-Mutran de Nazareth, comme ceux

de l'école de Jérusalem, n'ont pas participé au voyage, car devant les risques du projet, parents et enseignants avaient dès le début volontairement circonscrit les participations au monde adulte. Il leur aurait paru irresponsable d'embarquer leurs enfants dans une aventure qui, dans le contexte explosif des années 2002-2003, avait objectivement plus de probabilités de mal tourner que de réussir. Mais aujourd'hui, ces jeunes exigent qu'on leur laisse prendre des initiatives, ils sont impatients d'agir, et ce sont eux qui ont voulu recommencer à dormir dans les familles, au cours du programme d'échanges entre les deux écoles – ce qui ne se faisait plus depuis le début de l'Intifada. Deux tiers des parents s'étant ralliés à cette idée, un calendrier de rencontres a pu être mis sur pied. Mais les élèves veulent aller plus loin, et lorsque les adultes tentent de modérer leur enthousiasme, ils se voient rétorquer : « Vous croyez qu'on va attendre le deuxième ou le troisième héritier de Shoufani pour faire ce que vous avez fait ? On peut même faire plus, et on va le faire ! »

En attendant, les contacts se multiplient avec le ministère de l'Éducation nationale. Il est question qu'Émile, accompagné des animateurs arabes et juifs de Mémoire pour la paix, puisse rencontrer les principaux responsables de l'enseignement dans tout le pays. Le ministère étudie aussi la possibilité d'organiser d'autres voyages judéo-arabes à Auschwitz – quand nous étions sur place, l'un des Arabes israéliens, Othman Khatib, avait lancé : « Qu'Israël renonce à un seul avion pour pouvoir envoyer ici tous les élèves arabes et juifs du pays, ensemble et dans ces conditions, ce sera beaucoup plus efficace pour la paix ! »

Mais l'une des idées auxquelles tient le plus Émile, c'est la mise en place d'un apprentissage de l'arabe dans toutes les écoles juives. « Voilà ce qu'on aurait dû faire depuis longtemps, affirme-t-il, mais la pensée n'en est même pas venue aux hommes politiques de droite comme de gauche, elle serait parue incongrue, tout simplement parce qu'ils ne s'intéressaient pas à nous ! Comment se fait-il que même nos amis juifs pacifistes, durant le voyage, n'entendaient pas ne serait-ce qu'un peu d'arabe, sauf une toute petite poignée, alors que nous représentons presque un cinquième de la population d'Israël, et que les Juifs ont à leurs frontières, donc à quelques kilomètres de Tel-Aviv et Jérusalem, des dizaines de millions d'arabophones ? Cela prouve qu'ici les politiques n'ont jamais prévu la paix, et même ceux qui y ont cru ne l'ont absolument pas préparée... Et attention : ce que je propose là représente beaucoup plus qu'une revendication de minoritaire arabe qui veut favoriser une véritable égalité pour ses semblables. La langue n'est qu'un outil, absolument indispensable, mais qui reste limité si l'on n'a pas la ferme volonté de s'en servir pour aller vers l'autre et le comprendre, c'est-à-dire le prendre avec soi. J'avoue, par exemple, que malgré ma maîtrise de l'hébreu, je n'étais pas véritablement entré dans la pensée juive avant de me lancer dans cette aventure, c'est ce voyage qui m'a appris à me mettre authentiquement à la place du Juif pour pouvoir lui parler. La langue, alors, n'est plus seulement instrument de communication, mais lieu de la rencontre des personnes. »

Sur un plan plus large, il a l'intention de militer pour l'introduction dans les programmes d'enseignement d'une véritable éducation à la paix. Cela peut paraître insolite, utopiste, voire complètement ridicule dans un contexte aussi terrible que celui du Proche-Orient. Mais là encore, il considère que la préparation de l'avenir commence aujourd'hui et doit remettre en cause dès à présent les pratiques et les modes de pensée qui l'oblitèrent. « Il faut enseigner aux élèves d'autres valeurs, des valeurs d'échange et d'interdépendance, d'universalisme et de découverte des autres cultures. Les valeurs de la nation et de la sécurité aussi, pourquoi pas, c'est la moindre des choses dans une société aux prises avec tant d'adversité. Cela ne me pose pas problème que les Juifs israéliens soient patriotes, aiment leur drapeau, leur histoire, leur hymne et leurs fêtes nationales ! Mais ces valeurs dérivent lorsqu'elles sont cultivées exclusivement dans l'obsession de la menace extérieure. D'ailleurs, beaucoup de jeunes critiquent aujourd'hui ces dérives, y compris dans l'armée... Il est dans l'intérêt de l'État d'Israël de reconsidérer en profondeur ce qu'il propose aux jeunes comme vision d'avenir. »

Et si on lui fait remarquer qu'une telle perspective touche à la définition même de l'État, il en convient volontiers : « Israël est une démocratie, c'est vrai, mais une démocratie malade, qui bafoue ses propres principes de par la colonisation et les pratiques qu'implique l'occupation. À force de mettre entre parenthèses ses propres valeurs, soi-disant pour un temps et dans un espace donnés – c'est-à-dire le temps d'"éradiquer" le mal chez l'autre, et dans l'espace limité des Territoires –, cette suspension que l'on croyait provisoire devient chronique et finit par gangrener toute la société. C'est arrivé dans d'autres démocraties, cela devient patent ici... Et je ne suis pas d'accord pour dire qu'il faut "attendre que les autres commencent" – commencent à mettre fin aux attentats, par exemple. La sécurité est une nécessité et même une urgence, il est légitime de s'en préoccuper, cela ne se discute même pas. Mais ce qui est tout aussi urgent, c'est de guérir cette société détruite dans son économie, dans ses structures, dans ses valeurs fondamentales par l'occupation et la guerre permanente. Juifs ou Arabes, les gens ici considèrent le système politique comme complètement *nish'hat*, "pourri", déconsidéré par les scandales financiers ou autres. Je ne reprends pas forcément à mon compte cette dévaluation du politique, mais le fait est que la population juive est orpheline de ses rêves d'antan. »

Voilà aussi pourquoi Émile Shoufani n'entrera pas dans le jeu des partis – ni des partis arabes ni de ceux de la gauche juive. Il reçoit et est invité par beaucoup de monde, mais lorsqu'on lui suggère qu'il pourrait donner au mouvement d'opinion créé par le voyage à Auschwitz une plus grande visibilité, il rétorque toujours : « Personne ici ne croit plus que l'espoir peut venir des institutions politiques. Qu'aurais-je donc à faire d'obtenir un adoubement quelconque de ces institutions ? Par contre, les hommes et les femmes m'intéressent, quel que soit leur parti, et s'ils ont de l'influence de par leur fonction, s'ils ont le désir sincère de faire bouger cette société, ils sont d'autant plus les bienvenus. »

Il n'interviendra pas non plus directement dans les relations politiques entre Israël et les Palestiniens des Territoires. Telle n'est pas sa mission, qu'il définit humblement comme consistant plutôt à tenter de faire évoluer les relations entre les « sociétés civiles » juive et arabe. Vue d'Europe, cette attitude de retrait peu apparaître frustrante. On aimerait bien – si du moins la parole lui était donnée ! – qu'un tel homme puisse se faire médiateur entre des responsables dont on voit bien qu'au sens propre, ils n'arrivent pas à s'entendre. Mais, pour le coup, là serait la véritable utopie : n'ayant qu'une connaissance tronquée de la réalité vécue par les populations, nous avons tendance à imaginer que tout pourrait tellement être clair et rapide, si seulement leurs chefs voulaient y mettre un peu de bonne volonté. Les choses, hélas, ne sont pas si simples. J'ai été frappé de voir, chez les Arabes israéliens, la perplexité avec laquelle les Arabes accueillaient l'« accord de Genève » signé le 1er décembre 2003 par Abed Rabbo et Yossi Belin. Chez nombre de mes amis parisiens, par contre, l'événement était perçu comme la preuve qu'il « suffirait de peu de chose pour que la paix advienne ». Rien n'est plus faux. Ce geste avait une valeur symbolique évidente, mais combien d'Arabes de Galilée m'ont dit alors : « Très bien ! Mais même si les politiques étaient prêts à signer demain, les populations ne le sont pas ! »
C'est cette réalité à laquelle veut répondre l'action d'Émile Shoufani : ce n'est pas *après* la signature qu'il faut organiser

la paix, c'est *avant* qu'il faut la préparer dans les consciences et les pratiques sociales. Telle était la visée du voyage de Mémoire pour paix. Elle mériterait d'être prise en compte par les responsables politiques eux-mêmes.

Valérie Rosoux, qui était avec nous à Auschwitz et qui enseigne la négociation internationale à l'université de Louvain-la-Neuve, en tire cette réflexion : « L'impact de l'initiative lancée par Émile Shoufani fut avant tout d'ordre personnel... [mais] l'expérience n'est pourtant pas anodine sur le plan des relations internationales. Elle permet de s'interroger sur les stratégies de résolution des conflits et, plus particulièrement, sur l'opportunité d'un "travail de mémoire" dans ce cadre. La plupart des praticiens de la négociation internationale s'accordent sur la nécessité d'éviter d'aborder toute question liée à la mémoire douloureuse de l'une des parties en présence. Selon eux, ce type de questions particulièrement sensibles ne peut qu'empêcher l'obtention d'un accord entre les protagonistes. Ils considèrent par ailleurs que ces questions ne peuvent être traitées que dans le long terme, en aval de toute négociation. Leur mot d'ordre pourrait être : "d'abord les conditions politiques pour la paix, ensuite le travail de mémoire", selon l'expression de Robert Malley, conseiller particulier du président Clinton pour les affaires israélo-palestiniennes, et négociateur au sommet de Camp David. »

Mais c'est peut-être là négliger l'importance de la relation entre les sociétés civiles pour l'instauration d'une paix durable, selon cette chercheuse qui a beaucoup travaillé sur les stratégies de résolution des conflits. Une des leçons à tirer de l'initiative du curé de Nazareth, et de tout son travail de médiation entre Juifs et Arabes, serait alors la nécessité de faire avancer dans le même temps négociations et contacts réels entre les populations : « Ces dynamiques, dit Valérie Rosoux, répondent à des règles du jeu fondamentalement différentes : la négociation repose sur un jeu de concessions réciproques et sur un calcul serré des risques, alors que le rapprochement des communautés blessées passe par une capacité de décentrement et d'empathie, par définition porteuse de risques. » Émile Shoufani a choisi cette dernière mission, celle de l'éducation pour la paix en temps de guerre.

Mission qu'il exprima, lors de la remise du prix de l'Éducation pour la paix qu'il reçut à l'Unesco en septembre 2003, par des paroles encore une fois étonnamment proches d'Emmanuel Lévinas, lorsque celui-ci évoquait une paix éthique entendue comme « éveil à la précarité de l'autre [1] ».

L'éducation pour la paix, c'est l'art de prendre l'autre avec soi, en soi, sur soi. Prendre l'autre en charge, le porter et nous porter ensemble, ce n'est pas là de la théorie philanthropique, cela procède de la simple prise de conscience de notre essentielle solidarité d'êtres humains. L'acceptation de l'autre tel qu'il est, dans ses souffrances comme dans sa joie, l'humilité qui consiste à se laisser illuminer par lui, tout cela devient naturel le jour où l'on a compris la responsabilité, la coresponsabilité qui nous lie face à la vie...

L'éducation pour la paix, c'est l'art de la synergie des lumières, synergie qui crée du neuf, du différent, du vivant. C'est la relation toi-moi qui transfigure le monde en manifestant la réalité la plus profonde de notre être créé à l'image de Dieu...

Si tu veux la paix, prépare la paix : fais venir l'autre dans ta propre maison, rends-lui visite dans sa famille, écoute-le, fais-le physiquement exister dans ta vie, prends en charge ses émotions et sa culture, ses deuils et ses joies, son histoire et ses espérances. Au bout d'un temps, au-delà de toutes les difficultés traversées, tu constateras que la peur, origine de toutes les violences, est devenue un spectre qui s'est éloigné, éloigné jusqu'à se dissiper.

---

1. « Paix et proximité », *Cahier de la nuit surveillée*, Verdier, 1984, p. 344.

Tous ses voyages, projets et conférences [1] n'empêchent pas Émile Shoufani de diriger au quotidien l'école Al-Mutran de Nazareth. Dans son modeste bureau, à côté d'une multitude de coupes et de trophées gagnés par les équipes sportives de l'école, une cohorte d'angelots naïfs veille sur lui. L'archimandrite Shoufani collectionne en effet les petits anges musiciens ! De temps en temps, pour se donner du courage, il se penche sur l'une de ces baroques miniatures en plâtre, pour écouter sa mélodie silencieuse et recevoir la lumière de son sourire...

Le visiteur trop raisonnable pourrait facilement ironiser sur ce qu'il considérerait comme une poésie de pacotille. Il ferait erreur : dans la perspective d'Émile, le rêve est une affaire très sérieuse, et même éminemment politique.

En témoigne sa dernière initiative de chef d'établissement scolaire : l'installation d'un magnifique et très fonctionnel observatoire astronomique, qui surplombe le nouveau bâtiment de l'école. Les jeunes se passionnent pour ce nouveau fleuron de Nazareth, et l'équipe d'élèves qui le gère est capable de recevoir, conférences scientifiques à l'appui, les visiteurs qui commencent à affluer de toute la région. Évidemment, le coût d'un tel projet n'était pas anodin. Émile a donc frappé à toutes les portes, publiques et privées, pour aider à son financement. Devant les organismes ecclésiaux, notamment, il a fait valoir que l'on pourrait donner à cet observatoire le nom de Jean-Paul II, en mémoire de son voyage historique en Israël. Mais aucune porte ne s'est ouverte, ni celles de l'État, ni celles des institutions chrétien-

---

1. Sans compter la réception de prix et titres en Israël et en Europe : outre le prix de l'Éducation pour la paix de l'Unesco, prix de la Tolérance du président d'Israël, doctorat honoris causa de l'Université hébraïque de Jérusalem (dans ces deux cas, il est le premier Arabe à être ainsi honoré), doctorat honoris causa de l'Université catholique de Louvain-la-Neuve, médaille de la Paix du CRIF Marseille-Provence...

nes, ni les autres... Qu'à cela ne tienne ! En tant que directeur, il a décidé d'investir sur les fonds propres de l'école, en
pariant sur les revenus futurs générés par les visites. Aujour-
d'hui, bien sûr, tout le monde le félicite de cette initiative
et, constatant son succès, déclare qu'il aurait bien voulu y
participer...

L'enjeu de cette réalisation, aux yeux du curé de Nazareth,
n'avait rien d'anecdotique. Avant tout, il fallait démontrer
que les Arabes peuvent être fiers non seulement de leur
culture ancestrale, mais aussi de leur capacité à maîtriser le
progrès technologique. Ensuite, l'observation des astres n'est
pas seulement une activité scientifique, elle comporte une
dimension poétique à laquelle les jeunes Arabes – comme les
jeunes du monde entier – sont particulièrement sensibles. Le
firmament a toujours fait rêver les hommes, et en levant les
yeux au ciel, on élève aussi un peu son âme. C'est toujours
ce qu'a ressenti Émile, passionné d'astronomie depuis son
enfance.

Et puis cette opération a eu un autre résultat, qu'il avait
prévu et voulu : aujourd'hui, les visiteurs juifs se font de
plus en plus nombreux, ils arrivent en famille ou par groupes
organisés. Que des Juifs se rendent à Nazareth la Galiléenne
pour se faire expliquer le cosmos par de jeunes Arabes et
pour contempler avec eux les étoiles, voilà une autre pierre
posée pour la construction d'un monde commun.

Paris, Nazareth,
janvier 2004.

BIBLIOGRAPHIE

Le Curé de Nazareth, de Hubert Prolongeau, Albin Michel, 1998, rééd. 2002.

Voyage en Galilée, d'Émile Shoufani, photographies de Hanan Isachar, Albin Michel, 1999.

Célébration de la Lumière, regards sur la Transfiguration, d'Émile Shoufani et Christine Pellistrandi, Albin Michel, 2001.

Comme un veilleur attend la paix, entretiens d'Émile Shoufani avec Hubert Prolongeau, Albin Michel, 2002.

ABD AL MALIK, *Qu'Allah bénisse la France*, Albin Michel, 2004.

ANTELME, Robert, *L'Espèce humaine*, Gallimard, 1979.

ARKOUN, Mohammed, *La Pensée arabe*, PUF, 2003.

ARKOUN, Mohammed, *De Manhattan à Bagdad*, Desclée de Brouwer, 2003.

AZÉMA, Jean-Pierre, et BÉDARIDA, François (sous la direction de), *Vichy et les Français*, Fayard, 1992.

BÉDARIDA, François, *La Politique nazie d'extermination*, Institut du temps présent/Albin Michel, 1989.

BENSOUSSAN, Georges, *Histoire de la Shoah*, PUF, collection « Que sais-je ? », n° 3081, 1996.

BENSOUSSAN, Georges, *Auschwitz en héritage ? D'un bon usage de la mémoire*, Mille et une nuits, 1998, rééd. 2003.

BENZINE, Rachid, *Les Nouveaux Penseurs de l'islam*, Albin Michel, 2004.

BENZINE, Rachid, et DELORME, Christian, *Nous avons tant de choses à nous dire*, Albin Michel, 1997, rééd. 1998.

BRAYARD, Florent, *Comment l'idée vint à M. Rassinier. Naissance du révisionnisme*, Fayard, 1996.

BRAYARD, Florent (sous la direction de), *Le Génocide des juifs entre procès et histoire*, Complexe, 2000.

BROWNING, Christopher, *Des hommes ordinaires*, Belles Lettres, 1994.

BULAWKO, Henry, *Les Jeux de la mort et de l'espoir : Auschwitz-Jaworzno*, Amicale des anciens déportés juifs de France, 1954, rééd. Recherches, 1980.

CHALIER, Catherine, *Lévinas, l'utopie de l'humain*, Albin Michel, 1993.

CHALIER, Catherine, *Traité des larmes. Fragilité de Dieu, fragilité de l'âme*, Albin Michel, 2003.

CHALIER, Catherine, *La Fraternité, un espoir en clair-obscur*, Buchet-Chastel, 2003.

COQUIO, Catherine (sous la direction de), *Parler des camps, penser les génocides*, Albin Michel, 1999.

DELAGE, Christian, *La Vision nazie de l'histoire*, L'Âge d'homme, 1989.

FARHI, Daniel, *Au dernier survivant (recueil de sermons sur la Shoah)*, Biblieurope, 2000.

FAINZANG, Jules, *Mémoire de déportation*, L'Harmattan, 2002.

FRIEDLANDER, Saul, *L'Allemagne nazie et les Juifs*, Seuil, 1997.

GREILSAMMER, Ilan, *La Nouvelle Histoire d'Israël*, Gallimard, 1998.

GRINSPAN, Ida, POIROT-DELPECH Bertrand, *J'ai pas pleuré*, Robert Laffont, 2002.

GRYNBERG, Anne, *Les Camps de la honte*, La Découverte, 1991.

HALPÉRIN, Jean (sous la direction de), Colloques des intellectuels juifs, Albin Michel : *La Responsabilité*, 2003 ; *Comment vivre ensemble ?*, 2002 ; *Difficile justice*, 2001 ; *L'Idée d'humanité*, 1995...

HILBERG, Raul, *La Destruction des Juifs d'Europe*, Fayard, 1988, rééd. Folio/Gallimard, 1992.

HOLLANDER-LAFON, Magda, *Les Chemins du temps*, Éditions ouvrières, 1977.

HOLLANDER-LAFON, Magda, *Souffle sur la braise*, Cerf, 1993.

JANKÉLÉVITCH, Vladimir, *L'Imprescriptible*, Seuil, 1986, rééd. 1996.

JONAS, Hans, *Le Concept de Dieu après Auschwitz*, Payot/Rivages, 1994.

KATTAN, Emmanuel, *Penser le devoir de mémoire*, PUF, 2002.

KATTAN, Naïm, *Adieu, Babylone*, Julliard, 1975, rééd. Albin Michel, 2003.

KLARSFELD, Serge, *L'Étoile des Juifs*, Archipel-CRIF, 2002.

KLARSFELD, Serge, *La Shoah en France*, 4 volumes, Fayard, 2001.

KLARSFELD, Serge, *Vichy-Auschwitz*, 2 tomes, Fayard, 1983 et 1985.

KOTEK, Joël et Dan, *Au nom de l'antisionisme. L'image des Juifs et d'Israël dans la caricature depuis la seconde Intifada*, avant-propos de Plantu, Complexe, 2003.

LANZMANN, Claude, *Shoah*, Gallimard, 1998.

LE BIHAN, Adrien, *Auschwitz Graffiti*, Librio, 2000.

LEVI, Primo, *Si c'est un homme*, Julliard, 1987, rééd. 1998.

LEVI, Primo, *Les Naufragés et les Rescapés. Quarante ans après Auschwitz*, Gallimard, 1989.

LÉVINAS, Emmanuel, *Autrement qu'être, ou au-delà de l'essence*, Nijhoff, 1974.

LÉVINAS, Emmanuel, *De Dieu qui vient à l'idée*, Vrin, 1982.

LÉVINAS, Emmanuel, *Éthique et Infini*, Fayard, 1982.

LÉVINAS, Emmanuel, *Entre nous. Essais sur le penser-à-l'autre*, Grasset, 1991.

LÉVINAS, Emmanuel, *À l'heure des nations*, Minuit, 1988.

MEDDEB, Abdelwahab, *La Maladie de l'islam*, Seuil, 2002.

MEDDEB, Abdelwahab, *Face à l'islam*, Textuel, 2004.

NÉHER, André, *L'Exil de la parole. Du silence biblique au silence d'Auschwitz*, Seuil, 1970.

PESCHANSKI, Denis, *La France des camps. L'internement de 1938 à 1946*, Gallimard, 2002.

POLIAKOV, Léon, *Histoire de l'antisémitisme*, Seuil, 1994.

SEMELIN, Jacques, *Sans armes face à Hitler*, Payot, 1998.

SZAFRAN, Maurice, *Simone Veil : un destin*, Flammarion, 1994.

TAGUIEFF, Pierre-André (sous la direction de), *Les Protocoles des Sages de Sion : un faux et ses usages dans le siècle*, Berg International, 1992, rééd. 2004.

TERNON, Yves, *L'État criminel. Les génocides au XXe siècle*, Seuil, 1995.

THANASSEKOS, Yannis, et WISMAN, Heinz (sous la direction de), *Révision de l'histoire : totalitarismes, crimes et génocides nazis*, Cerf, 1990.

THANASSEKOS, Yannis (sous la direction de), *L'Avenir de la mémoire*, Fondation Auschwitz (Bruxelles), 2000.

TRAVERSO, Enzo, *La Violence nazie. Une généalogie européenne*, La Fabrique, 2002.

VERDUSSEN, Robert, *Naïm Khader. Prophète foudroyé du peuple palestinien (1939-1981)*, Le Cri, 2001.

VIDAL-NAQUET, Pierre, *Les Assassins de la mémoire*, La Découverte, 1987.

VIDAL-NAQUET, Pierre, *Les Juifs, la mémoire et le présent*, La Découverte, 1991.

WAINTRATER, Régine, *Sortir du génocide. Témoigner pour réapprendre à vivre*, Payot, 2003.

WIEVIORKA, Annette, *Auschwitz raconté à ma fille*, Seuil, 1999.

WIEVIORKA, Annette, *Déportation et génocide. Entre la mémoire et l'oubli*, Pluriel/Hachette, 2003.

ZEITOUN, Sabine, *Ces enfants qu'il fallait sauver*, Albin Michel, 1989.

REMERCIEMENTS

Je remercie avant tout celles et ceux des rescapés de la Shoah qui ont bien voulu nous accompagner dans la préparation en France ou en Israël et dans le déroulement sur place du voyage « Mémoire pour la paix ». Ils auraient eu toutes les raisons de s'abstenir, personne n'aurait pu leur en faire le moindre reproche. Mais ils ont accepté l'épreuve précisément parce que cette démarche collective procédait de l'initiative de l'Arabe Émile Shoufani, et que la moitié des cinq cents participants étaient d'origine arabe. À aucun moment, ils ne se sont comportés en *survivants* ressassant le passé pour lui-même. Ils méritent plutôt le nom de *vivants*, témoins dans le présent d'un message pour l'avenir. Je ne peux citer ici que ceux du groupe francophone : Henry Bulawko, président de l'Amicale des déportés d'Auschwitz et des camps de Haute-Silésie, Jules Fainzang, Ida Grinspan, Irène Hajos, Magda Hollander-Lafon, Yvette Lévy et Schlomo Venezia.

Je remercie aussi toutes celles et ceux qui ont aidé à la réalisation concrète de cette démarche, responsables d'organismes européens, nationaux ou de collectivités locales qui ont fait confiance à Émile Shoufani et à ses amis, sur un projet qui pouvait sembler téméraire, voire impossible. Puisqu'ils sont beaucoup trop nombreux pour être nommés ici, qu'ils soient tous compris dans la gratitude que je veux exprimer personnellement envers Mme Simone Veil, présidente de la Fondation pour la mémoire de la Shoah.

Des centaines de personnes de toutes origines ont eu leur part, aux côtés d'Émile Shoufani, dans l'aventure collective dont j'ai essayé de rendre compte. Elles sont même des milliers, si l'on compte toutes celles qui ont aidé à sa préparation ou à son financement, toutes celles qui ont diffusé le message porté par cette initiative, sans pouvoir participer au voyage lui-même. Chacune, chacun a une histoire, qui souvent aurait mérité d'avoir sa place ici. Je n'ai ni pu ni même voulu faire de ce livre la somme de tous ces possibles récits. Très souvent, cependant, je me suis directement inspiré de leurs témoignages oraux ou écrits. Je remercie de leur compréhension celles et ceux que je n'ai pu citer, ou que je n'ai mentionnés que trop rapidement... mais je ne peux m'empêcher de nommer ici Anne-Sophie Jouanneau, qui s'est donnée sans compter avec une « intelligence du cœur » admirable, et avec toute la grâce de sa jeunesse.

Ce livre serait encore plus imparfait qu'il n'est sans l'aide notamment de Dane Cuypers et Victor Malka, et sans la vigilance des amis qui ont bien voulu me relire. Qu'ils reçoivent toute ma reconnaissance.

Mon plus grand merci, enfin, va à Pascale, qui a fait preuve durant tous ces mois d'une patience infinie.

L'association française Mémoire pour la paix, régie par la loi de 1901, a été créée pour préparer et organiser le voyage à Auschwitz de mai 2003. Elle continue à coordonner et encourager les rencontres et les initiatives à la suite de cet événement, dans l'esprit de l'Appel d'Émile Shoufani qui en est le président.
Renseignements et adhésions à :

Mémoire pour la paix
BP 40022
94311 Orly Cedex
contact@memoirepourlapaix.com
www.memoirepourlapaix.com

TABLE

DU MÊME AUTEUR

Daniel Pons, le chant d'un homme présent
La Table ronde, 1990.

La Parole au cœur du corps
entretiens avec Annick de Souzenelle
Albin Michel, 1993.

Dictionnaire inattendu de Dieu
en coll. avec Jérôme Duhamel
Albin Michel, 1998.

Religions en dialogue
Albin Michel, 1996 ;
rééd. coll. « Espaces libres », 2002.

*Composition Nord Compo
et impression Imprimerie Floch sur Roto-Page
en mars 2004.*

N° d'impression : 59749.
N° d'édition : 21939.
Dépôt légal : avril 2004.
Imprimé en France.